TIM SULLIVAN

Der Kriminalist

Die Logik des Todes

Autor

Tim Sullivan ist ein erfolgreicher Drehbuchautor, Regisseur und TV-Produzent, der unter anderem an den Filmen *Jack & Sarah* und *Briefe an Julia* mitwirkte. Seine Reihe um den sozial unbeholfenen, aber brillanten und äußerst beharrlichen DS George Cross erfreut sich großer Beliebtheit bei den Leser*innen. Tim Sullivan wurde in Deutschland geboren, wo sein Vater für die Royal Air Force stationiert war. Heute lebt er mit seiner Frau Rachel im Norden Londons.

Von Tim Sullivan bereits erschienen

Der Kriminalist. Der erste Fall für Detective Cross

Tim Sullivan

Der Kriminalist

Die Logik des Todes

Ein Fall für Detective Cross

Roman

Deutsch von Frauke Meier

blanvalet

Die Originalausgabe erschien 2020 unter dem Titel
The Cyclist bei Pacific Press, London.

Penguin Random House Verlagsgruppe FSC® N001967

1. Auflage 2024

Redaktion: Ulrike Gerstner
Umschlaggestaltung und -motiv: © Johannes Wiebel |
punchdesign,
unter Verwendung von Motiven von stock.adobe.com
(jaceksphotos, Pete, mangpor2004)
StH · Herstellung: sam
Satz: Buch-Werkstatt GmbH, Bad Aibling
Druck und Bindung: GGP Media GmbH, Pößneck
Printed in Germany
ISBN 978-3-7341-1170-9
www.blanvalet.de

Für Bella und Sophia

1

»Entschuldigung, wie lange dauert es noch, bis meine Männer wieder an die Arbeit gehen können?«

Cross antwortete nicht. Stattdessen wandte er den Blick ab und betrachtete das grünliche, aufgequollene Gesicht des jungen Mannes in der Schaufel des JCB-Baggers. Eingewickelt in Baufolie hatte man ihn in einer Garagenreihe verstaut, die abgerissen werden sollte. Blut und Körperflüssigkeiten, die post mortem freigesetzt worden waren, sammelten sich in den Falten der Polyethylenfolie. Der Anblick erinnerte vage an vakuumverpacktes Fleisch im Kühlregal eines Supermarkts. Die Augen des Mannes starrten stumpf und blicklos wie die eines Fisches, der zu lange beim Händler auf Eis gelegen hatte. Die Garagen befanden sich hinter einer Gruppe von Hochhäusern mit Sozialwohnungen, die in den Fünfzigern in Barton Hill errichtet worden waren. Doch was damals ein besseres Leben versprochen hatte, war nun nur noch ein deprimierender Schandfleck in der Landschaft.

Cross drehte sich wieder zu dem Bauunternehmer um und studierte ihn einige Sekunden lang. Der rotgesichtige Mann in der Barbour-Wachsjacke sah aus, als würde er viel Zeit unter freiem Himmel verbringen, wenn er sich nicht gerade den Hosenboden im örtlichen Pub glänzend rieb. Cross ging durch den Kopf, dass die Wortwahl »meine Männer«

dazu angetan war, dem Unternehmer einen erhabenen Status zu verleihen.

»Da drüben liegt ein Toter. Ein junger Mann. Die Schlussfolgerung, dass er ermordet wurde, wäre selbst in diesem frühen Stadium nicht zu weit hergeholt«, sagte Cross.

»Das weiß ich und es tut mir leid, aber ich muss vorwärtskommen«, entgegnete der Mann.

»Wir brauchen eine Aussage von Ihnen und allen Arbeitern, die heute Morgen vor Ort waren. Danach können sie nach Hause gehen«, konstatierte Cross.

»Nach Hause gehen? Was soll das heißen?«, stotterte der Mann.

»Es ist ein Mord geschehen. Das, was Ihre Baustelle war, ist durch die Gegenwart einer in Polyethylenfolie gewickelten Leiche zu einem Tatort geworden. Sofern Ihre Arbeiter also kein besonderes Interesse an polizeilichen Ermittlungsmethoden und Forensik hegen, wäre ich dankbar, wenn sie den Tatort verlassen würden, sobald sie ihre Aussage gemacht haben. Sollten sie interessiert sein, können sie hinter dem Absperrband bleiben und zusehen«, klärte Cross ihn auf.

George Cross – Detective Sergeant Cross von der Avon and Somerset Police, um den vollständigen Titel zu nennen – war nicht im Mindesten überrascht über die offenkundige Gefühllosigkeit des Unternehmers hinsichtlich des Ablebens dieses jungen Mannes. Seine bizarre Idee, die Arbeit könne weitergehen wie immer, ganz so, als sei nichts Außergewöhnliches vorgefallen, war für Leute in solchen Situationen nicht überraschend.

Für den Unternehmer musste es verwirrend sein, dass das Angebot des Polizisten, die Leute könnten hinter dem Absperrband bleiben und zusehen, nicht ansatzweise ironisch geklungen hatte. Das war, als würde er tatsächlich glauben, einige seiner Arbeiter wären insgeheim fasziniert von der Ermittlungsarbeit in einem Mordfall. Was er nicht wissen konnte, war, dass Cross das in der Tat glaubte. Cross bemühte sich einfach, sich diesem Mann gegenüber höflich und normal zu geben, sich an die Regeln zu halten, die seine Partnerin DS Ottey ihm beizubringen versucht hatte. Zu Ironie oder Sarkasmus war Cross gar nicht imstande. Der Unternehmer drehte sich hilfesuchend zu DS Ottey um, die gleich neben ihnen stand.

»Fangen wir doch einfach mit Ihrer Aussage an«, sagte die zu ihm und kam damit allem, was der Mann selbst noch hätte äußern können, zuvor.

Cross kehrte zu der Leiche zurück. Allerdings war er mehr an der direkten Umgebung des Toten interessiert als an ihm selbst. Den Verstorbenen würde er sich später in der Leichenhalle genauer ansehen.

»Mr …«, Ottey überprüfte ihre Notizen. »… Morgan, richtig? Wie lange stehen diese Garagen schon leer?«

»Offiziell etwas mehr als ein Jahr. Aber die Leute haben sie widerrechtlich weiter genutzt; einige als Lagerraum, einige als Müllabladeplatz. In einer hat sogar ein Junkiepärchen gewohnt. Verdammte Nervensägen. Kein Respekt vor Privateigentum«, jammerte Morgan.

»Sie haben das Abrissdatum vorverlegt«, bemerkte Cross.

»Ja, die Genehmigung ist fünf Tage früher als erwartet erteilt worden. Woher wissen Sie das?«, fragte Morgan.

»Ich habe mir die öffentlichen Bekanntmachungen des Planungsbüros angesehen, ehe ich hergekommen bin. Gibt es irgendeinen speziellen Grund für die Terminänderung?«

»Ich wollte einfach nur weiterkommen, das ist alles«, entgegnete Morgan.

DCI Carson, der direkte Vorgesetzte von Cross und Ottey, hatte die inzwischen schon gewohnt minimierten Ressourcen für die Ermittlungen bereitgestellt. Der Mangel beruhte nicht so sehr darauf, dass Mord nicht mehr als ernstes Verbrechen galt. Der Grund war vielmehr, dass dank ständiger Kürzungen nicht mehr genug Leute verfügbar waren, um ein angemessen großes Team für eine Morduntersuchung zusammenzustellen. Cross konnte nicht verstehen, warum Ottey Carson deswegen jedes Mal aufs Neue Vorhaltungen machte. Ihm kam das sinnlos vor. Insgeheim hätte er es sowieso vorgezogen, die Ermittlungen allein durchzuführen, auch wenn ihm klar war, dass das absolut nicht machbar war. Es war nützlich, Leute zu haben, die sämtlichen Fragen nachgehen konnten, die ihm in den Sinn kamen. Aber im Grunde arbeitete er lieber allein. Wenn er niemanden um sich hatte, musste er nicht ständig sein Verhalten anderen Menschen gegenüber unter Kontrolle haben.

Was man ihm jedoch auf keinen Fall anvertrauen konnte, das war die Leitung eines Teams. Einmal hatte man es versucht – mit katastrophalem Ergebnis. Es hätte beinahe zu seiner Kündigung geführt, so schlimm hatte er auf den Druck reagiert, mit Leuten umgehen zu müssen, die sich ihm gegenüber zu verantworten hatten. Seine Spezialität war es, Pläne zu entwickeln, denen alle anderen folgen konnten. Seine Partnerin Josie Ottey, eine alleinstehende Schwarze, Mutter zweier Kinder, kümmerte sich um die Leitung des Teams und die Umsetzung des jeweiligen Plans. Exakt und buchstabengetreu war die einzige Art, auf die es funktionieren konnte. Das hatte sie schon früh erkannt. Sie war ihm trotz ihrer umfangreichen Proteste als Partnerin zugeteilt worden und hatte sich bald in der Rolle der Person wiedergefunden, die sich ständig in seinem Namen entschuldigen musste und als Schnittstelle zwischen ihm und dem Rest des Departments fungierte. Übersetzerin für Cross zu sein, war nicht der Grund, warum sie zur Polizei gegangen war. Cross war im besten Fall unbeholfen im Umgang mit anderen Menschen, im schlimmsten verdammt unhöflich. Aber der springende Punkt war, dass er auch ein außerordentlich guter Ermittler war. So besessen von jedem einzelnen Detail jedes einzelnen Falles, von Dingen, die andere – sie selbst eingeschlossen – häufig ignorierten. Seine Präzision und seine manische Hingabe an Logik, Routine und Verhaltensmuster und die Aufmerksamkeit, die er jeglichen Anomalien innerhalb selbiger entgegenbrachte, war enorm. Das alles war der Grund dafür, dass er die beste Verurteilungsrate in der ganzen Umgebung hatte. Seine Unbeholfenheit im Umgang mit Menschen und sein Mangel an Empathie hatten sich im Verhörraum sogar als besonders nützliche Werkzeuge erwiesen. Dazu kam die Tatsache, dass dies eine Umgebung war, in der er sich absolut wohlzufühlen schien. Verdächtige hingegen reagierten verunsichert auf sein Verhalten und ließen sich häufig verleiten, ihn zu unterschätzen. Ein Fehler, den sie später ausnahmslos bereuten.

Im Großraumbüro wandte sich Carson an das, wie er es nannte, »Garagenmord«-Team. Er hatte eine Vorliebe dafür, den aktuellen Fällen einen umgangssprachlichen Namen zu verpassen, als würde ihnen das mehr Gewicht geben, ihnen gewissermaßen einen Hauch von Ruhm verleihen.

»Also, als Erstes müssen wir das Opfer identifizieren«, sagte er – unnötigerweise, wie Ottey dachte. »Er hatte keine Papiere bei sich, keine Brieftasche, kein Telefon, keinen Führerschein, keine Uhr mit Namensgravur. Absolut nada. Natürlich werden wir Fingerabdrücke und DNA überprüfen, aber wenn er nicht im System ist oder beim Militär war, wird uns das vermutlich nirgendwohin führen.«

Ottey empfand diese Besprechungen als ärgerliche Gängelei. Abgesehen davon, dass er mit Binsenweisheiten um sich warf, als müsste er nicht nur seine Mitarbeiter, sondern auch sich selbst überzeugen, dass er federführend und von Nutzen für die Ermittlungen war. Aber er wiederholte nur Informationen gegenüber genau den Leuten, die ihm die Informationen zuvor geliefert hatten. Cross kümmerte das weniger. Er hielt es für sinnvoll, das Team an seine Aufgaben und die Grundlagen zu erinnern, die notwendig waren, um einen Mord aufzuklären. Ihn störte nicht, wie banal das alles war. Außerdem bekam er, wenn die Fakten verbal vor ihm ausgebreitet wurden, Zeit, um nachzudenken.

»Josie, was denkt George?«

Carson fragte, als wäre Cross gar nicht anwesend. Auf Alice Mackenzie, eine junge Frau, die eine Ausbildung zum Police Staff Investigator absolvierte, hatte dergleichen äußerst sonderbar gewirkt, als sie sich der Einheit vor sechs Monaten angeschlossen hatte. Aber sie hatte auch gesehen, dass alle anderen völlig locker damit umgingen, und bald gelernt, dass Cross nicht gern vor mehreren Leuten sprach, wenn er nicht unbedingt musste. Das war auch einer der Gründe, warum Ottey seine Gedanken allen anderen übermitteln musste; dazu brauchte sie keine telepathischen Fähigkeiten, er informierte sie stets vor den Besprechungen.

Während der Zusammenarbeit mit Cross hatte Mackenzie allerdings rasch erkennen müssen, dass sie bei ihm noch mit weitaus sonderbareren Eigenheiten zu rechnen hatte. Sie suchte immer noch nach der besten Methode, um mit ihm zurechtzukommen. Bemühte sich, seine Wünsche zu interpretieren – andererseits waren seine Anweisungen präzise und nüchtern formuliert, weshalb es vielleicht ein wenig übertrieben war, von Interpretation zu sprechen. Aber wichtiger noch war, keinen Anstoß zu nehmen an seinem Verhalten und seinem Ton.

»Ich habe noch keine Gedanken zu bieten«, antwortete Cross ausnahmsweise selbst.

»Sollten wir uns den Bauunternehmer genauer ansehen?«, fragte Carson.

»Es kommt mir höchst unwahrscheinlich vor, dass er eine Leiche an einem Ort versteckt, den er abreißen will. Dadurch muss das Versteck ja auffliegen«, sagte Ottey.

»Es sei denn, er hat gedacht, so könnte er sie loswerden«, wandte Carson ein.

»So dumm erschien er mir nicht«, sagte Cross.

»Er war auch derjenige, der den Mord gemeldet hat«, fügte Ottey hinzu.

»Doppelte Irreführung? Vielleicht hat er sich gedacht, dass wir das denken würden.«

Cross reagierte nicht. Das lag nicht daran, dass er wie alle anderen im Raum davon ausgegangen war, die Bemerkung sei keine Antwort wert. Sondern Carson hatte im engeren Sinne keine Frage gestellt, womit eine Antwort logischerweise nicht erforderlich war.

»Also gut, gehen wir es an!«, rief Carson in die Runde.

Was Ottey aus gleich zwei Gründen aufregte. Erstens waren sie es bereits »angegangen«, ehe Carson sie gestört und auf diese nutzlose Besprechung bestanden hatte. Zweitens verkündete er genau das unausweichlich zu Beginn jeder Ermittlung. Als würde er sich für Sergeant Esterhaus aus dem Polizeirevier Hill Street halten, der jeden Tag nach dem Morgenappell sagte »und seid vorsichtig da draußen«, als wäre ihm das gerade noch eingefallen. Carson versuchte offensichtlich, sich selbst auch irgendeinen bizarren Slogan anzueignen. Sie hätte schwören können, dass er diesen Spruch sogar bei mehr als nur einer Gelegenheit mit einem amerikanischen Akzent vorgetragen hatte. Jedenfalls neigte sie dazu, dem etwas entgegenzusetzen, und sei es nur, um sich besser zu fühlen. Eigentlich war es albern und das wusste sie, dennoch störte sie seinen gebieterischen Abgang mit den Worten: »Eines noch, Sir.«

»Was?«

»Wie ist er da hingekommen? Der Leichnam? Wer hat ihn dort hingebracht? Wann und von wo?«

»Natürlich. Wir sollten uns die früheren Eigentümer dieser Garagen ansehen.«

»Wir werden Alice daransetzen«, sagte sie.

Cross war mehrfach zum Tatort zurückgekehrt. Einmal am Nachmittag und dann noch einmal später, nach Sonnenuntergang. Er war nicht auf Spurensuche, er wollte nur alles auf sich wirken lassen. Beobachten. Er verbrachte häufig Zeit damit, Leute zu beobachten. Manchmal von *Tony's Café* aus, wo er jeden Morgen frühstückte. In gewisser Weise studierte er menschliches Verhalten. Nicht wegen seiner Arbeit, sondern weil er dadurch lernen konnte. Er versuchte, Erkenntnisse zu gewinnen, zu verstehen, wie Menschen funktionierten, alles in dem Bemühen, selbst ein bisschen besser dazuzupassen. Mit gemischten Ergebnissen, aber da ihm voll und ganz bewusst war, dass ihm das angeborene, natürliche Verständnis für Menschen und ihr Verhalten fehlte, hielt er das für die vielleicht beste Methode, um etwas darüber zu lernen.

Besonders interessierte ihn derzeit der Häuserblock mit den Sozialwohnungen, der die teilweise schon abgerissenen Garagen überragte. Lange Balkone führten zu den Wohnungstüren. Manche waren stolz auf ihr Zuhause und hatten die Standardtür gegen etwas Eigenes ausgetauscht – etwas, das sie von ihren Nachbarn abhob. Einige nutzten den Abschnitt des Balkons direkt vor ihrer Wohnung, um Pflanztöpfe, Blumenampeln und die Art länglicher Blumenkästen unterzubringen, die gewöhnlich an Fensterbänken befestigt wurden. Diese hier standen aber in Ermangelung von Fenstern auf dem Boden, weshalb sie seiner Ansicht nach eher als Pflanztröge bezeichnet werden sollten. Menschen kamen und gingen. Kinder spielten Fußball oder stritten sich darüber, wer den Ball zurückholen sollte, wenn er, was unausweichlich schien, wieder einmal auf einem Balkon gelandet war. Etliche Lieferungen trafen ein. Das war etwas, das sich im Lauf der Jahre deutlich verändert hatte. Internetshopping brachte einen steten Strom an Kleinlastern von Paketdiensten mit sich. Fahrer von Deliveroo lieferten Pizza, Betreuer und Gemeindeschwestern sahen nach ihren Klienten.

Eine Frau trat in regelmäßigen Intervallen vor ihre Tür, um zu rauchen, und unterhielt sich dann und wann mit den Nachbarn über und unter ihr. Sie rauchte, guckte und überlegte. Cross fragte sich, ob sie sich wohl selbst ein Rauchverbot innerhalb der Wohnung auferlegt hatte. Ihr Teil des Balkons zeichnete sich durch ein beachtliches Aufgebot an gesunden Pflanzen aus, was, wie er dachte, auf einen gewissen Stolz hinwies und auf den Vorsatz, das Beste aus dem zu machen, was sie hatte. Aber vielleicht waren die Pflanzen auch eine Errungenschaft ihres Partners oder Ehemanns, und der war eigentlich für das Rauchverbot innerhalb der Wohnung verantwortlich. Sein Vater Raymond hatte einige Zimmerpflanzen gehabt, als Cross jünger gewesen war. Er war ziemlich sicher, dass sie immer noch da waren, begraben unter einer Lawine gehorteter Besitztümer, die Raymond über die Jahre angesammelt hatte. Er erinnerte sich noch deutlich, wie sein Vater die Blätter eines Gummibaums mit Nagellack bearbeitet hatte, um sie zum Glänzen zu bringen. Als kleiner Junge war Cross furchtbar enttäuscht gewesen, denn wie lange er auch wartete, wie sorgfältig er die Pflanze wässerte und pflegte, sie wollte partout kein Gummi produzieren. Erst Jahre später lernte er, dass ein Kautschukbaum etwas ganz anderes war.

Er kam zu dem Schluss, dass diese Frau einfach gern in regelmäßigen Abständen auf den Balkon ging – vielleicht um sich eine Pause von ihrer häuslichen Situation drinnen zu gönnen. Aber etwas an der Art, wie sie sich umschaute, brachte ihn auf den Gedanken, dass es ihr Freude machte, sich anzusehen, was in ihrem Blickfeld los war. Einen Schwatz zu halten. Auf dem Laufenden zu bleiben. Das war eine Routine, die sie in Gang hielt, sie geistig gesund hielt. Er war ziemlich sicher, dass sie mental alles festhielt, was sie sah, ganz gleich, wie trivial es auch sein mochte. In diesem Wohnkomplex geschah nichts, ohne dass sie es wusste.

»Wie lange leben Sie schon hier?«, fragte Cross vom Ende des Balkons aus, als er sich ihr näherte.

»Pst …«, machte sie. »Ich habe ein paar wirklich nervige Nachbarn. Denen ist jede Ausrede recht, um Rabatz zu machen.«

»Verzeihung«, sagte Cross. Aus der Nähe sah sie ein wenig älter aus, vielleicht Ende vierzig. Jahre des Rauchens gruben nun erste dünne, vertikale Fältchen in die Haut über ihrer Oberlippe.

»Entschuldigung, was sagten Sie?«, fragte sie.

»Ich habe gefragt, wie lange Sie schon hier leben.«

»Sie sind der Detective«, stellte sie fest. Also hatte sie ihn bereits früher bemerkt.

»Der bin ich.«

»Ich habe mein ganzes Leben lang in dieser Gegend gelebt und wohne seit zwanzig Jahren in diesem Gebäude.«

»Waren diese Garagen während der ganzen Zeit in Gebrauch?«

»Kaum.«

»Erinnern Sie sich auch noch, wie es war, als Sie ein Kind waren?«

»Klar, damals wurden sie viel genutzt. Größtenteils als Lagerräume, aber ein paar haben sie auch miteinander verbunden. Da drin haben dann Automechaniker gearbeitet«, berichtete sie.

»Tatsächlich?«

»Ja, die waren voll ausgerüstet und haben Hauptuntersuchungen und so was gemacht.«

»Die Garagen sehen ein bisschen zu klein dafür aus«, kommentierte Cross.

»Möglich, aber die hatten immer zu tun. Vor der Werkstatt haben massenweise Autos gestanden. Die hatten eine Grube und eine Hebebühne, ist das zu glauben? Am Ende wollten sie in einer anderen Garage eine Lackiererei einrichten, aber die Stadt hat es nicht erlaubt. Also sind sie weggezogen. Eine Schande ist das, wirklich. Die haben der Gegend ein bisschen Charakter gegeben.«

2

»Sie müssen mir das Ding nicht jedes Mal zeigen, wenn Sie herkommen«, sagte die Pathologin, als Cross ungefähr zum hundertsten Mal mit seinem Dienstausweis vor ihrer Nase wedelte. Er betrachtete die Plastikfolie, die von der Leiche abgenommen und zur Seite gelegt worden war.

»Abdeckfolie, wie sie häufig von Bauunternehmen, Raumausstattern und so weiter benutzt wird«, sagte die Pathologin. »Aber das wissen Sie bestimmt schon.«

Cross widersprach nicht, sondern drehte sich zu dem Leichnam auf dem Metalltisch um und musterte eingehend sein Gesicht. Auf der linken Seite des Kiefers waren ein großer Bluterguss und eine Platzwunde.

»Gebrochen?«

»Ja. Könnte eine Faust von einem großen Mann gewesen sein oder ein Gegenstand. Das kann ich Ihnen jetzt noch nicht genau sagen.«

Das gefiel Cross an Clare. Sie verließ sich nicht auf Vermutungen, sondern brauchte harte Beweise, ehe sie ihr Urteil fällte. Einige Pathologen waren viel zu gern bereit, mit ungeprüften Theorien aufzuwarten, die die Ermittler tagelang in die Irre führen konnten.

»Aber getötet hat ihn die Verletzung am Hinterkopf«, fuhr sie fort.

»Irgendeine Idee, was die verursacht hat?«

»Vermutlich etwas, worauf er gefallen ist. Etwas ziemlich Hartes. Mit einer Kante.«

»Also wurde er getroffen … von einer Faust – oder einem Gegenstand –, ist gefallen und hat sich den Schädel gebrochen.«

»Aller Wahrscheinlichkeit nach ja, aber ich muss das erst noch genauer untersuchen, um es zu bestätigen.«

»Ein Unfall?«

Sie antwortete nicht, sondern bedachte ihn lediglich mit einem Blick, den er bereits von ihr kannte. Er besagte: »Sie sollten es besser wissen und mir keine hypothetischen Fragen stellen. Ich befasse mich mit harten, medizinischen Beweisen, nicht mit hypothetischen Fantasiegebilden.«

»Gibt es sonst noch etwas?«, fragte er.

»Nichts Auffälliges, abgesehen von einigen Narben an den Unterarmen.«

Cross betrachtete die Narben einen Moment lang.

»Brandwunden?«, fragte er.

»Möglich.«

»Darf ich?«

Sie seufzte. Das tat er unweigerlich jedes einzelne Mal. Sie wusste nicht, warum er überhaupt fragte. Zugleich blickte er in die Richtung, in der ihr Karton mit Latexhandschuhen stand, was verdeutlichte, dass er sich die Leiche näher ansehen wollte. Für sie kam das stets einer impliziten Kritik an ihrer Arbeit gleich.

»Natürlich.«

Cross untersuchte die Leiche sorgfältig, das Gesicht nahe an dem Toten, und nahm, alles andere als zart besaitet, jedes

Detail in sich auf. Dann richtete er sich wieder auf, zog sein Notizbuch aus der Tasche und fing an zu schreiben.

»Habe ich etwas übersehen?«, fragte die Pathologin matt.

»In der Tat, das haben Sie«, antwortete er. Das war keinesfalls als Kritik gedacht, dennoch konnte man genau diesen Eindruck gewinnen. »Er hat sehr wenig Körperfett, unverhältnismäßig muskulöse Oberschenkel, deutliche Bräunungsstreifen an den Oberarmen und den Beinen knapp über dem Knie. Aber keine Schwielen an den Händen. Und er trägt regelmäßig eine Sonnenbrille.«

Die Pathologin starrte ihn nur ausdruckslos an. Cross war ein wenig verwundert, dass er das näher ausführen musste. »Unser John Doe ist Fahrradfahrer. Möglicherweise ein Profi.«

Sie lachte unwillkürlich, denn sie war wider Willen ziemlich beeindruckt. »Brauchen Sie mich überhaupt?«

»Ja, natürlich«, antwortete er ohne eine Spur Ironie. »Ich bin nicht qualifiziert, eine Autopsie vorzunehmen, und selbst wenn ich es wäre, hätte ich nicht die Zeit dazu.«

Und damit ging er von dannen.

Bei der Arbeit war Cross immer beschäftigt. Er war besessen davon, seine Zeit ideal zu nutzen, weil ihm nur allzu bewusst war, wie begrenzt ihre Ressourcen waren. Seinem Empfinden nach war es seine Pflicht, zu jeder Zeit so produktiv wie nur möglich zu sein. Den Nachmittag hatte er damit verbracht, einem Stapel Papierkram zu einem Fall, der nun vor Gericht gehen sollte, den letzten Schliff zu verpassen. Für viele seiner Kollegen war das eine lästige Pflicht – etwas, das getan werden musste, ihnen aber keine Freude machte. Für Cross hingegen war das beinahe der beste Teil der Arbeit. Zunächst einmal war das etwas, was er allein machen konnte, ohne dass sich irgendjemand einmischte. Aber es kam noch etwas anderes hinzu, nämlich die Tatsache, dass dies der Teil war, in dem man den Fall zusammenschnürte. In dem man aus Beweisen und gewissenhaft durchgeführten Verhören ein Narrativ aufbaute und weitergab. Cross war Meister in der Nutzung der Kein-Kommentar-Antworten in Verhören. Er konnte stundenlang Fragen stellen, von denen Verdächtige annahmen, sie würden ihnen auf den Rat ihrer Anwälte geschickt ausweichen, indem sie einfach »Kein Kommentar« antworteten. Dann legte er einen Beweis vor, der sie aus dem Konzept brachte und nach einer Antwort verlangte. Im Kontext einer vollständigen Befragung zeichneten die Kein-Kommentar-Antworten oft ein verheerendes Bild von den Beschuldigten, ihrer Glaubwürdigkeit und ihren Aussagen. Aber Cross besaß auch ein Gespür dafür, die begrenzte Zeit, die für Verhöre zur Verfügung stand, am besten zu nutzen. Er konnte stundenlang scheinbar ziellos Fragen stellen und dann plötzlich den vernichtenden Schlag austeilen und binnen Minuten den ganzen Fall unter Dach und Fach bringen. Cross genoss es, irgendein winziges, banales Detail aufzuspüren, mit dem er die Aussagen der Verdächtigen vollständig unterhöhlen konnte. Manchmal baten ihn andere Detectives um Hilfe, wenn sie einen Fall für das Gericht vorbereiteten. Wenn er die Zeit hatte, war er mehr als bereit, sie zu unterstützen. Ottey kam er oft wie der Schulstreber vor, zu dem all die anderen Kinder gingen, damit er ihnen bei den Hausaufgaben half.

Er tauchte auch regelmäßig im CCTV-Department auf, der Abteilung für Videoüberwachung. Was, wie er fand, eine Fehlbezeichnung erster Güte war. Im Grunde handelte es sich um einen Büroraum, der nicht anderweitig gebraucht wurde, ausgestattet mit einigen Monitoren auf Schreibtischen. Das Licht war gedämpft, und die Nutzer des Raums waren blass und sahen aus, als könnten sie dringend frische Luft oder ein bisschen Sonnenschein brauchen. Aber das lag vielleicht nur an dem silbrigen Licht der Monitore, vor denen sie saßen. Die zuständige Polizistin hieß Catherine, eine stille Frau Ende dreißig mit grauen Strähnen im Haar, die sie gar nicht zu verstecken versuchte. Sie sah eher wie ein akademisch gebildeter Blaustrumpf oder eine Bibliothekarin aus, weniger wie eine altgediente Polizistin. Vielleicht war das der Grund, warum sie in dieser Abteilung gelandet war.

Dieser Raum hatte wenig Ähnlichkeit mit den CCTV-Departments aus dem Fernsehen. Dort dominierten stets Dutzende von Monitoren die Seite eines Raums, der an ein Raumschiff erinnerte, während die Polizisten nur auf eine Taste drücken mussten, und was immer sie sehen wollten, wurde binnen Sekunden angezeigt. Tatsächlich war tagelange mühselige Sichtung diverser Aufnahmen notwendig, um auch nur ein unscharfes Bild von einem verdächtigen Fahrzeug zu finden. Aber der Raum vermittelte ein Gefühl der Ruhe, das Cross zu schätzen wusste. Theoretisch würde er nur zu gern in dieser Abteilung arbeiten, doch die Analyse von Überwachungsaufnahmen bot nicht genug Rätsel, um ihn zu befriedigen. Was ihn anzog, war die ständige Wiederholung immer gleicher Abläufe. Und der Raum war, wie ihm aufgefallen war, eine papierfreie Zone. Auf den Schreibtischen fanden sich keinerlei Papierstapel. Über die ärgerte er sich regelmäßig im Lagezimmer. Überall Papier. Stapel um Stapel. Wie konnten die Leute so überhaupt erfolgreich arbeiten? Wie konnten sie in solch einer Umgebung klar denken?

Derzeit sichteten die Polizisten Überwachungsaufnahmen aus den Straßen, die zu dem Wohnkomplex führten. Die Kameras innerhalb des Blocks waren schon vor Jahren mutwillig zerstört worden. Bisher hatten sie nichts entdeckt, und der Umstand, dass sie keinen besonders genauen zeitlichen Rahmen hatten, an dem sie sich orientieren konnten, machte ihnen die Arbeit nicht leichter.

Jemand klopfte an seine Tür. Von Carson abgesehen war Cross der Einzige im ganzen Department, der ein eigenes Büro hatte, was weniger ein Privileg als eine Notwendigkeit war. Er konnte nicht im Großraumbüro arbeiten. Dort gab es zu viele Dinge, die ihn nervös machten. Derzeit wartete Mackenzie darauf, dass er sie hereinrief. Im Lauf der Zeit hatte sie begriffen, dass er die Leute nicht unnötig warten ließ, schon gar nicht, um sich wichtig zu machen. Stattdessen brauchte er schlicht Zeit, um das, woran er arbeitete, zu beenden oder einen wie auch immer gearteten Gedankengang ohne Unterbrechung abzuschließen. Nachdem er sie dazu aufgefordert hatte, trat sie ein und wartete, bis er mit dem Tippen am Computer fertig war und aufblicke. Das war ihr Fingerzeig.

»Ich habe bei British Cycling angerufen. Sie sagen, der Verbleib aller professionellen Fahrer im Vereinigten Königreich sei bekannt«, berichtete sie.

»Und woher, genau, wissen die das?«, hakte er nach.

»Na ja, eigentlich haben sie gesagt, keiner sei vermisst gemeldet worden«, antwortete sie.

»Was eine gänzlich andere Aussage ist, meinen Sie nicht?«

»Ich denke schon.«

»Europa.«

»Entschuldigen Sie?«

»Natürlich, aber …« Er brach ab, als ihm klar wurde, dass sie ihn nicht um die Erlaubnis zu gehen bat. Sie sagte das oft, wenn sie ihn bitten wollte, etwas zu wiederholen, oder um gegen etwas aufzubegehren, wie es jetzt der Fall zu sein schien. »Gibt es ein Problem?«, fragte er.

»Europa?«, wiederholte sie.

In dem Moment kam Ottey herein und unterbrach sie.

»Ich glaube, ich habe unseren Mann gefunden. Avon Cycling Club«, verkündete sie.

»Ein Amateur?«, dachte Cross laut. Offenbar ein sehr zielstrebiger und engagierter Amateur, überlegte er.

»Scheint so«, antwortete sie.

»Dann muss ich nicht in Europa nachforschen?«, fragte Mackenzie hoffnungsvoll.

»Wie kommen Sie darauf?«, gab Cross zurück.

Mackenzie sah sich zu Ottey um und sagte: »Weil …«

Doch da fiel Cross ihr schon ins Wort. »DS Ottey glaubt nur, sie könnte den Leichnam identifiziert haben, aber solange sie es nicht genau weiß, sollten wir jeder möglichen Ermittlungsrichtung nachgehen.«

»Okay …«, sagte sie.

»Was würde wohl passieren, wenn wir alle jedes Mal, wenn jemand glaubt, er hätte eine Spur, unsere Arbeit liegen lassen würden?«, fuhr er fort, voll und ganz überzeugt, er würde damit Otteys Aufforderung nachkommen, Mackenzie zu helfen und sie zu unterrichten. Er merkte gar nicht, dass er tatsächlich herablassend und kritisierend wirkte.

»Wir würden so schnell nirgends hinkommen«, warf Ottey ein. Cross seufzte, er konnte einfach nicht anders.

»Nein, DS Ottey, wir würden überhaupt nirgends hinkommen«, korrigierte er sie und demonstrierte so erneut seine Probleme mit der Umgangssprache und seine geradezu zwanghafte Art, jede Äußerung wortwörtlich aufzufassen. »Sobald wir eine Bestätigung haben, dass unser Toter zum Avon Cycling Club gehört hat, werden wir Sie informieren und Ihnen eine neue Aufgabe zuweisen.«

Die beiden Frauen verließen das Büro. Ottey wusste, dass ihr Partner Mackenzie immer noch aus dem Gleichgewicht brachte, obwohl sie schon seit Monaten mit ihm arbeitete.

»Wie ich immer sage, Alice. Machen Sie sich seinetwegen keine Gedanken. Tun Sie einfach, worum er Sie bittet, und zwar exakt so, wie er es haben will, und genau dann, wann er es will, und alles wird gut. Nehme ich an.«

Mackenzie kehrte an ihren Schreibtisch zurück und Ottey fragte sich, ob sie selbst jemals wirklich damit zurechtkommen würde. Ihr war klar, dass er autistisch war – sie hatte sogar einen jüngeren Bruder, der ebenfalls Autist war –, aber manchmal, wenn er auftrat wie ein willentlich grober alter, weißer Mann, geriet das leicht in Vergessenheit. Dann musste sie sich ins Gedächtnis rufen, dass das nichts Persönliches war. Dass er nicht die Absicht hatte, schwierig oder unangenehm zu sein; er wirkte nur bisweilen so.

3

Der Mann, mit dem Ottey gesprochen hatte, war der Geschäftsführer des Avon Cycling Clubs, folglich war er auch ihre erste Anlaufstelle. Er war Apotheker und arbeitete in Clifton, einem der vornehmsten Viertel von Bristol, in dem eines der architektonischen Meisterstücke stand, die Cross besonders gefielen: Royal York Crescent. Vor über zweihundert Jahren erbaut, war dies einst die längste Reihenhauskette Europas gewesen. Errichtet über Gewölbekellern, zeigte sie sich noch immer in der ganzen Pracht, nach der ihr Architekt gestrebt hatte. Cross konnte sich vorstellen, wie Brunel anerkennend die Straße hinuntergegangen war, während er die nahe Suspension Bridge ersonnen hatte. Einmal hatte er gehört, wie jemand Clifton als »gentrifiziert« bezeichnet hatte. Er hatte die Person korrigiert und erklärt, dies sei immer eine wohlhabende Gegend gewesen, die eine Gentrifizierung nie nötig gehabt habe.

Sie parkten vor dem Gebäude und Cross sah zum Wagenfenster hinaus. »Das ist ärgerlich. Ich habe ein Rezept, das hätte ich mitnehmen sollen«, bemerkte er.

Er erinnerte sich aus der Kindheit an eine Apotheke in dieser Gegend. Infolge seines Asthmas war er ein schwächlicher Junge gewesen, daher konnte er sich auf eine ganze Menge Apotheker oder Pharmazeuten in Bristol besinnen.

Er verabscheute den Begriff »Pharmazeut«. Was war falsch an »Apotheker«? Wann hatten die Menschen in England angefangen, sie als Pharmazeuten zu bezeichnen? War das aus den Staaten herübergeschwappt oder war es eine europäische Modeerscheinung? Er beschloss, dem nachzugehen. Wie eine Melodie, die man einfach nicht mehr aus dem Kopf bekam, reizten ihn derartige Dinge so lange, bis er die Antwort gefunden hatte. Diese spezielle Apotheke war ihm im Gedächtnis geblieben, weil sie in den 1970ern noch durch und durch viktorianisch ausgesehen hatte. Sie hatte kunstvolle Holzrahmenfenster und einen prachtvollen Schubladenschrank, aber das Einprägsamste für ihn war die Sammlung riesiger, bunter Glasdispenser am Fenster, die in den lebhaftesten Farben erstrahlten: Rot, Blau und Grün. Er hatte sich vor sie gestellt und seine verzerrte Reflexion betrachtet, war um sie herumgegangen, und sein Abbild hatte sich mit jeder Bewegung verändert. Wie in einem Spiegelkabinett auf dem Jahrmarkt.

Mr Ajjay Patel war ein sportlich aussehender Mann in den Vierzigern mit muskulösen Unterarmen und kräftigen Waden unter den Shorts. Zunächst drehte sich ihr Gespräch um den Club im Allgemeinen, ehe sie schließlich zu dem vermissten Radfahrer kamen.

»Alex Paphides. Er trainiert für die diesjährige L'Étape«, sagte Patel.

»L'Étape?«, fragte Ottey.

»Das ist ein Radrennen über eine der Etappen der Tour de France. Es findet statt, wenn die beendet ist. Schwere Etappe dieses Jahr«, sagte Cross.

»Ja, allerdings«, stimmte der Apotheker zu.

»Von Megève nach Morzine, 146 Kilometer, vier Steigungen, darunter der Col de Joux Plane – 11,6 Kilometer mit einem Anstieg von 1691 Metern und einer durchschnittlichen Steigung von achteinhalb bis zwölf Prozent«, dozierte Cross weiter.

»Wow, Sie kennen sich mit Radfahren aus«, sagte Patel, beeindruckt von Cross' Kenntnissen.

»Nicht besonders«, entgegnete Cross.

»Also weiter«, sagte Ottey, um zum Thema zurückzukommen.

»Sie hätten zu sechst zu einem zweiwöchigen Training nach Teneriffa reisen sollen. Alex hat Matthew eine Textnachricht geschickt und ihm mitgeteilt, er sei verletzt.«

»Wann?«, fragte Cross.

»Am Morgen der Abreise, glaube ich«, antwortete Patel.

»Wer ist Matthew?«, erkundigte sich Ottey.

»Er ist der Kapitän des Teams.«

»Was ist mit Alex' Familie?«

»Er leitet zusammen mit seinem Bruder ein Restaurant in Redland. Griechisch. Hat früher seinem Vater gehört. Ein Familienbetrieb.«

»Name?«, hakte Ottey nach.

»Das Adelphi«, sagte der Apotheker. »Glauben Sie, ihm ist etwas zugestoßen?«

»Wir wissen es nicht genau. Danke, dass Sie uns Ihre Zeit gewidmet haben«, antwortete sie.

Als sie wieder im Wagen saßen, drehte Cross sich zu ihr um. »Dieser Alex – er hatte kein Telefon bei sich.«

»Richtig«, stimmte sie zu.

»Wir müssen dieses Telefon finden.«

»Als Nächstes zum Restaurant?«

»Ja.«

Sie fuhren nach Redland, was gerade zehn Minuten entfernt war. Cross war nun ziemlich sicher, dass Alexander Paphides ihr Opfer war. Er war Radfahrer, und Cross war einigermaßen überzeugt, dass sie im Adelphi Speisen finden würden, die auf einem Holzkohlegrill zubereitet wurden. Narben an den Unterarmen waren häufig die Folge von Verbrennungen, wie Köche sie sich oft zuzogen. Und ein offener Holzkohlegrill machte diese Art von Verletzung nur umso wahrscheinlicher. Er sah Ottey beim Fahren zu. Sie saß immer am Steuer. Cross hatte keinen Wagen, auch wenn er durchaus fahren konnte. Aber er zog es vor, die Zeit dazu zu nutzen, über den gerade aktuellen Fall nachzudenken. Das hatte Ottey einmal zu der Bemerkung verleitet, sie fühle sich oft wie sein Chauffeur, weil sie so viel Zeit schweigend zubrachten angesichts seiner unkommunikativen Art. Sie hatte sogar gescherzt, er sollte eigentlich auf der Rückbank Platz nehmen, woraufhin er sie belehrt hatte, dass das nicht funktionieren würde, weil er dort nicht in der Lage wäre zu hören, was sie sagte.

In letzter Zeit war er sich seiner ärgerlichen Gewohnheiten bewusst geworden – ärgerlich für andere, um genau zu sein –, und er hatte sich bemüht, ein angenehmerer Mensch am Arbeitsplatz zu sein und ein besserer Partner für Ottey. Das ging natürlich alles auf ihr Betreiben zurück. Auf sein Beharren hin hatte sie ihm sogar eine Art Spickzettel angefertigt, den er nutzen konnte, um an sich zu arbeiten. Einige Dinge bedurften der Verbesserung und der Veränderung. Kommunikation war eines dieser Dinge.

»Ist das eine dieser Gelegenheiten, zu denen Sie gern ein Gespräch führen würden?«, erkundigte er sich höflich.

»Nein, alles gut, danke«, sagte sie, und er strich diesen Punkt, insgeheim zufrieden mit sich, von der heutigen Liste. Er hatte erkannt, dass es reichte, diese Frage einmal am Tag zu stellen. Und ja, er hatte tatsächlich eine Liste auf seinem Rechner. Dinge, die täglich oder wöchentlich zu tun waren, und solche von allgemeinerer Natur, die er tun oder sagen sollte, um besser mit den Leuten im Department zurechtzukommen.

Das Adelphi Palace war ein lang gestrecktes, schmales Restaurant, das sich tief in das Gebäude, in dem es untergebracht war, hineinstreckte. Es lag am Ende einer mittelmäßigen Ladenzeile. Offensichtlich war das Restaurant recht beliebt, denn für die Mittagszeit an einem Wochentag war es sehr gut gefüllt. Cross nahm an, dass sie das Mittagsmenü zu einem besonders attraktiven Preis und zugleich eine gute Küche zu bieten hatten. Er wartete mit Ottey am Empfang, der in diesem Fall aus einem Pult mit einem viel genutzten Reservierungsbuch bestand. Die Seiten rollten sich an den Ecken auf, und wenn darin geblättert wurde, entstand das raschelnde Geräusch von Papier, das im Lauf der Zeit mit etlichen Kugelschreibern und Bleistiften attackiert worden war. Pult schien das falsche Wort für diese Art von Möbelstück in einem Restaurant zu sein, aber Cross fiel auch kein besserer Begriff dafür ein. Oberkellnerposten vielleicht?

Eine junge Kellnerin kam auf sie zu.

»Ein Tisch für zwei?«

»Nein, danke«, sagte Ottey und zeigte der jungen Frau ihren Dienstausweis. »Wir würden gern mit dem Besitzer sprechen.«

»Hier entlang«, erwiderte die Kellnerin und verschwand im Restaurant. Sie bahnten sich in dem beengten Raum zwischen den Tischen einen Weg an anderen Bedienungen vorbei und fanden sich schließlich vor einem großen Holzkohlegrill wieder, an dem zwei Männer eine Auswahl an Fleischgerichten und Gemüsespießen zubereiteten. Neben dem Holzkohlegrill befand sich ein hoher Vertikalgrill und daneben eine große Kühlvitrine voller marinierter Fleischstücke und Salate. Die Kellnerin stellte sie einem der Männer vor.

»Danke, Debbie«, sagte der, als er hinter dem Grill hervorkam. Er riss ein Papiertuch von der Rolle und wischte sich den Schweiß von der Stirn. Sofort fielen Cross die Narben an seinen Unterarmen auf und er warf Ottey einen Blick zu. Sie hatte sie auch gesehen. Alex musste ihr Opfer sein. »Mein Name ist Kostas. Wie kann ich Ihnen helfen?«, fragte der Koch.

»Ihre Arme«, bemerkte Cross.

»Oh, ja. Berufsrisiko. Und dabei bin ich inzwischen schon viel vorsichtiger. Als wir angefangen haben, waren wir schon ein bisschen irre, was, Chris?« Sie sahen sich zu dem anderen, jüngeren Mann am Grill um. Der hielt einen Arm mit einem frischen Verband hoch. »Er lernt noch.«

»Ihr Bruder. Wissen Sie, wo er ist?«, erkundigte sich Cross.

»Radreise. Teneriffa. Ist gestern Abend zurückgekommen«, antwortete Kostas.

»Haben Sie seither von ihm gehört?«, fragte Cross.

»Nein, aber ich rechne jede Minute mit ihm«, sagte Kostas.

Ein unrasierter Mann in den Siebzigern, der eine Weste trug, tauchte aus dem Hinterzimmer auf. Eine absurde Menge Brusthaar, das in einer geraden Linie gestutzt war, beinahe wie eine Hecke, quoll unterhalb seines Kinns hervor. Und er hatte einen Gips an einem seiner Arme. Er sprach auf Griechisch mit Kostas. Etwas an ihrem Austausch verriet Cross, dass die beiden Vater und Sohn waren. Er beschloss dazwischenzugehen.

»Mr Paphides … Alex ist nicht zum Radtraining gereist.«

»Wie meinen Sie das?«, wollte Kostas wissen.

»Er hat dem Team mitgeteilt, er sei verwundet. Eine Oberschenkelverletzung.«

»Was? Und wo ist er dann?«, fragte Kostas.

»Das versuchen wir gerade zu ermitteln. Wann haben Sie ihn das letzte Mal gesehen?«, erkundigte sich Ottey.

»Am Abend vor seiner Abreise.«

»War er mit dem Auto unterwegs?«, wollte Cross wissen.

»Nein, mit seinem Fahrrad.«

»Wo wohnt er?«, fragte Ottey.

»Mangotsfield.«

»Würde es Ihnen etwas ausmachen, uns hinzubringen?«

»Kann das warten, bis der Mittagstisch vorbei ist?« Doch er bedauerte seine Worte, kaum dass er sie ausgesprochen hatte. »Nein, natürlich bringe ich Sie hin.« Dann sprach er wieder auf Griechisch mit seinem Vater, vermutlich, um ihn zu bitten, für ihn zu übernehmen. Aber sein Dad war schneller und bereits auf dem Weg zum Holzkohlegrill. Als sie zusammen mit Kostas gehen wollten, fragte Debbie ihn, ob alles in Ordnung sei. Cross fiel auf, dass er zu einer Antwort ansetzte, es sich dann aber anscheinend anders überlegte und lediglich sagte: »Ja, alles bestens. Ich bin bald zurück.«

Kostas fuhr mit seinem Wagen voran, einem schnittigen schwarzen BMW M5 mit Niederquerschnittsreifen und mattschwarzer Folierung. Ganz offensichtlich hatte er etwas übrig für Autos. Sie kamen zu einem Haus in Mangotsfield, das in zwei Wohnungen aufgeteilt war. Alex lebte im Obergeschoss. Sie folgten Kostas, als der die Tür seines Bruders mit seinem eigenen Schlüssel öffnete. Instinktiv rief er: »Alex?« Er konnte nicht wissen, wovon Cross inzwischen überzeugt war – dass dies eine nutzlose Übung war. Im Korridor stand der Fahrradkoffer für Alex' Rad. Er erinnerte an einen Instrumentenkoffer, abgesehen von der runden, an die Laufräder angepassten Ausbuchtung. Cross öffnete ihn. Im Inneren befand sich ein Fahrrad. Es sah nagelneu aus.

»Das Rad sieht kostspielig aus«, bemerkte er.

»Er gibt ein Vermögen für das Radfahren aus. Mir kommt es vor, als würde er das Rad alle paar Monate wechseln, spätestens dann, wenn ein neues Modell herauskommt«, berichtete Kostas.

»Können wir sein Schlafzimmer sehen?«, bat Ottey.

Auf dem Bett lag ein offener Trolley mit Alex' Kleidung und seiner Fahrradausrüstung, alles fertig gepackt für die Reise. Kostas fixierte den Koffer einen Moment lang und sagte dann voller Hoffnung: »Vielleicht hat er das Zeug da liegen lassen, nachdem er zurückgekommen ist.« Aber Otteys Miene verriet ihm alles, was er wissen musste. Und ihre nächste Frage bestätigte diesen Eindruck.

»Würde es Ihnen etwas ausmachen, wenn ich mich nach einer Zahnbürste oder einer Haarbürste umsehe?«

»Kein Problem«, sagte er, ohne großartig darüber nachzudenken. Doch dann dämmerte ihm, was ihre Bitte zu bedeuten hatte, und er sank auf das Bett und barg den Kopf in den Händen. »Oh nein, oh Scheiße …«

Sie suchten eine DNA-Probe. Cross hatte als Teil seiner üblichen Methodik Kostas' Reaktion beobachtet, und er war überzeugt, der Mann hatte nichts mit dem Tod seines Bruders zu tun. Er setzte seine Untersuchung fort. Alles war ordentlich aufgeräumt. In einem Schrank fanden sie, was aussah wie Alex' »Technikkram, von dem ich nicht weiß, was ich damit anfangen soll« – ein ganzer Vorrat alter Kabel und Telefone, umwickelt mit den zugehörigen Ladekabeln. Die Menschen waren, wie Cross aufgefallen war, abgeneigt, alte Laptops oder Telefone wegzuwerfen. Technische Geräte, für die sie ein Vermögen bezahlt hatten, als sie neu gewesen waren, und die nun zu entsorgen ihnen widerstrebte. Auch wenn es keinen Sinn hatte, sie noch weiter aufzubewahren. Sogar die Kabel in der Schublade waren veraltet. Die Vorstellung, etwas zu kaufen und längere Zeit zu gebrauchen, war jedoch kaum noch umsetzbar, so schnell, wie sich die Technik weiterentwickelte. Die Menschen waren längst auf die Verkaufsmasche der Überalterung hereingefallen, die moderne Geräte mit dem Versprechen ständiger Weiterentwicklung und Verbesserung unters Volk bringen sollte.

Später am selben Tag identifizierte Kostas den Leichnam seines Bruders, was natürlich eine schreckliche Pflicht für Angehörige war. Manche hatten bis dahin noch nie einen Toten gesehen, und die subtilen Veränderungen, die der Tod in einem vertrauten Gesicht hinterließ, konnten schockierend wirken. Außerdem lag vor ihnen der unbestreitbare Beweis für etwas, von dem sie insgeheim verzweifelt gehofft hatten, es würde sich als Irrtum erweisen.

Nun hatten sie also ihr Opfer identifiziert, waren aber keinen Schritt näher daran, den Grund für seine Ermordung zu verstehen. Dass es sich um Mord handelte, davon gingen sie schon wegen der Art aus, wie der Leichnam abgelegt worden war. Außerdem hatte man in der Wunde an Alex' Kinn ein Stück Glas gefunden.

Im Team wurden erste Theorien aufgestellt, was zu den Dingen gehörte, die Cross niemals tat, da er das in erster Linie für Zeitverschwendung hielt. Für ihn war das kaum mehr als Bürogeschwätz, wenn auch morbider Art. Ottey hingegen stürzte sich geradezu darauf, vorwiegend weil das für sie eine willkommene Abwechslung davon darstellte, ihrem schweigsamen Partner in seinem Büro gegenüberzusitzen. Er kam im Zuge der Ermittlungen häufig an einen Punkt, an dem er nichts anderes wollte, als nachzudenken. Deswegen hatte sie sich sogar schon mit ihm angelegt, ihm erklärt, er theoretisiere nur vor sich hin. Was letztlich das Gleiche war, was auch alle anderen taten – nur dass er es allein tat. Das wies er natürlich kategorisch zurück, obwohl er wusste, dass da durchaus etwas Wahres dran war. Dennoch, was er tat, war, endlos sämtliche Fakten in gleich welchem Stadium der Ermittlungen in Gedanken durchzugehen, überzeugt, dass irgendwann aus der Masse des Alltäglichen etwas Außergewöhnliches emporsteigen würde, das sich als nützlich erweisen mochte.

Während Ottey mit einigen anderen aus dem Team im Großraumbüro Kaffee trank, dachte Cross über Alex nach und versuchte, sich ein Bild von ihm zu machen. Jedes Lehrbuch für Kriminologie würde das, was er tat, unter Viktimologie einordnen, ein Punkt, an dem Cross häufig ansetzte. In der Mehrzahl der Fälle wiesen Charakter des Opfers, seine Gewohnheiten, Freunde und Angehörigen in eine Richtung, die potenziell hilfreich war. Alex war offensichtlich ein begeisterter Radsportler gewesen. Radsport auf diesem Niveau kostete viel Zeit. Folglich nahm Cross an, dass sein privates Umfeld nicht sonderlich groß und überwiegend auf den Fahrradclub beschränkt sein dürfte. Seine Überlegung besagte also, dass er sich auf den Club und die Familie konzentrieren musste. Sollten sich die Antworten doch anderswo verbergen, dann würden sie das schon bald herausfinden.

Aber Alex musste jeden Tag und jede Woche viele Meilen Rad gefahren sein. Rechnete man die Arbeit in der Gastronomie hinzu, hatte er sicherlich nicht viel Zeit für irgendetwas anderes gehabt.

4

Mackenzie klopfte an Cross' Bürotür und wartete geduldig, doch er bat sie nicht herein. Eine Ermittlerin kam vorbei und lächelte. Unsicher blickte sie sie an.

»Oh, er hat Sie gehört«, sagte sie.

»Natürlich. Ich komme später noch mal her«, antwortete Mackenzie.

»Ich würde meine Zeit nicht vergeuden. Er wird Sie schon finden, wenn er bereit ist.«

»Er hat nicht aufgeblickt; woher weiß er, dass ich es war?«

»Weil er George Cross ist!«, erscholl die Antwort über die Schulter des weiblichen Detectives hinweg.

Also kehrte Mackenzie an ihren Schreibtisch zurück und beschäftigte sich mit den Aufzeichnungen, die Carson ihr gegeben hatte. In ihren ersten Wochen bei der Polizei hatte sie den Fehler begangen, ihm auf seine Frage, wie sie zurechtkäme, zu sagen, dass sie das Gefühl habe, nicht genug zu tun zu haben. Sie sei überzeugt, dass sie deutlich mehr beitragen könnte. Seither hatte er es sich zur Aufgabe gemacht, dafür zu sorgen, dass sie zu jeder Stunde eines jeden Arbeitstags voll und ganz beschäftigt war, vorwiegend mit profanen Aufgaben, die sich ständig wiederholten. Folglich war sie zwar ein wenig erschrocken, aber auch höchst erfreut, als Cross eine Stunde später an ihrem Schreibtisch auftauchte.

»Was wollten Sie von mir?«, fragte er.

»Also, Sie hatten keine Freundin erwähnt«, sagte sie.

Er antwortete nicht. Inzwischen wusste sie, dass sein Schweigen auf irgendeine Aussage hin bedeutete, er benötigte genauere Informationen.

»Von Alex«, erklärte sie.

»Alex hatte eine Freundin?«, griff Cross ihre Worte auf. Ottey war inzwischen auch dazugestoßen, und er drehte sich zu ihr um. »Alice denkt, Alex habe eine Freundin gehabt«, sagte er. Alice fand es nach wie vor befremdlich, wenn er sich so verhielt. Tatsächlich wollte er nur höflich und ermutigend sein, aber manchmal, so wie in diesem Fall, wirkte es, als wollte er sich über sie lustig machen. Vielleicht, weil er übertrieb und die Sache unnötig aufblies, was ihr so einen ironischen Unterton verlieh.

»Kostas hat nichts von einer Freundin gesagt, und ich bin sicher, ich habe ihn danach gefragt«, bekundete Ottey.

»Haben Sie«, versicherte Cross. »Nachdem wir über die Immigrationsgeschichte seiner Eltern und Kostas' und Alex' Erziehung gesprochen hatten.«

»Es gab auch in der Wohnung keine Hinweise auf einen weiteren Bewohner«, bemerkte Ottey.

»Vielleicht haben sie nicht zusammengewohnt«, warf Mackenzie ein.

»Woher wollen Sie wissen, dass er eine Freundin hatte, Alice?«, fragte Cross.

»Ich weiß es nicht, ich halte es nur anhand seiner Social-Media-Seite für möglich«, sagte sie und klappte den Laptop auf ihrem Schreibtisch auf. »Das ist Alex' Laptop.«

»Das weiß ich«, erwiderte Cross, aber sie achtete nicht weiter darauf und öffnete Alex' Fotoalbum. Cross und Ottey sahen einen Haufen vergleichsweise typischer Fotos von einem jungen Paar. Cross staunte darüber, wie häufig sich junge Leute heutzutage selbst fotografierten. Alles, was sie taten, hielten sie fest. Es war beinahe, als wollten sie beweisen, dass sie ein wunderbares, beneidenswertes Leben führten, um es allen Zweiflern zu zeigen. Hier fanden sich Dutzende Selfies von Alex und einer jungen Frau an diversen Orten in Südwestengland und während einer Reise nach London. Alex in voller Lycra-Fahrradmontur, wie er sich schweißüberströmt an sein Fahrrad lehnte, während sie mit einer Trophäe neben ihm stand. Zusammen mit Alex' Familie an einem Tisch im Restaurant, vermutlich im Adelphi. Bei der Betrachtung dieses Bildes wurde Cross klar, dass sie ihr schon einmal begegnet waren.

»Das ist die Kellnerin«, sagte er. Ottey reagierte nicht. »Die Frau, die uns durch das Lokal zu Kostas geführt hat.«

»Sind Sie sicher?«, fragte Ottey.

»Absolut.«

»Warum hat er uns dann nichts von ihr erzählt?«

»Vielleicht haben sie sich wieder getrennt?«, überlegte Cross laut.

»Das glaube ich nicht. Das letzte Foto wurde eine Woche vor seinem Tod aufgenommen, und da sehen sie bestimmt nicht so aus, als stünden sie kurz vor der Trennung«, wandte Mackenzie ein und zeigte auf ein Selfie, auf dem sich die beiden küssten.

»Gute Nacht?«, fragte Ottey Cross, als sie erneut zum Restaurant fuhren, was ihr einen verdatterten Blick eintrug.

»Ich kann Ihnen nicht folgen.«

»Letzte Nacht. Nach der Arbeit. Hatten Sie eine angenehme Nacht?«

»Oh, ich verstehe. Ja, die hatte ich. Danke.« Dann, nachdem er diesen Austausch seiner Ansicht nach erfolgreich gemeistert hatte, blickte er wieder zum Fenster hinaus. Sie warf ihm einen raschen Blick zu. Nein, mehr war da nicht zu erwarten.

»Das ist die Stelle, an der Sie mich fragen sollten, ob ich auch eine angenehme Nacht hatte«, informierte sie ihn.

»Ja, natürlich. Hatten Sie eine angenehme Nacht?«

»Die hatte ich, danke«, sagte sie, erzielte aber wieder keine Reaktion bei Cross. »Die Mädchen haben nach Ihnen gefragt.« Ihre beiden Töchter. Doch er nickte nur, was immerhin verriet, dass er sie gehört hatte. »Sie lieben das Bagatelle-Spiel, das Ihr Vater Ihnen geschenkt hat. Er hat es wirklich toll restauriert.«

»Ja.«

»Das ist eine willkommene Abwechslung. Sonst kleben sie die ganze Zeit an ihren iPads. Es ist ein bisschen lauter und provoziert manchmal Streit, aber zumindest weiß ich so, was sie gerade tun.«

»Allerdings.«

Sie erreichten das Restaurant. Kostas wartete schon auf sie. Mackenzie hatte ihn angerufen und darüber informiert, dass sie auf dem Weg zu ihm waren. Ein »Am Morgen danach«-Geruch hing in dem Restaurant. Von dem, was am Vorabend einladend und appetitanregend geduftet hatte, war nun nur ein schaler, abgestandener Mief übrig. Kostas machte an der Maschine hinter dem Tresen Kaffee. Eine ältere Frau – Kostas' Mutter, wie Cross annahm – tauchte mit einer Plastikschüssel und einigen Beuteln mit Gemüse auf, das sie an einem Tisch weiter hinten im Lokal zu putzen begann. Dergleichen tat sie offenbar schon seit vielen Jahren, lange genug, um die Fähigkeit zu entwickeln, diese Arbeit zu verrichten, ohne den Blick von Cross und Ottey abzuwenden. Cross argwöhnte, dass sie für einen Menschen ihres Alters vermutlich auch ein auffallend gutes Gehör besaß. Kostas kam mit dem Kaffee zu ihnen.

»Zucker?«

»Nein, danke«, sagten die beiden Detectives beinahe unisono.

»Kostas, fällt Ihnen jemand ein, der Ihrem Bruder etwas hätte antun wollen?«, fragte Ottey.

»Nein«, antwortete er, unverkennbar überrascht von dieser Frage.

»Kein Ärger mit Konkurrenten? In der Gastronomie geht es meines Wissens nicht immer friedlich zu«, hakte sie nach.

»Nein.«

»Irgendwelche schlechten Angewohnheiten – Glücksspiel, Alkohol, Frauen?«

»Nein!«, rief er und hätte allem Anschein nach beinahe gelacht bei dieser Vorstellung. »Er war besessen vom Radfahren, aber das ist alles. Er hat nicht getrunken. Er hatte keine Zeit für irgendetwas anderes. Er hat ständig auf dem verflixten Fahrrad gesessen.«

»Das ist Ihnen auf die Nerven gegangen«, konstatierte Cross.

»Nur dann und wann, wenn er mich hier allein gelassen hat, weil er ein großes Rennen hatte oder eine wichtige Trainingsfahrt mit seinem Club anstand. Und er konnte einen zu Tode langweilen, wenn er davon erzählt hat. Aber das hat ihn fit gehalten und dafür gesorgt, dass er gar nicht in Schwierigkeiten kommen konnte.«

»Hatte er es nötig, sich von Schwierigkeiten fernzuhalten?«, fragte Cross.

»Nein, einen Moment. Muss ich hier aufpassen, was ich sage?«

»Nein«, versicherte ihm Ottey. »Bitte denken Sie das nicht. Aber vielleicht wissen Sie etwas, das für uns nützlich oder sogar entscheidend sein könnte. Hat sich sein Verhalten in jüngster Zeit verändert?«

»Ja, das hatte es. Er wirkte nervös und ziemlich aggressiv. Er war wie besessen von diesem Rennen …«, sagte er.

»Würden Sie ihn generell als obsessiv einstufen?«, erkundigte sich Cross.

»Scheitern hat er gehasst. Das war schon immer so, seit wir Kinder waren. In der Schule, sogar bei Sportarten, in denen er richtig schlecht war … er konnte einfach nicht verlieren.«

»Ein Kakorrhaphiophobiker«, bemerkte Cross.

»Was?«, fragte Ottey.

»Jemand, der Angst vor dem Versagen hat. Die Leute denken oft, diese Menschen wären besessen davon zu gewinnen, obwohl dahinter eigentlich eine krankhafte Angst vor dem Verlieren steht, dem Versagen. Das ist ein bedeutender Unterschied«, dozierte Cross, und Ottey fragte sich, wie viele Leute es überhaupt geben mochte, die dieses Wort kannten und fehlinterpretieren konnten.

»Sie tauchten schubweise auf, seine Obsessionen. Die neueste war dieses Rennen. Er hat jede Menge Muskelmasse aufgebaut und sich in einen launischen Mistkerl verwandelt«, fuhr Kostas fort.

»Inwiefern?«, hakte Ottey nach.

»Er hat angefangen, sich mit jedem herumzustreiten: mit mir, Dad, sogar mit Gästen. So etwas ist früher nicht vorgekommen. Aber es war immer schnell vorbei. Er konnte Streit nie lange ertragen, ganz anders als Dad und ich. Wir halten das tagelang durch. Er musste sich immer bei der ersten Gelegenheit entschuldigen. Ein Zeichen von Schwäche – damit habe ich ihn immer aufgezogen.« Und dann verlor Kostas für einen Moment die Nerven und weinte still in seine Hände. Cross sah ihn nur an, aber Ottey beugte sich vor und legte den Arm um ihn.

»Sie sind jünger als Alex«, stellte Cross fest.

»Nur zwei Jahre.«

»›Nur‹? Aber demnach war er der dominante Bruder. Der, der das Sagen hatte«, bemerkte Cross.

»Das hat er jedenfalls gedacht«, stimmte Kostas zu.

»Haben Sie ihm das übel genommen?«, fragte Cross.

»Nein«, gab er zurück, vielleicht ein bisschen zu schnell. Cross musterte ihn schweigend. Kostas wandte den Blick ab, sah Ottey an und dann wieder Cross, der ihn immer noch auf ziemlich enervierende Art direkt anstarrte.

»Das war die erste Lüge, die Sie uns vorgesetzt haben, Kostas«, sagte er.

»Ich habe ihn geliebt.«

Sein Dad kam herbei und räumte ihre Tassen ab. »Sie haben sich immer gezankt, ja …«, warf er ein.

»Dad …«, begehrte Kostas auf.

»Alexander wollte nach London gehen. Streit, Streit, Streit.

Aber sie lieben einander. Natürlich tun sie das. Familien streiten, weil sie sich lieben.«

»London?«, fragte Cross.

»Er wollte in London ein Restaurant eröffnen. Auf eigene Faust. Wollte, dass Kostas ihn für dieses Restaurant ausbezahlt«, fuhr der Mann fort.

»Was vermutlich bedeutet hätte, dass Sie die Bank um Kredit hätten bitten müssen«, bemerkte Cross.

»Jepp. Ich fand die ganze Idee idiotisch. Ich konnte es nicht beweisen, aber ich war sicher, dass es da irgendeinen verdammten Radsportverein gab, dem er sich anschließen wollte. Ich würde jeden Betrag darauf setzen, dass es genau darum ging. Und um das Velodrom. Da ist er ein paarmal am Wochenende hingefahren. Er hat immer gesagt ›Könnt ihr euch das vorstellen? Dass ich da wohne – in Stratford? Dann könnte ich jeden Abend trainieren.‹ Aber nicht, wenn du ein verdammtes Restaurant hast, dann nicht, das habe ich ihm gesagt. Er hatte das alles einfach nicht zu Ende gedacht.«

»Große Pläne – er hatte große Pläne«, warf der Vater hinter dem Tresen ein.

»Ja«, stimmte Kostas zu und lächelte gutmütig. »Er war der ›perfekte Sohn‹, wie Sie vermutlich schon gemerkt haben.«

»Offensichtlich der Favorit«, meinte Ottey.

»Oh, ja ...«, sagte er gedehnt.

»Was ist mit dem Arm Ihres Vaters passiert?«, fragte Cross mit Blick auf den Gipsverband am Handgelenk des älteren Mannes.

»Er hat sich das Handgelenk gebrochen.«

»Wann?«

»Vor ein paar Wochen. Er hat Osteoporose. So etwas passiert immer häufiger«, erklärte Kostas.

»Also Alex' Plan, nach London zu gehen. Was ist daraus geworden?«, fragte Cross.

»Nichts, mehr oder weniger. Alex konnte gut mit Zahlen umgehen. Er war das Gehirn, na ja, das logistische Gehirn unseres Geschäfts. Er hat sich die Zahlen angesehen und erkannt, dass ich das Restaurant nicht erfolgreich betreiben könnte, wenn ich einen Kredit in der nötigen Höhe hätte aufnehmen müssen«, erzählte Kostas.

»Hätten Sie nicht die Preise ein wenig erhöhen können?«, hakte Cross nach. »Ich habe bei unserem letzten Besuch einen Blick in die Karte geworfen. Für so gutes Essen sind die Preise äußerst günstig, wenn nicht sogar billig.«

»Wir kennen unseren Markt. Den haben unser Vater und unsere Mutter ausgiebig erkundet. Alex könnte das richtig gut erklären. Wir sind gerade diesseits des ›Kipppunkts‹. Würden wir unsere Preise über ein bestimmtes Niveau hinaus anheben, würden wir Kunden verlieren. So viele, dass der Gewinn einbrechen würde.«

»Interessant.«

»Aber wissen Sie, was Alex' Geniestreich war?«

»Nein.«

»Es klingt unbedeutend, hat jedoch eine erstaunliche Wirkung gehabt. Es hat mit dem Wasser angefangen. Wir haben es selbst mit Kohlensäure angereichert, ein Pfund fünfzig berechnet und kostenlos und unbegrenzt nachgefüllt. Den Leuten hat das gefallen. Und dann hat Alex gesagt ›Lasst uns kostenloses Fladenbrot anbieten‹. Kostenloses Fladenbrot? Mein Vater hielt das für verrückt. Nicht weil es Geld kosten würde, sondern weil es die Leute sättigen würde und sie keinen Grund mehr hätten, Essen zu bestellen.«

»Am Anfang war das auch so«, bemerkte sein Vater, als wollte er den Punkt unterstreichen.

»Aber nicht lange. Für günstige Gelegenheiten sind die Leute immer zu haben. Sie wollen etwas für ihr Geld bekommen und nicht das Gefühl haben, abgezockt zu werden«, fuhr Kostas fort. »Nette Gesten gefallen ihnen.«

»Kostenloses Zeug gefällt ihnen«, warf sein Vater ein, als würde er die Idee immer noch uneingeschränkt ablehnen, obwohl sie offensichtlich zum Erfolg geführt hatte. Wie es schien, war etwas an der Vorstellung, Ware zu verschenken, in seinen Augen fundamental falsch.

»Anfangs waren die Leute ein bisschen gierig, aber als sie sich daran gewöhnt hatten, haben sie nur noch so viel bestellt, wie sie gebraucht haben.«

»Abgesehen von dem Mann mit der Einkaufstüte. Den hast du wohl vergessen«, schimpfte sein Vater. »Erzähl ihnen von dem Mann mit der Einkaufstüte.«

»Das ist wahr. Wir hatten tatsächlich einen Gast, der uns verarscht hat. Er hat eine Einkaufstüte mitgebracht und nach dem Essen um Brot gebeten.«

»Was haben Sie gemacht?«, fragte Ottey.

»Das hat Alex übernommen. Er hat dem Mann die Tüte bis zum Rand mit Pitabrot gefüllt.«

»Sie machen Witze«, entfuhr es Ottey.

»Er hat gesagt, das habe er nicht für den Mann getan, der nach Brot gefragt hat, sondern für all die anderen Gäste, die dabei zugesehen haben. Die wussten, dass der Typ ein Arsch war, aber dann haben sie gesehen, wie der Manager ihm das Brot gegeben hat, ohne mit der Wimper zu zucken. Das hat ihr Mitgefühl geweckt. Sie würden wiederkommen, und sie sind wiedergekommen. Ein paar Gäste erzählen immer noch davon. Die kleine Geschichte ist mehr oder weniger berühmt«, berichtete Kostas, und die Erinnerung entlockte ihm ein Lächeln.

»Hatte Alex eine Freundin?«, fragte Cross und wechselte damit abrupt das Thema.

»Nein. Wie gesagt, er hatte keine Zeit.« Cross fiel auf, dass Kostas' Mutter sich rasch zu ihrem Sohn umsah. Ganz offensichtlich hatte sie seine Antwort hören wollen, während sie wie üblich Gemüse im hinteren Bereich des Restaurants vorbereitete und ein achtsames Auge auf die Fremden hatte.

»Was ist mit Debbie? Der Kellnerin?«, hakte Cross nach.

»Sie ist keine Kellnerin«, antwortete er und schaute nervös zu seiner Mutter. Cross hatte anfangs angenommen, sie hätte sich dort hingesetzt, um ihr Gespräch mit Kostas zu belauschen, doch nun wurde ihm klar, dass das ihr Aussichtspunkt war, von dem aus sie alles beobachtete, was in diesem Laden vor sich ging. Die Männer glaubten, sie hätten hier das Sagen, aber Cross wusste, wer wirklich die Zügel in der Hand hielt.

»Was ist mit ihr?«, wollte Kostas schließlich wissen.

»Wir würden sie gern sprechen. Ist sie hier?«, erkundigte sich Cross.

»Sie ist oben«, antwortete Kostas.

»Warum die Geheimnistuerei?«, fragte Ottey.

»Meine Mutter wollte nicht, dass sie da mit hineingezogen wird. Das hat sie so oder so schon genug mitgenommen. Ihre Beziehung zu Alex war … ein Geheimnis.«

»Wenn es um eine Mordermittlung geht, gibt es keine Geheimnisse«, konstatierte Cross.

»Na ja, es ist ja nicht so, als hätte sie etwas damit zu tun gehabt. Sie hat an dem Abend gearbeitet.«

»Sie mag nichts damit zu tun haben, doch sie könnte durchaus Informationen haben, die sie für unwichtig hält, die für uns aber bedeutsam sein könnten«, klärte Cross ihn auf.

»Kostas, wir wollen nur die Wahrheit herausfinden. Dahinterkommen, wer Ihren Bruder ermordet hat. Niemand hier ist in Schwierigkeiten«, beschwichtigte Ottey.

»Abgesehen vom Mörder, natürlich«, fügte Cross hinzu. Ein wenig erschrocken blickte Kostas ihn an. Er konnte nicht erkennen, ob der Detective einen Scherz gemacht hatte. Schließlich stand Kostas auf, um Debbie zu holen, doch dann sah er, dass seine Mutter bereits unterwegs war.

»Meine Mutter ist sie holen gegangen. Kann ich Ihnen noch einen Kaffee anbieten?«, fragte er.

»Das wäre nett, danke«, antwortete Ottey.

Wenige Minuten später kam Debbie zu ihrem Tisch. Sie wechselten die üblichen Höflichkeitsfloskeln – nun ja, Ottey und Debbie jedenfalls. Cross fiel auf, dass Debbie geweint hatte. Und sie war erheblich jünger, als er zunächst angenommen hatte. Wie alt mochte sie sein? 18 vielleicht? Zweifellos ein gutes Stück jünger als Alex, der 32 gewesen war.

»Also, Debbie, wie lange arbeiten Sie schon hier?«, erkundigte sich Ottey.

»Ich arbeite nicht hier«, antwortete sie leise.

»Aber Sie haben doch kürzlich am Tisch bedient?«, hakte Cross nach.

»Ich habe nur ausgeholfen, weil Nicole sich krankgemeldet hat«, erklärte sie.

»Wie haben Sie Alex kennengelernt?«, fragte Cross.

»Das war hier. Wir sind eines Abends zum Essen hergekommen und er hat sich um uns gekümmert. Ich war mit Freunden hier. Wir haben Geburtstag gefeiert.«

»Aber wie …?«, setzte Ottey an.

»Na ja, ein paar Tage später habe ich ihn auf seinem Fahrrad gesehen. Er hat angehalten und wir haben uns unterhalten.«

»Fällt Ihnen jemand ein, der Alex etwas antun wollte?«, erkundigte sich Ottey. Debbie schüttelte rasch den Kopf, als wollte sie andeuten, dergleichen sei völlig ausgeschlossen. »Er hatte in letzter Zeit mit niemandem Ärger oder Streit?«, fuhr Ottey fort und erhielt wieder nur ein Kopfschütteln zur Antwort.

»Warum waren Sie oben, wenn Sie nicht hier arbeiten?«, wollte Cross wissen.

»Ich wohne hier.«

»Ich verstehe.«

»Zu Hause war es ein bisschen schwierig für sie«, erklärte Kostas.

»Zu Hause? Haben Sie noch bei Ihren Eltern gelebt?«, fragte Cross.

»Ja. Bis ich hierhergezogen bin«, sagte sie.

»Kostas behauptete gerade, dort wäre es für Sie nicht leicht gewesen – stimmt das?«, hakte Ottey nach.

»Ja«, gestand sie fast schon flüsternd.

»Inwiefern?«, fragte Ottey.

»Ach, nur das Übliche. Ich habe eine Pause gebraucht«, sagte Debbie.

»Was haben Sie von Alex' Londonplänen gehalten?«, erkundigte sich Cross. Ihm fiel auf, dass sie zum Sprechen ansetzte, es sich aber nach einem kurzen Blick in Kostas' Richtung anders überlegte. »Haben Sie mit ihm darüber gesprochen? Wollten Sie mit ihm gehen?« Wieder sah sie Kostas an.

»Das wäre gar nicht mehr gegangen. Er wäre nicht weggezogen.«

Ottey wollte gerade noch eine Frage stellen, als Cross, der Debbie genau beobachtet hatte, sie aufhielt.

»Eigentlich glaube ich, wir haben alles, was wir brauchen. Josie, vielleicht geben Sie Debbie Ihre Karte. Rufen Sie uns an, wenn Ihnen noch etwas einfällt. Oder sprechen Sie mit Ihrem Sozialarbeiter«, sagte er.

»Alison?«, fragte Debbie.

»Ja, Alison«, bestätigte Ottey, die noch herauszutüfteln versuchte, warum Cross die Befragung so abrupt beendet hatte.

Als sie im Wagen saßen, drehte Cross sich zu ihr um. »Debbie lebt bei Alex' Familie? Ist so etwas normal?«, fragte er.

»Nicht unbedingt normal, aber auch nicht einzigartig. Kommt auf den Umstand zu Hause an. Alleinstehende Mutter. Neuer Stiefvater. Da könnte sonst was dahinterstecken. Warum haben Sie mich da drin abgehalten?«

»Sie wollte nicht in Kostas Gegenwart reden. Um genau zu sein, sie wollte nicht in Gegenwart der Mutter reden. Die Frau hat sie offensichtlich instruiert. Darum ist sie so schnell raufgegangen, um Debbie zu holen.« Er dachte einen Moment nach. »Was immer es ist, sie wird sich melden. Sie kommt mir sehr jung vor. Was meinen Sie, wie alt ist sie?«

»Ich weiß es nicht. Achtzehn, zwanzig. Eltern?«, fragte sie.

»Ich habe keine Ahnung. Die könnten in jedem Alter sein.«

»Ich meinte, ob wir sie aufsuchen sollen.«

»Oh, ich verstehe. Ja, das wäre der nächste logische Schritt.«

5

Sie hielten vor einem Haus in Eastville. Es lag an einer schmalen Nebenstraße, die einen kleinen Hügel hinaufführte. Eine Reihe von Doppelhäusern, alle auf einer Seite mit einer Zufahrt zum dahinter liegenden Garten ausgestattet, säumten die Straße. Ottey drehte sich zu Cross um und sagte: »Vergessen Sie nicht, die wissen vermutlich gar nichts von dem Mord.«

»Also platzen Sie nicht gleich damit heraus«, wiederholte er, was sie ihm zuvor erklärt hatte. Sie klingelten. Wenige Momente später öffnete eine Frau in den Dreißigern die Tür. Sie sah müde aus und hatte tiefdunkle Augenringe. Gekleidet war sie mit einem pinkfarbenen Jogginganzug aus Frottee. Und sie rauchte eine Zigarette. Ottey zeigte ihr ihren Dienstausweis, Cross, der hinter ihr stand, tat das Gleiche.

»DS Ottey und DS Cross. Dürfen wir reinkommen?«

Nun tauchte ein Mann hinter der Frau auf. Er war etwas älter, Anfang vierzig. Sein Haar war kurz geschnitten und lichtete sich unverkennbar.

»Worum geht es?«, wollte er wissen.

»Sie sind die Eltern von Debbie Swinton, richtig?«

»Oh mein Gott, ist ihr etwas zugestoßen?«, fragte die Frau.

»Nein, nein, gar nicht«, beruhigte Ottey sie.

»Kommen Sie lieber rein«, sagte der Mann.

Das Wohnzimmer war sauber und ordentlich, wenn auch ein wenig nichtssagend möbliert. Die Kanten zwischen Wänden und Decke waren braun vom Zigarettenrauch. Ein großes Glas Weißwein stand auf einem Tisch in der Mitte des Raums, für Cross nicht zu übersehen, als er den Raum betrat.

»Was starren Sie so an?«, fragte die Frau in aggressivem Ton.

»Ihr Weinglas«, antwortete Cross ohne eine Spur von Verlegenheit.

»Was ist damit?«

»Ich dachte nur, es ist noch ziemlich früh für Alkohol. Dann dachte ich, dass das für Sie vermutlich nicht ungewöhnlich ist«, sagte er. Sie wollte ihm gerade eine passende Antwort erteilen, als der Mann dazwischenging.

»Vielleicht sagen Sie uns einfach, wie wir Ihnen helfen können«, schlug er vor.

»Wir untersuchen den Mo…«, fing Cross an, als Ottey ihm auch schon ins Wort fiel.

»Cross …«

Er verstummte augenblicklich.

»Ich fürchte, wir haben schlechte Neuigkeiten über Alex Paphides. Sie kennen Alex?«, fragte Ottey.

»Ja«, bestätigte die Frau.

»Ich bedauere, Ihnen sagen zu müssen, dass er tot ist.«

»Oh mein Gott.« Die Frau sank auf das Sofa, während sie die Nachricht verdaute.

»Ermordet«, fügte Cross hinzu. Ottey fixierte ihn. Er kapierte es einfach nicht. Für ihn war das nur eine Information, die sie übermitteln mussten, damit sie weitermachen konnten. Er dachte nie an die Gefühle der Person, mit der er gerade sprach. Das kam ihm schlichtweg nicht in den Sinn.

»Wann?«, fragte der Mann.

»Vor ungefähr zwei Wochen«, antwortete Ottey.

»Unsere Debbie war mit ihm …« Die Frau brachte ihren Satz nicht zu Ende.

»Das kam uns zu Ohren.«

»Können Sie uns bitte Ihre Namen nennen und uns sagen, in welchem Verhältnis Sie zu Debbie stehen«, bat Cross und zog sein Notizbuch hervor.

»Mord?«, fragte der Mann nach.

»Ja«, bestätigte Cross.

»Ich bin Andy, ihr Stiefvater, und das ist Jean, ihre Mum.«

»Wann haben Sie ihn das letzte Mal gesehen?«, fragte Cross.

»Vor ein paar Monaten?«, sagte Andy.

»Sind Sie sicher?«, hakte Cross nach.

»Ja«, bekräftigte er.

»Und was ist mit Debbie? Wann haben Sie sie zuletzt gesehen?«, fuhr Cross mit der Befragung fort.

»Auch da«, sagte Jean.

»Ich verstehe … Also waren Sie nicht einverstanden«, konstatierte Cross.

»Wie meinen Sie das?« Jean klang, als würde sie sich angegriffen fühlen.

»Mit der Beziehung«, erklärte Cross.

»Na ja, wären Sie das?«, fragte sie und drückte ihre Zigarette mit solch einer Gewalt in einem Aschenbecher aus, als wollte sie mit der Geste ihre Worte unterstreichen.

»Ich habe keine Ahnung«, antwortete er wahrheitsgemäß.

»Er ist über dreißig«, sagte sie, als wollte sie jemandem, der ein bisschen schwer von Begriff war, klarmachen, was eigentlich auf der Hand lag.

»Er ist Grieche«, erwähnte Cross, als hätte ihre Ablehnung vielleicht mehr damit zu tun.

»Damit hat das nichts zu tun«, ließ sich prompt Andy vernehmen.

»Nennen Sie uns etwa verdammte Rassisten?«, fragte Jean.

»Er tut nichts dergleichen«, ging Ottey dazwischen, ehe die Sache noch weiter ausarten konnte. Jean griff nach ihrem Weinglas und trank einen großen Schluck. Dann zündete sie sich die nächste Zigarette an. Das tat sie, ohne nachzudenken. Es geschah völlig automatisch. Wie etwas, dass sie jeden Tag Dutzende von Malen tat.

»Sie ist sechzehn«, sagte Jean, was für die beiden Detectives überraschend war. Sie hatten sie gewiss nicht als so jung eingestuft, als sie ihr begegnet waren.

»Ich verstehe. Sie sieht älter aus«, entgegnete Cross.

»Das tut sie«, stimmte Andy ihm zu. »Ich glaube, deshalb bildet sie sich auch ein, sie wäre viel erwachsener, als sie tatsächlich ist.«

»Ist sie deshalb ausgezogen?«, erkundigte sich Ottey.

»Ja, sie hat gesagt, wir würden ihr das Gefühl geben, dass alles, was sie tut, falsch wäre«, erklärte Andy.

»Vorgeworfen hat sie uns das«, bemerkte Jean.

»Weiß Sie wegen Alex Bescheid?«, fragte Andy.

»Ja«, sagte Ottey.

»Ist sie okay?«, wollte er dann wissen.

»Erschüttert, logischerweise«, antwortete sie.

Andy ließ sich seiner Frau gegenüber nieder. »Wir sollten …«, setzte er an.

»Sie weiß, wo wir sind«, fiel Jean ihm erbittert ins Wort. Andy musterte sie. Offenbar führten sie dieses Gespräch nicht zum ersten Mal. Ihre Reaktion hatte ihn nicht schockiert, nicht einmal überrascht. Er sah sich zu den Detectives um.

»Könnten Sie ihr sagen, wir sind für sie da? Vielleicht braucht sie uns jetzt.«

»Natürlich«, versprach Ottey und drehte sich zu Cross um, um anzudeuten, dass sie gehen sollten. Aber da hatte bereits ein großes Puzzle auf dem Tisch hinter ihnen seine Aufmerksamkeit gefesselt.

»Ein Puzzle. Ziemlich schwierig mit dem vielen Himmel. Da gibt es wenig Details, an denen man sich orientieren kann.« Alle starrten ihn vage verwirrt an, was er als Aufforderung verstand weiterzureden. »Erfunden um siebzehnhundertsechzig herum in London von einem Kartografen namens John Spilsbury. Um Geografie auf interessante Weise zu lehren.«

»Ist das wahr? Das wusste ich nicht«, sagte Andy höflich.

»Ja. Sie haben damals Karten auf Holz geklebt und entlang der Ländergrenzen auseinandergesägt. Sie waren als zergliederte Karten bekannt, ehe sie zu Puzzlespielen wurden«, dozierte Cross.

»Das ist interessant«, sagte Andy.

»Das denke ich auch.«

»Er schien sich viel mehr Sorgen um das Mädchen zu machen als sie«, bemerkte Cross, als sie wieder im Wagen saßen.

»Das kann ich verstehen. Sie ist ihre Mutter. Er ist der Stiefvater.«

»Dann sollte man doch annehmen, dass sie besorgter wäre, oder nicht?«, fragte er.

»Das ist sie. Sie versteckt es nur hinter ihrem Ärger.«

Er dachte einen Moment darüber nach und schüttelte dann leicht den Kopf.

»Das ist einer dieser Augenblicke, in denen ich mich glücklich schätze, keine Kinder zu haben. Hätte ich welche, wäre ich ständig in einem Zustand der Verwirrung«, bekannte er.

»Womit Sie sich nicht von all den anderen Eltern auf dem Planeten unterscheiden würden«, kommentierte Ottey.

»Tatsächlich? Meine Güte. Kein Wunder, dass Eltern dauernd erschöpft aussehen«, sagte er, ehe sie eine Weile schweigend weiterfuhren. Sie hatten beschlossen, nicht mehr ins Büro zurückzukehren, also steuerte sie, als sie wieder bei der Major Crime Unit waren, direkt zum Fahrradunterstand und ließ ihn raus. Dann parkte sie den Wagen und schaffte es gerade noch zurück zu Cross, ehe der wegfahren konnte.

»Sie besuchen heute Raymond, richtig?«, fragte sie. Er musterte sie forschend. »Es ist Donnerstagabend. Sie gehen donnerstags immer zu Ihrem Vater«, erklärte sie.

»Ja, das tue ich«, antwortete Cross.

»Bitte richten Sie ihm beste Grüße aus«, sagte sie.

»Mach ich«, versprach er und radelte davon.

»Wir sehen uns morgen!«, rief sie ihm nach.

Er antwortete nicht.

6

Wenig später traf Cross mit dem üblichen chinesischen Essen zum Mitnehmen im Haus seines Vaters ein. Er ließ sein Fahrrad in dem chaotischen Flur stehen. Seinen Vater traf er tippend an einer alten Reiseschreibmaschine an. Raymond hatte nichts gegen moderne Technologie – er hatte sogar diverse Laptops in unterschiedlichem Zustand aus diversen Baujahren in der großen Sammlung an Zeug, die jeden Quadratzentimeter seines Heims belegte –, er fand nur, das Tippen auf der alten Maschine würde ihm helfen, klarer zu denken. Man musste nachdenken, ehe man tippte, sagte er. Ehe man etwas niederschrieb. Bei einem Computer konnte man alles mühelos wieder löschen und die Autokorrektur hatte seiner Ansicht nach die Faulheit der Leute gefördert. Müssten sie erst losgehen und ein Fläschchen Tipp-Ex holen, die Schmiere wegwischen, die sich ständig an der Tülle ansammelte, ganz gleich, wie sehr man sich bemühte, das Fläschchen sauber zu halten, die Flüssigkeit sorgfältig auftragen und warten, bis sie trocken war – die Leute wären viel achtsamer.

Sie nahmen ihr Mahl in gewohntem Schweigen ein und sahen sich dabei Mastermind im Fernsehen an. Raymond zeichnete die Sendung für seinen Sohn auf, weil er der Illusion erlegen war, dies sei dessen Lieblingssendung. Doch er irrte sich. George hatte keine Lieblingssendungen, aber hätte er welche, wäre zweifellos irgendeine Art von Quizshow darunter. Nachdem George abgeräumt hatte und sich bereit machte zu gehen, ließ sein Vater platzen, was in Georges Augen eine Bombe war.

»Ich werde am nächsten Donnerstag nicht mit dir essen können und auch an keinem anderen in der absehbaren Zukunft.«

Nun wäre das für andere Menschen keine große Sache. Aber für Cross war es eine. Er konnte Veränderungen nicht leiden und für ihn war dies eine Veränderung seismischen Ausmaßes.

»Was soll das heißen? Wir essen donnerstags abends immer zusammen.«

»Ich weiß, aber ich dachte, wir könnten das vielleicht ändern.«

»Warum?«

»Weil ich jetzt eine andere Verpflichtung habe. Bei Aerospace Bristol am späten Nachmittag, also werde ich es nicht schaffen, rechtzeitig zurück zu sein.«

»Was machst du im Museum?«

»Ich leite eine Tour und halte eine kurze Ansprache. Daran habe ich geschrieben, als du gekommen bist.«

Cross dachte einen Moment nach und sagte dann: »Du wirst sie bitten müssen, das auf einen anderen Tag zu verlegen. Donnerstags geht es nicht.«

»Das habe ich. Es war mein erster Gedanke. Na ja, vielleicht nicht der erste. Aber ich wusste, dass dir das nicht gefallen würde, also habe ich gefragt. Leider ist das der einzige Tag in der Woche, der für das Museum infrage kommt. Das Programm ist ziemlich voll«, erklärte sein Vater.

»Dann wirst du absagen müssen.«

»Ich möchte das wirklich gern tun, George. Das ist etwas, worauf ich mich freue.«

»Freust du dich nicht darauf, mich zu sehen?«

»Du weißt, dass ich das tue. Aber du sagst immer, ich sollte mehr rausgehen. Das gibt meinem Gehirn etwas zu tun. Mir liegt wirklich viel daran, Sohn. Wir könnten uns doch eine Weile am Mittwoch treffen.«

»Mittwoch übe ich das Orgelspiel. Wir treffen uns am Donnerstag, weil das fast genau in der Mitte zwischen unseren gemeinsamen Sonntagen liegt. Das haben wir extra so gelegt. Es ist der optimale Zeitpunkt. Dienstag wäre zu früh, Freitag zu spät. Nein, du kannst das nicht tun.«

Für jeden anderen hätte Cross sich angehört wie ein verzogenes Gör, nicht wie ein erwachsener Mann über fünfzig. Aber es ging nicht darum, dass er seinen Kopf durchsetzen wollte. Es hatte vielmehr damit zu tun, dass er auf seine Routine angewiesen war. Raymond wusste, sein Sohn würde, wenn er die Sache einmal durchdacht hatte, zustimmen, wenn auch widerwillig. Er brauchte Zeit, um herauszuarbeiten, wie er mit dieser neuen Störung seines Alltags umgehen sollte.

»Aber wir könnten uns nächsten Donnerstag sehen.«

»Gut.« Cross wandte sich zum Gehen, überzeugt, er hätte seinen Standpunkt klargemacht und sie würden sich in der nächsten Woche wie gewohnt zum Abendessen treffen.

»Du könntest vorbeikommen und zusehen, wenn ich die Ansprache halte, und dann könnten wir uns auf dem Heimweg etwas zu essen holen. Wir wären etwas später dran als sonst, aber ich dachte, vielleicht würde dir das entgegenkommen. Komm einfach rüber und stärk dem alten Mann den Rücken. Vielleicht kannst du mir hinterher ein paar Hinweise und Fingerzeige geben.«

»Nein, das denke ich nicht«, sagte George und ging. Wie

üblich ließ Raymond sich dadurch nicht aus der Ruhe bringen. Er hatte im Voraus gewusst, wie sein Sohn reagieren würde. Wie bei allem, was George betraf, brauchte es einfach Zeit. Verhandlungen. Aber sie würden einen Weg finden.

Georges Problem war, dass er nicht verstehen konnte, warum sein Vater nicht begriff, wie unzumutbar und, zumindest für ihn, unnütz diese neue Komplikation war.

Die Sache machte ihm am nächsten Morgen bei der MCU immer noch zu schaffen. Ottey bekam es mit, aber er war nicht der Typ Mensch, der Privatangelegenheiten bei der Arbeit diskutierte. In seinen Augen war das nicht der richtige Ort dafür. Beim Mittagessen in der Kantine, vielleicht. Nach der Arbeit im Pub, sicher. Nicht, dass Cross je in den Pub gehen würde. Aber während der Arbeit demonstrierte das in seinen Augen einen Mangel an Professionalität. Als sie ihn also fragte, was ihm zu schaffen mache, widerstrebte es ihm zunächst, sich zu äußern. Irgendwann sagte er ihr dann, sein Vater sei unvernünftig. Ottey ging nicht gleich darauf ein, weil ihre spontane Reaktion in dem Wunsch bestanden hatte, ihn kräftig durchzuschütteln und ihm zu sagen, er solle erwachsen werden. Aber sie wusste, dass das alles andere als hilfreich wäre.

»Wenn es mein Vater wäre, würde ich mich freuen, dass er etwas zu tun gefunden hat, statt nur herumzusitzen und bis ins hohe Alter vor sich hin zu verwesen.«

»Ist Ihr Vater nicht verstorben?«

»Ja.«

»Dann ist es kein Wunder, dass Sie sich freuen würden.«

Sie lachte, obwohl sie überzeugt war, dass er seine Worte

nicht scherzhaft gemeint hatte. »Warum spielen Sie nicht einfach mit und gehen auch hin?«

»Weil das, wie ich bereits sagte, der Abend ist, an dem wir zusammen essen.«

»Dann ändern Sie den Tag.«

»Das ist nicht so einfach.«

»So schwer kann es doch nicht sein.«

»Mir scheint, Sie verirren sich in Privatangelegenheiten.«

»Und was stört Sie daran?«

»Wir sollten über den Fall reden. Dafür werden wir schließlich bezahlt.«

»Ich verstehe einfach nicht, warum Sie so schwierig sein müssen.«

»Natürlich nicht.«

Sie starrte ihn an und wusste nicht recht, was er damit sagen wollte.

»Verstehen«, erklärte er daraufhin und sah ihr dabei direkt in die Augen. Eine E-Mail kündigte sich mit einem lauten Pling in seinem Computer an. Er sah sich um und beugte sich dann zum Monitor. »Sie stammt von Clare.« Er las sie aufmerksam und las sie gleich noch ein zweites Mal.

»Was ist denn?«, fragte Ottey, aber er war zu konzentriert, sie zu hören. Dann, ohne Vorwarnung, sprang er von seinem Stuhl auf und griff zu seiner Fahrradausrüstung. »George!«, protestierte sie, doch es hatte keinen Zweck, er war fort. Rasch überflog sie die E-Mail, die immer noch auf dem Monitor angezeigt wurde. »Okay …«, murmelte sie, als würde, was immer sie gelesen hatte, alles ändern. Dann folgte sie George nach draußen und fing ihn am Fahrradunterstand ab.

»Ein Wort, George: ›Partner‹. Wir nehmen den Wagen.«

Nach dieser entschiedenen Verkündung folgte Cross ihr zu ihrem Wagen, doch erst als sie den Schlüssel im Zündschloss drehte, wurde ihr klar, dass sie gar nicht wusste, wohin es ging.

Die E-Mail, die Cross gerade erhalten hatte, stammte von Clare, der Pathologin, die ihn darüber in Kenntnis setzen wollte, dass die Ergebnisse der toxikologischen Untersuchung eingetroffen und ein wenig überraschend waren. Bei Alex waren diverse Drogen gefunden worden, die sie als »leistungssteigernd« beschrieb. Außerdem hatte er einen abnorm hohen Testosteronspiegel. Die meisten dieser Drogen hatte er oral eingenommen, wie Cross später, nach einem Telefongespräch mit Clare, herausfand. Aber einige mussten injiziert worden sein. Bei einer genaueren Untersuchung hatte die Pathologin Einstichstellen an seinem Bein entdeckt, die nicht auf den ersten Blick erkennbar gewesen waren wegen des Zustands, in dem der Leichnam aufgefunden worden war. Ganz offensichtlich hatte er diese Drogen regelmäßig eingenommen, folglich stand für Cross als Erstes eine weitere Durchsuchung von Alex' Wohnung an.

Sie holten sich die Schlüssel von Kostas und stellten die Wohnung gründlich auf den Kopf, unterstützt von einigen Uniformierten. Aber da war rein gar nichts. Cross sah sich das Fahrrad noch einmal an, untersuchte die Reifen und das Fahrrad im Ganzen.

»Das ist nie gefahren worden. Es ist brandneu«, stellte er fest.

»Vielleicht hat er es sich für L'Étape gekauft«, mutmaßte Ottey.

Cross sah sich genau in der Wohnung um. Er suchte nicht nach einem Drogenvorrat. Er versuchte, sich anhand der Einzelheiten, die er in der Wohnung wahrnahm, ein Bild von dem jungen Mann zu machen. Sie war sauber und ordentlich und vermittelte nicht das Gefühl, als hätte je wirklich jemand hier gelebt. Doch sie erinnerte auch nicht an ein Hotel, eher an eine Möbelabteilung bei IKEA oder Habitat; alles war perfekt abgestimmt. Als wären sämtliche Gegenstände online bestellt worden, um dann ausgepackt und genau so platziert zu werden wie in dem zugehörigen Werbefoto. Ein großer LED-Fernseher an der Wand gegenüber dem Ledersofa. Eine Sky-Box. Eine Playstation. Dies war eine Junggesellenbude. Ein paar Bilder hingen an den Wänden, aber das Beeindruckendste war das Rennrad, das einen Ehrenplatz über dem Sofa erhalten hatte. Sichtlich kampferprobt war es ohne Zweifel ein Relikt aus einem vergangenen, siegreichen Rennen.

Im Schlafzimmer fiel Cross auf, dass Alex' Kleidung samt und sonders ordentlich und frisch gebügelt aufgehängt worden war. Dieser junge Mann achtete auf seine Erscheinung, was Cross' Organisationssinn entgegenkam. Besonders angetan war er davon, dass Alex auch Unterwäsche und Socken perfekt angeordnet hatte. Das erinnerte ihn an die Sockenauslage in der Herrenabteilung des alten Maggs & Co in Bristol. Die hatte aus einer Schublade mit Holzrahmen und Glasabdeckung bestanden, die sich mit der gleichen Leichtigkeit herausziehen ließ, mit der der Verkäufer mit den perfekten Manieren seine Ware präsentierte. Der Mechanismus arbeitete geräuschlos, so subtil wie das leise Geplapper des Mannes. Wäre Cross allein gewesen, dann hätte er sich genauer angesehen, auf welche Art die Socken zusammengelegt worden waren. Aber er wusste, nicht einmal er würde die Verlegenheit ertragen können, sollte er dabei ertappt werden, wie er in der Unterwäscheschublade eines Opfers stöberte.

Die Küche war der einzige Teil der Wohnung, der den Eindruck erweckte, benutzt und bewohnt zu sein. Was wenig verwunderlich war, wenn man bedachte, dass Alex Koch gewesen war. Die offene Küche, die an den Wohnbereich grenzte, war voller Messer, Öle und gut eingebratener Pfannen. Der Ausdruck »eingebraten« gefiel Cross, er vermittelte ein Gefühl von Hingabe und Gründlichkeit im Umgang mit dem Kochwerkzeug.

Eine ganze Stunde zog dahin, doch sie fanden rein gar nichts.

»Sind wir sicher, dass er einen Vorrat hatte?«, fragte Ottey.

»Bei den oral einzunehmenden Medikamenten hätte ich das erwartet. Clare sagte, die müsste er regelmäßig eingenommen haben. Er muss sie irgendwo aufbewahrt haben.«

»Er war Mitglied in einem Fitnessclub«, bemerkte sie.

»Meinen Sie, er hatte vielleicht einen Personal Trainer?«, fragte Cross.

»Wäre durchaus eine Überprüfung wert.«

»Allerdings glaube ich nicht, dass er dort irgendwas versteckt hat. Warum auch? Die Leute benutzen die Spinde doch nur, wenn sie hingehen, oder? Ich war auch einmal Mitglied in einem Fitnessclub.«

»Wirklich?« Sie konnte ihre Verwunderung nicht verbergen.

»Ja. Nur einen Monat lang. Da ist es so laut und vermutlich ist alles voller Keime.«

Sie gingen hinaus zum Wagen, stiegen ein und saßen ein paar Minuten nur da und überlegten, was sie als Nächstes tun sollten. Schließlich seufzte Cross. Die Art von Seufzen, die Menschen entfährt, wenn ihnen etwas einfällt, das so offensichtlich ist, dass sie viel früher daran hätten denken sollen, weshalb sie sich im Moment des Seufzens ausgesprochen dumm vorkommen.

»Der Apotheker. Patel«, sagte Cross.

»Jepp«, stimmte Ottey zu und fuhr los.

7

Patel verabreichte gerade einem älteren Mann, der auf einem Stuhl an der Verkaufstheke saß, eine Injektion.

»Schon erledigt, Charlie.«

»Danke, Mr Patel. Sie werden immer geübter. Ich habe kaum etwas gespürt«, sagte der alte Mann.

»Das verstehe ich als Kompliment«, entgegnete der Apotheker.

»Trypanophob sind Sie also nicht, richtig, Mr Patel?«, fragte Cross, worauf Ottey sich unwillkürlich zu ihm umdrehte. Was sie ärgerte, denn sie hatte beschlossen, sich hinsichtlich seines absurd umfangreichen Vokabulars ganz gelassen zu geben und es schlicht zu ignorieren.

»Das war nur eine Grippeimpfung, damit werde ich fertig. Wie kann ich Ihnen helfen, Detective?« Patel wusste, dass er einen Fehler begangen hatte, kaum dass er das Wort »Detective« ausgesprochen hatte – sein Kunde, Charlie, wuchs prompt an seinem Stuhl fest und rührte sich nicht mehr.

»Wussten Sie, dass Alex leistungssteigernde Drogen genommen hat?«, fragte Cross.

»Nein, das wusste ich nicht. Entschuldigen Sie mich eine Sekunde.« Er drehte sich wieder zu dem alten Mann um. »Gibt es sonst noch etwas, Charlie?«

»Nein«, sagte der alte Mann.

»Gut.« Patel ging zur Ladentür und öffnete sie, um Charlie auf den Weg zu bringen. »Richten Sie Gloria meine Grüße aus.« Charlie warf den beiden Detectives einen neugierigen Blick zu, und Cross starrte direkt zurück, während Ottey ihm ein beruhigendes Lächeln schenkte.

»Er ist ein guter Mann, unser Mr Patel«, sagte Charlie in vage mahnendem Tonfall.

»Davon bin ich überzeugt«, antwortete Ottey.

»Tut viel für die Gemeinde hier. Bringt Verschreibungen vorbei, wenn man krank ist und nicht herkommen kann. Er ruft sogar an, wenn er einen eine Weile nicht gesehen hat. Der Mann ist sein Gewicht in Gold wert«, betonte der Mann.

»Danke, Charlie, das ist wirklich nett von Ihnen«, gab Patel zurück.

Der alte Mann bedachte die beiden Polizisten mit einem weiteren scheelen Blick und verließ das Geschäft. »Auf Wiedersehen, Ajjay«, sagte er beim Hinausgehen.

»Charlie«, antwortete Patel, ehe er die Tür hinter ihm schloss und wieder auf die andere Seite des Tresens zurückkehrte. Das war ein Verhalten, das Cross schon häufig bei Leuten aufgefallen war, die sich an ihrem Arbeitsplatz befanden; sie neigten dazu, sich hinter ihre Schreibtische oder Werkbänke zurückzuziehen, wenn die Polizei auftauchte. Er fragte sich, ob das einfach nur eine Gewohnheit war oder doch eher eine Abwehrmaßnahme. Bei Patel, der aufrecht dastand und die Hände auf die Ladentheke legte, war er überzeugt, dass er sich in der Situation auf diese Weise eine gewisse Autorität verleihen wollte.

»Nein, das war mir nicht bekannt«, betonte Patel noch einmal.

»In seinem toxikologischen Bericht sind mehrere aufgeführt, darunter Testosteron«, sagte Ottey und reichte ihm ihr Telefon, damit er sich die Ergebnisse selbst ansehen konnte. Er studierte sie einen Moment und zog die Brauen hoch, als wäre er überrascht, aber bereit zu akzeptieren, dass das, was er vor sich sah, den Tatsachen entsprach.

»Okay. Nun ja, dagegen kann man schwer etwas einwenden.«

»Sie hatten keine Ahnung?«, hakte Ottey nach.

»Überhaupt keine. Aber es wundert mich nicht.«

»Und warum nicht?«, fragte sie.

»Er hat mich früher mal danach gefragt«, erklärte Patel.

»Wonach? Ob Sie ihn beliefern können?«

»Ja. Natürlich hatte ich das nicht vor. Ich habe ihm aus gesundheitlichen und sportethischen Gründen davon abgeraten. Das ist Betrug, und ich habe ihm gesagt, dass wir in unserem Club für so etwas keinen Platz haben.«

»Wie hat er reagiert?«, fragte Cross.

»Eigentlich ziemlich reumütig.« Wieder musterte Patel den Bericht auf Otteys Telefon, ehe er es ihr zurückgab. »Darum ist das ziemlich enttäuschend, wenn auch nicht wirklich überraschend. Alex ist – war – unser bester Fahrer. Unser Star, wenn Sie so wollen. Er hat so etwas nicht nötig gehabt. Er war so talentiert. Aber für manche ist das einfach nicht genug.«

»Warum ist es nicht überraschend?«

»Weil er genau der Typ war, der immer alles auf seine eigene Weise händelt. Er hat so getan, als würde er sich für die Meinung anderer Leute interessieren, aber nur, wenn sie mit seiner übereingestimmt hat. Wenn nicht, hat er sie einfach ignoriert und sein Ding gemacht. In der letzten Zeit hat er ziemlich viel Muskulatur aufgebaut. Das hat nicht natürlich ausgesehen. Die Geschwindigkeit, mit der er das getan hat, war bestimmt nicht normal. Er muss etwas eingeworfen haben. Und was seine Leistung betrifft – die Steigerung war gewaltig. Er hat alle anderen abgehängt.«

»Also haben Sie Alex Paphides nicht mit Drogen irgendeiner Art versorgt?«, vergewisserte sich Cross.

»Das habe ich nicht«, antwortete er.

»Wissen Sie, wo er an solche Drogen herangekommen sein könnte?«, wollte Ottey wissen.

»Haben Sie sie bei sich?«, fragte Patel.

»Wir haben sie noch nicht gefunden.«

»Ich verstehe. Tja, aller Wahrscheinlichkeit nach hat er die Drogen aus dem Internet. Falls nicht, versuchen Sie es in seinem Fitnessclub. Ich war da auch mal Mitglied und bin deswegen gegangen. Drogengebrauch, Missbrauch war da sehr verbreitet«, berichtete er. »Von mir haben Sie das nicht, aber es könnte helfen, wenn Sie nach einem Mitglied namens Danny Ausschau halten.«

»Danny«, wiederholte Cross und notierte den Namen. »Wie sieht er aus?«

»Oh, den können Sie gar nicht übersehen. Sie werden ihn gleich erkennen, wenn Sie ihm begegnen.«

8

»Drogen?«, fragte Kostas ungläubig, als er sie durch das Restaurant zum Personalraum führte. Eine Reihe Metallspinde stand auf einer Seite, eine Bank in der Mitte. Wäsche stapelte sich auf Regalbrettern: Tischtücher, Servietten, Kochuniformen. Kostas öffnete einen der Spinde. Darin fanden sich einige Kleidungsstücke, so ordentlich aufgehängt wie in Alex' Wohnung, außerdem Schuhe, Sportschuhe und Clogs für die Küche. Und versteckt hinter einem großen Behälter »Nahrungsergänzungsmittel für Sportler« lag ein kleiner Rucksack.

»Von denen wusste ich. Von den Nahrungsergänzungsmitteln. Die hat er immer eingenommen, und Proteinshakes auch«, sagte Kostas und schien zu hoffen, dass der Appetit seines Bruders auf leistungssteigernde Mittel damit schon erschöpft war. Ottey öffnete den Rucksack und sah den Inhalt durch. Tape, Sonnencreme, mehrere Oakley-Sportsonnenbrillen in Etuis. Ein paar Proteinriegel und Energydrinks in Beuteln von der Sorte, die die Fahrer während des Rennens mit den Zähnen öffnen und austrinken konnten. Dann war da noch eine schwarze Einkaufstasche ohne Aufschrift. Sie öffnete sie, und zum Vorschein kamen mehrere Plastikbehälter; einige enthielten Nahrungsergänzungsmittel, aber in dreien befanden sich Medikamente. Außerdem waren da noch einige nicht gekennzeichnete Blister mit Kapseln.

»Die werden wir mitnehmen müssen, Kostas«, sagte sie.

»Natürlich.«

»Haben Sie davon gewusst? Dass Ihr Bruder Drogen genommen hat?«, wollte Cross von ihm wissen.

»Nein. Aber es ergibt Sinn«, antwortete er.

»Inwiefern?«

»Wie ich schon sagte, er war besessen von dieser L'Étape oder wie immer das heißt. Er hat gesagt, das sei die einzige Gelegenheit für einen Radfahrer, sich mit den Profis zu vergleichen – wie es Läufer beim Marathon tun. Was natürlich Blödsinn ist, aber das wollte er nicht hören.«

»Warum ist das Blödsinn?«, fragte Cross.

»Weil die Profis schon acht Etappen hinter sich haben, wenn sie bei dieser ankommen. Die Amateure sind dann noch ausgeruht«, erklärte er.

»Gutes Argument«, antwortete Cross.

»Er hat ein bisschen an Muskelmasse zugelegt und er hatte diese sichtbaren Adern an den Unterarmen. Ich meine, die hatte er vorher natürlich auch schon, aber jetzt haben die sich bei der Arbeit richtig vorgewölbt, wissen Sie? Wie wenn Bruce Banner sich in den Unglaublichen Hulk verwandelt«, berichtete er.

»Und Sie dachten, das wäre das Ergebnis von Steroiden oder was immer das ist?«, fragte Ottey.

»Nein, wie gesagt, ich hatte keine Ahnung, dass er so was nimmt.« Dann überlegte er kurz. »Meinen Sie, das hat etwas mit seinem Tod zu tun?«

»Wir wissen es nicht, aber es ist definitiv ein Punkt, den wir uns näher ansehen werden«, entgegnete Ottey, als Cross gerade den Raum verließ. »Sieht so aus, als würden wir gehen.« Sie folgte ihrem Kollegen.

»Möchten Sie mich einweihen?«, fragte sie ihn, als sie ins Auto stiegen.

»Patel, der Leiter des Radvereins …«

»Ist Pharmazeut«, sagte sie, blickte auf und sah, dass Debbie auf sie zukam. Als sie die beiden Polizisten bemerkte, sah sie sich hastig zum Restaurant um, schaute dann Ottey an, machte kehrt und ging zurück in die Richtung, aus der sie gekommen war.

»Warum läuft die jetzt wohl weg?«, fragte Ottey.

»Tut sie nicht«, antwortete Cross. Ottey fuhr langsam hinter Debbie her. Die ging um eine Ecke. Kaum außer Sichtweite des Restaurants, blieb sie stehen und wartete auf den Wagen. Als der hielt, wollte sie die hintere Tür öffnen, doch die war verschlossen. Ottey öffnete die Zentralverriegelung.

»Hi, Debbie. Alles in Ordnung?«, fragte sie, als die junge Frau eingestiegen war.

»Macht es Ihnen etwas aus, woandershin zu fahren?«, bat sie.

»Kein Problem.«

Fünf Minuten später fuhren sie auf einen Parkplatz gleich nördlich des Bristol Zoo. Ottey schaltete die Zündung aus und drehte sich zu Debbie um.

»Ich dachte, Sie wären allein. Ihn habe ich gar nicht gesehen«, sagte Debbie zu ihr.

»DS Cross kann aussteigen, wenn Ihnen das lieber ist«, schlug Ottey vor und sah Cross an, um sich seiner Zustimmung zu versichern.

»Ja, ich kann einen kurzen Spaziergang machen«, sagte Cross.

»Nein, das ist schon in Ordnung, schätze ich«, erwiderte Debbie leise.

»Also, wie geht es Ihnen?«, fragte Ottey.

»Ganz gut. Ich war im College«, antwortete sie.

»Sie gehen zum College?«, hakte Cross nach.

»Ja«, bekräftigte sie.

Cross sagte nichts weiter, also brach Ottey das Schweigen. »Was studieren Sie?«

»Gastgewerbe.«

»Oh, interessant. Sie wollen also im gleichen Fach arbeiten wie Alex.«

»Es war seine Idee. Er meinte, das Gastgewerbe würde gerade richtig florieren. Es macht mir auch wirklich Spaß.«

»Sie sind schnell wieder zum College gegangen, nach allem, was passiert ist«, stellte Ottey fest.

»Ich musste weg von Alex' Mum. All das Wimmern und Weinen hat mich völlig verrückt gemacht. Sie ist durchgedreht. Und jetzt ist Philippos total besessen von der Verpflegung bei der Trauerfeier. Er redet über nichts anderes mehr«, erzählte sie.

»Philippos?«, fragte Ottey.

»Sein Dad. Er denkt nur noch darüber nach, wie er seinem Sohn Ehre machen kann. Und sie schreit ihn an, weil er die ganze Zeit von der Bewirtung redet, wo doch ihr Sohn tot ist. Sie haben das Restaurant für ein paar Tage geschlossen, aber das wissen Sie bestimmt. Sie waren ja gerade da.«

»Richtig.«

»Kostas wollte nicht schließen, doch Helena hat gesagt, das müssten sie schon aus Respekt tun. Sie trägt jetzt nur noch Schwarz. Sieht aus wie eine dieser Frauen, die man auf Postkarten aus Griechenland findet«, sagte sie. Es schien beinahe, als hätte sie dringend jemanden zum Reden gebraucht, der die

Familie kannte und folglich wusste, wovon sie sprach, damit sie das alles einmal loswerden konnte.

»Ich kann mir vorstellen, dass man da sogar das College vorzieht«, sagte Ottey.

»Nicht wahr?«, stimmte Debbie zu. Dann trat eine Pause ein. Ganz offensichtlich hatte sie ihnen etwas mitzuteilen, aber sowohl Cross als auch Ottey wussten instinktiv, dass die beste Taktik darin bestand, ihr Zeit zu lassen. Das war eine Masche, die sie jahrelanger Erfahrung mit solchen Situationen entnommen hatten. Also sagten sie nichts und warteten.

»Haben Sie mit meinen Eltern geredet?«, fragte Debbie. Cross wollte gerade antworten, beschloss aber dann, sich zurückzuhalten. Ganz so, als wäre er gar nicht da, weil das Mädchen offenbar gehofft hatte, Ottey allein anzutreffen.

»Haben wir«, bestätigte Ottey.

»Wie geht es ihnen?«, wollte sie wissen.

»Gut, schätze ich.« Ottey hatte das Gefühl, Debbie brauchte einen kleinen Ansporn, also lieferte sie ihr den: »Wollten Sie uns etwas erzählen, Debbie?«

»Es ist nur … ich möchte niemanden in Schwierigkeiten bringen …«, sagte sie. Überlegte sie es sich doch anders, nun, da sie kurz davorstand, ihnen zu erzählen, was ihr auf der Seele lag?

»Natürlich nicht«, beschwichtigte Ottey.

»Warum waren Sie wieder im Restaurant?«, erkundigte sie sich.

»Wir haben etwas gesucht.«

»Wussten Sie, dass Alex Drogen genommen hat?«, fragte Cross unverblümt.

»Ja. Deswegen haben wir uns gestritten«, antwortete sie.

»Warum?«, hakte er nach, doch sie schwieg.

»Waren Sie damit nicht einverstanden?«, wollte Ottey wissen. Cross seufzte hörbar, und sie warf ihm einen mörderischen Seitenblick zu. Es ärgerte sie wirklich, dass er immer dachte, er wüsste alles am besten und wäre bei solchen Gesprächen grundsätzlich tonangebend, obwohl das absolut nicht stimmte. Debbie schwieg immer noch und schniefte nur in den Ärmel ihres Pullis, als würde der ihr Trost spenden.

»Warum waren Sie nicht einverstanden?«, fragte Ottey.

»Das war ja nicht nur ich«, entgegnete sie.

»Kostas hat gesagt, er würde nichts davon wissen«, bemerkte Ottey. Cross war in Gedanken versunken, blickte aber nun plötzlich auf.

»Wie lange wissen Sie bereits von seinem Drogenkonsum?«, erkundigte er sich.

»Erst ein paar Monate.«

»Wissen Sie, wie lange er sie schon genommen hat?« Wieder trat Stille ein und Debbie wirkte ein wenig ärgerlich. Cross kam umgehend zu dem Schluss, dass das etwas mit dem Grund dafür zu tun hatte, warum sie so verstört war.

»Nur gute sechs Monate«, sagte sie schließlich mit leiser Stimme und schniefte wieder in den Ärmel. Ottey bot ihr ein Taschentuch an, weil sie annahm, sie würde sich die Nase putzen wollen.

»Und er hat Ihnen nichts davon gesagt?«, fragte sie.

»Nein.«

»Und das ärgert Sie?«, folgerte Cross.

»Ja.« Nun kam Debbies Stimme kaum mehr über ein Flüstern hinaus.

»Weil Sie schwanger sind«, sagte er. Ottey starrte ihn aus großen Augen an und Debbie blickte überrascht auf.

»Woher wissen Sie das?«, fragte sie.

»Gute Frage«, murmelte Ottey unhörbar.

»Hyperemesis gravidarum«, tat er vor den verblüfften Damen im Wagen kund. »Morgenübelkeit«, erklärte er dann. »Ziemlich schlimm, wie es aussieht. Ein Hauch eines Geruchs reicht, damit Ihnen schlecht wird. Mir ist aufgefallen, dass Sie an Ihrem Ärmel schnüffeln, um den Geruch zu neutralisieren. In diesem Fall dürfte es sich um DS Otteys Parfüm handeln, das sie, wie ich zugeben muss, heute Morgen ein wenig überdosiert hat.« Ottey blieb keine Gelegenheit zu widersprechen, weil sie Debbies Reaktion beobachten wollte.

»Außer Alex und mir weiß niemand davon.«

»Nicht einmal Alex' Familie?«, fragte Ottey.

»Nein.«

»Wie weit sind Sie?«

»Sechzehnte Woche.«

»Herrje, davon ist ja nichts zu sehen«, bemerkte Ottey.

»Ist das schlecht?«, fragte das Mädchen prompt.

»Nein, nein, gar nicht«, versicherte Ottey.

»Also wurden Sie schwanger, während er wegen des Radfahrens Steroide und andere abscheuliche Substanzen konsumiert hat«, konstatierte Cross. Debbie griff in ihren Rucksack und holte einen Asthma-Inhalator heraus. Sie schüttelte ihn und nahm mehrere Sprühstöße.

»Wie hat er reagiert?«, fragte Ottey.

»Überrascht. Und dann war er besorgt. Er hatte Angst, er hätte dem Kind geschadet«, erzählte sie.

»Das kann ich verstehen«, sagte Ottey.

»Er hat mit seinem Freund im Club darüber gesprochen«, fuhr sie fort.

»War das ein Arzt?«, fragte Ottey.

»Nein, Ajjay ist Apotheker.«

Ottey sah sich zu Cross um, der die Lippen schürzte. Ihr war aufgefallen, dass er das häufig tat, wenn ihm etwas berichtet wurde, womit er nicht gerechnet hatte. Der Apotheker hatte also von dem Drogenkonsum gewusst. Warum hatte er sie angelogen?

»Und wie lautete sein Rat?«, wollte Ottey wissen.

»Anscheinend dachte er, dass das nicht so viel ausmacht, als wenn ich das Zeug genommen hätte. Aber sie haben sich furchtbar gestritten«, sagte sie.

»Wirklich? Warum?«, fragte Ottey.

»Ajjay hat gesagt, er sei ein Betrüger.«

»Gibt es sonst noch etwas, das Sie uns erzählen möchten?«

»Nein«, sagte sie, öffnete die Tür und wollte aussteigen.

»Erzählen Sie mir von London«, forderte Cross sie auf. Sie schloss die Tür wieder.

»Was wollen Sie wissen?«

»Als ich Sie im Restaurant danach gefragt habe, wollten Sie etwas sagen. Aber dann haben Sie sich zu Kostas umgeschaut und es sich anders überlegt.«

»Alex hat die Idee nicht aufgegeben. Er wollte das durchziehen«, sagte sie.

»Wusste Kostas darüber Bescheid?«, hakte Cross nach.

»Das weiß ich nicht. Die beiden stehen sich sehr nahe. Sie sind sich wirklich sehr verbunden. Die erzählen anderen nie, worüber sie sich im Restaurant unterhalten. Sie sind wie Zwillinge. Aber ob er das wusste, kann ich nicht sagen.«

»Wie weit ist die Sache denn fortgeschritten?«

»Wir hatten vor, nach einem passenden Lokal zu suchen.

Er hat gesagt, er habe eine Möglichkeit gefunden, das zu tun, ohne dass Kostas ihn ausbezahlen musste.«

»Wie wollte er das bewerkstelligen?«, fragte Cross.

»Er wollte sich das Geld leihen«, sagte sie.

»Von der Bank?«, hakte Cross nach.

»Nein, er hatte einen anderen Investor. Das war ihm total ernst. Er hat einen Designer angeheuert und er hatte ein Moodboard und alles. Hier, sehen Sie.« Sie öffnete den Foto-Ordner ihres Telefons und zeigte ihnen Bilder. Was Alex sich vorgenommen hatte, war der pure Luxus, ganz anders als das Adelphi. Es war alles, was das Adelphi nicht war. Außerordentlich elegant, mit haufenweise Stahl und einem riesigen Holzkohlegrill in der Mitte des Raums. »Er hatte einen Termin und alles. Ich konnte es gar nicht erwarten. Je weiter ich von meiner Mum weg bin, desto besser. Er wollte mich zur Managerin ausbilden. Das fällt jetzt flach«, sagte sie leise.

»Wissen Sie, wer dieser Investor war?«

»Nein. Aber es war jemand aus dem Ausland. Ein Grieche.«

»Sind Sie sicher, dass Kostas davon nichts wusste?«, fragte Cross.

»Früher war ich das … Hören Sie, ich will niemanden in Schwierigkeiten bringen, doch ich glaube, Kostas könnte es gewusst haben. Ein paar Tage bevor Alex gestorben ist, hatten sie mächtig Krach. Sie haben ständig gestritten, aber dieses Mal war es irgendwie anders. Alex war wahnsinnig sauer wegen etwas, das Kostas getan hatte. So hat es sich jedenfalls angehört. Ich habe nur Bruchstücke mitbekommen, aber ich glaube, es ging um London.«

»Das alles tut mir sehr leid, Debbie«, sagte Ottey.

»Ja, das ist so eine verdammte Scheiße, das können Sie sich

gar nicht vorstellen.« Als sie dieses Mal die Tür öffnete, stieg sie tatsächlich aus und ging davon. Sie sahen ihr eine Weile nach, dann drehte Ottey sich zu Cross um. »Armes Ding, sie ist schwanger. Was, wie man sich irgendwie denken kann, ein bisschen überraschend gewesen sein dürfte. Und nun ist der Vater des Babys tot. Aber da ist noch irgendetwas, das sie uns nicht erzählt hat«, sagte sie.

»Ja, da ist etwas«, stimmte er zu. »Wir müssen Alice bitten, in seinem Laptop nach Hinweisen bezüglich des geschäftlichen Vorhabens zu suchen. Sie hat sich bisher auf persönliche Dinge konzentriert. Davon gibt es anscheinend endlos viel. Ich weiß nicht, woher die Leute die Zeit nehmen und warum um alles in der Welt sie denken, ihr Leben wäre derart interessant für andere Menschen.«

9

Am Ende dieses Tages kehrten sie noch einmal zu dem Apotheker zurück. Dadurch konnte er seine Arbeit nicht als Vorwand nehmen, um nicht mit ihnen zu reden. Außerdem wussten sie, dass er kurz nach Geschäftsschluss eine Trainingsfahrt mit seinem Verein hatte, zu der sie ihm folgen wollten.

»Kennen Sie die?«, fragte Ottey und hielt dem erschrockenen Patel einen Teil von Alex' Drogenvorrat vor die Nase. Der Mann trug bereits seine Fahrradkleidung, und Cross fiel das kostspielig aussehende Rennrad auf, das neben einer Tür lehnte, die vermutlich zu einem Lagerraum im Keller führte und mit einem Kombinationsschloss gesichert war.

»Sollte ich?«, fragte Patel. Sie reichte ihm die Packung. Patel setzte eine Brille auf und begutachtete das Etikett.

»Humanes Choriongonadotropin. HCG.«

»Und wozu wird das benutzt?«, fragte Cross. Patel seufzte; er wusste, dass er da nicht mehr rauskam.

»Vor allem zur Gewichtsreduktion und zur Behandlung eines Hodenhochstands.«

»Das wusste ich nicht«, gestand Ottey und wirkte ein wenig verständnislos.

»Und …?«, drängte Cross, der die Antwort kannte.

»Und es wird als Dopingmittel von Athleten eingesetzt, um

einen physischen Zusammenbruch nach Steroidgebrauch zu vermeiden«, räumte Patel zögernd ein.

»Solche wie die?«, fragte Ottey und hielt eine weitere Tablettenpackung hoch. Er warf einen kurzen Blick darauf.

»Wo haben Sie die her?«

»Wir haben sie und eine ganze Menge mehr in Alex' Restaurant gefunden.«

Kurz herrschte Schweigen, und Patel sah bitterlich enttäuscht aus. »Ich wusste es nicht bis knapp vor der Reise nach Teneriffa«, sagte er schließlich.

»Sie sind Apotheker und ein Mitglied Ihres Vereins hat einen ganzen Schrank voller leistungssteigernder Drogen. Objektiv betrachtet ist das doch ein merkwürdiger Zufall, finden Sie nicht?«, fragte Cross.

»Ich hatte damit wirklich nichts zu tun.«

»Abgesehen davon, ihn zu versorgen?«, wollte Ottey wissen.

»Ich habe nichts dergleichen getan. Warum sollte ich? Ich könnte meine Zulassung verlieren«, protestierte Patel.

»Weil Ihr Team die L'Étape gewinnen könnte«, spekulierte Cross.

»Die L'Étape ist mir scheißegal – ich wollte nicht mal hinfahren. Das ist nur was für die Dickschädel im Verein. Schauen Sie, Sie können all dieses Zeug über das Internet bekommen, das habe ich Ihnen bereits erklärt.«

»Aber nur, wenn man weiß, wonach man suchen muss und wo«, wandte Cross ein.

»Das findet doch jeder heraus. Dafür muss man kein Apotheker sein. Googeln Sie einfach mal ›Substanz‹ und ›Doping‹.«

»Ist er der Einzige im Verein, der so etwas nimmt? Oder gibt es noch andere.«

»Bestimmt nicht. Matthew hat sogar …« Offenbar wollte er zunächst noch etwas sagen, um seine Worte zu unterstreichen, überlegte es sich aber anders.

»War das ein Thema innerhalb des Vereins?«, fragte Ottey. Patel dachte einen Moment nach und entschied sich dann zu schweigen.

»Vielleicht ist es das Beste, wenn wir die Leute selbst fragen. Trainiert Matthew jetzt mit Ihnen?«, fragte Cross.

»Ja.«

»Es macht Ihnen doch nichts aus, wenn wir Sie begleiten?«, hakte Ottey nach.

Als er dann mit dem Fahrrad über die Whiteladies Road hinauf zu den Downs fuhr, folgten sie ihm im Auto. Die Vereinsmitglieder trafen sich unter dem alten, ausgedienten Wasserturm, einem imposanten Betonbau, der inzwischen lediglich als Telekommunikationsmast diente. Als Cross ein Kind gewesen war, hatte ihn der Turm auf morbide Art fasziniert. Für ihn hatte er riesig gewirkt, erfüllt von lauerndem Bösen. Aus irgendeinem Grund hatte er schon den bloßen Gedanken an diesen gigantischen Wasserbehälter verabscheut und Albträume gehabt, in denen er in dem dunklen, feuchten Inneren des Turms gefangen war. Er war nicht überzeugt, dass er ihm jetzt, da er leer war, besser gefiel.

Die Radfahrer hatten sich vor dem Café am Turm versammelt, stützten sich auf ihre Fahrräder, tranken Wasser und unterhielten sich.

Ottey hielt es für das Beste, zu warten, bis Patel ihnen Matthew vorstellte, was er prompt tat. Aber kaum hatte er das getan, schlenderte Cross zum Rest der Truppe.

Ottey seufzte.

»Hi, Matthew«, sagte sie anschließend. »Ihr Verlust tut mir leid. Kann ich Ihnen ein paar Fragen stellen?«

»Sicher. Das ist furchtbar. Ich kann es immer noch nicht fassen«, entgegnete Matthew.

»Wie haben Sie erfahren, dass er nicht an der Reise nach Teneriffa teilnehmen würde?«, fragte sie.

»Er hat mir eine Textnachricht geschickt. Hat gesagt, er habe eine Oberschenkelverletzung.«

»Wann war das?«

»Ich weiß nicht. Ich habe sie entdeckt, als ich an dem Morgen aufgestanden bin.«

»Kann ich mir das einmal anschauen? Ihr Telefon?«, bat sie.

»Klar«, sagte er, zog es aus seiner Bauchtasche und gab es ihr.

Derweil begutachtete Cross die Fahrräder der anderen Vereinsmitglieder. »Schönes Rad«, meinte er.

»Danke«, erwiderte der Fahrer.

»Pinarello Dogma F12, Dura-Ace Di2«, konstatierte Cross.

»Ja«, bestätigte der Fahrer und lachte kurz, beeindruckt von den Kenntnissen des Detectives.

»So eins habe ich bisher noch nie gesehen.«

»Fahren Sie auch?«, fragte der Mann.

»Ja. Ich hatte erst ein Trek, dann ein Boardman. Aber sie werden mir immer geklaut«, antwortete Cross. Einer der anderen Fahrer lachte. »Was ist so lustig?«, wollte Cross wissen.

»Na ja, Sie sind Polizist. Da ist das schon ein bisschen ironisch, finden Sie nicht?«

»Ja, ich nehme an, das ist es. Die Laufräder, sind das Fulcrum Racing Zero C17?«

»Jepp.«

Ottey beäugte immer noch Matthews Telefon. »Das war der letzte Kontakt, den Sie hatten?«, fragte sie ihn.

»Ja.«

»Und seitdem haben Sie nichts mehr von ihm gehört. Auch nicht in Teneriffa?«

»Nope«, antwortete er.

»Drei Uhr dreißig morgens. Eine seltsame Tageszeit, um festzustellen, dass man sich den Oberschenkel verletzt hat, nicht wahr?«, überlegte sie laut.

»Nicht unbedingt. Kommt ganz darauf an, was man gerade tut«, scherzte er und bedauerte es umgehend. »Tut mir leid, das war dumm von mir.« Ottey sah sich zu Cross um, der immer noch bei den anderen war.

»Ist das wirklich so leicht?«, fragte Cross gerade, worauf der Fahrer, mit dem er redete, das Rad auf ihn zuschob.

»Heben Sie es hoch und überzeugen Sie sich selbst.« Cross tat es und brauchte nur eine Hand dazu.

»Das ist fantastisch.«

»Zehn Prozent leichter als das letzte Modell.«

»Hören Sie«, sagte Matthew in diesem Moment zu Ottey, »können wir das ein andermal fortsetzen? Die Jungs sind alle hier und wir müssen allmählich loslegen. Einige von denen haben Familie.«

»Matthew, Ihr Freund wurde ermordet. Das ist eine ernste Angelegenheit«, ermahnte sie ihn.

»Tatsächlich?«, fragte er und blickte sich zu Cross um, der nun mit dem Fahrrad, das er sich angesehen hatte, um den Wasserturm fuhr. Ottey konnte nicht fassen, was sie da sah.

»Okay, verstanden. Geben Sie mir Ihre Nummer? Wir melden uns, wenn wir weitere Fragen haben.« Sie notierte seine Kontaktdaten und ging zurück zum Wagen. Dort saß sie dann volle fünf Minuten, während Cross nach wie vor mit den Radfahrern schwatzte und sich einige der anderen Fahrräder anschaute. Sie hatte große Lust, einfach wegzufahren und ihn hier zurückzulassen. Endlich stiegen die Fahrer auf und fuhren in ihren einheitlichen Lycratrikots los. Cross stand da und sah ihnen nach, als sie in der Ferne verschwanden. Dann erst drehte er sich um, ging zurück zum Wagen und stieg ein.

Ottey fuhr los, ohne ein Wort zu sagen, als wollte sie so ihre Haltung zum Ausdruck bringen. Dann jedoch rief sie sich ins Gedächtnis, dass Cross keinerlei Bedenken hatte, fortdauernd zu schweigen. Ihr blieb demnach, wenn sie ihm ihren Standpunkt klarmachen wollte, nichts anderes übrig, als mit ihm zu sprechen. Also sagte sie schließlich: »Warum sind Sie einfach so weggegangen?«

»Sie hatten einige teure Räder. Man bekommt nicht oft Gelegenheit, sich solche Fahrräder anzusehen.«

»Das ist eine Morduntersuchung, George.«

»Das ist mir durchaus bewusst. Es ist nicht nötig, mich darauf hinzuweisen. Haben Sie sich die Nachricht angesehen?«

»Ja.«

»Und was stand drin?«

»Dass er sich den Oberschenkel gezerrt hat.«

»Das war alles?«, fragte er.

»Ja. Aber sie wurde um drei Uhr dreißig morgens gesendet«, sagte sie.

Cross dachte einen Moment darüber nach. Das war in der Tat eine seltsame Zeit, um Matthew zu sagen, dass er verletzt sei und nicht an der Reise teilnehmen könne. Wie und wann war es zu der Verletzung gekommen? Falls es überhaupt eine gegeben hatte, was Cross allmählich bezweifelte.

»Was genau hat er geschrieben?«, fragte er, worauf sie ihm ihren Notizblock reichte. Er starrte ihn an und runzelte die Stirn. »Ich kann das nicht lesen. Das ist Gekritzel.« Verärgert nahm sie ihn wieder an sich und las vor.

»Oberschenkel gezerrt. Werde nicht mitreisen können. A.«

»Es wäre besser, wenn Sie zum Vorlesen rechts ranfahren würden«, bemerkte er.

»Ist das Ihr Ernst?«

»Mein vollkommener Ernst. Das ist gefährlich.«

»Tja, zumindest habe ich meine Arbeit getan, George.«

»Allerdings.«

»Denken Sie nicht, dass das eine sonderbare Uhrzeit ist, um Matthew über die Verletzung zu informieren?«

»Doch«, entgegnete er. »Das denke ich.«

10

Bei Ermittlungen kam es oft zu Flauten, während sie auf den Autopsiebericht warten mussten oder auf die Ergebnisse der forensischen Untersuchung. Und der heutige Tag fühlte sich ganz nach Flaute an. Zu Beginn seiner Laufbahn hatte Cross diese Zeiten als lästig empfunden. Das lag zum Teil an seiner Ungeduld, aber auch an der Tatsache, dass ein Verbrechen begangen worden war und ihm, solange es nicht aufgeklärt war, das Unrecht extrem deutlich vor Augen stand. So wie er das sah, lag es in seiner Verantwortung, dem abzuhelfen. Der Umstand, dass es da in jenen Tagen noch dreißig oder vierzig andere Cops gegeben haben mochte, die an dem Fall arbeiteten, konnte ihn kaum besänftigen. Aber ganz allmählich gewöhnte er sich an dieses bisweilen langsame Tempo im Zuge der Ermittlungen und begriff, wie sie funktionierten. Er hatte einen Prioritätenkatalog entwickelt, an dem er beharrlich festhielt. Ihm war bewusst, dass es am Ende der Ermittlungen immer darauf ankam, wie der Fall der Jury präsentiert wurde. Die Verhaftung war so wenig ausschlaggebend wie die Verbrecherjagd. Der wichtigste Faktor bei alldem war stets eine schlüssige Geschichte, und wenn es Zeit kostete, ebendiese aufzubauen, dann war das halt so.

Ottey tat derweil ihr Bestes, um nicht auf eine normale, alltägliche, umgangssprachliche Art mit Cross zu reden, weil er derartigen Unterhaltungen oft nicht folgen konnte. Tat sie es doch, wäre sie gefordert, anderenfalls unnötige Erklärungen zu liefern. Normalerweise suchte sie in diesem Stadium einer Ermittlung einen der anderen Detectives auf und fragte, ob er »Bock auf einen Schwatz« hätte. Cross hätte dergleichen verwirrt, denn er »schwatzte« nicht und war der Ansicht, dass sie das inzwischen wissen sollte. Ein »Schwatz« beinhaltete stets Persönliches und hatte nichts mit der Arbeit zu tun, womit er zu den Dingen gehörte, die er nur schwer ertragen konnte.

»Sollen wir uns darüber unterhalten, was wir bisher wissen?«, fragte Ottey.

»Das wäre hilfreich«, antwortete er. Ihr war inzwischen klar geworden, dass die ständige Wiederholung und das Gespräch über die Dinge, die ihnen in einem Fall bekannt waren, für Cross nützlich waren. Daran war nichts Ungewöhnliches. Viele Police Officers arbeiteten so. Doch es gab insofern einen kleinen Unterschied, als dass Cross imstande war, winzige Details und Informationsbröckchen immer und immer wieder durchzugehen. Er schien das auf eine Weise als effizient einzustufen, die sie nicht nachvollziehen konnte. Aber da sie gesehen hatte, was diese Nabelschau, wie sie es zu seinem Entsetzen mal genannt hatte, zutage fördern konnte, spielte sie mit.

»Können wir Alice dazubitten?«, fragte sie. Er seufzte. Er hätte es vorgezogen, wenn sie dieses Gespräch unter vier Augen geführt hätten. Mackenzie neigte nach wie vor dazu, in unpassenden Momenten zu unterbrechen. Er wusste, dass das auf ihrem Eifer zu helfen beruhte, trotzdem empfand er es als störend. »Wie soll sie sonst lernen? Ich habe ihr gesagt, sie soll sich einfach nur hinsetzen und zuhören«, argumentierte Ottey – und plötzlich ging ihr auf, dass das genau das Argument war, das Carson einige Monate zuvor ihr gegenüber angebracht hatte. Und über das sie sich damals noch lustig gemacht hatte.

»Also gut«, sagte Cross widerstrebend.

Mackenzie war begeistert. Sie fand es furchtbar anstrengend, herumzusitzen und so zu tun, als wäre sie beschäftigt. Aber was blieb ihr anderes übrig? Sie hatte mit dem Gedanken gespielt, absichtlich genauso unterfordert auszusehen, wie sie sich fühlte. Aber das barg einige Gefahren. Vorgesetzte, namentlich Carson, könnten auf die Idee kommen, sie wäre faul oder – schlimmer – überflüssig. Sie fürchtete, dergleichen könnte sie den Job kosten. Der Mangel an nützlichen Beschäftigungsmöglichkeiten war ihr jedoch unverständlich. Alle jammerten ständig über den Mangel an Ressourcen, und doch war sie hier, mittendrin, eine ihrer Meinung nach schmerzlich unausgelastete Ressource. Und es war auch ein wenig demütigend, durch das Department zu streifen wie ein übereifriger Welpe, um sich überall freiwillig anzubieten, falls jemand Hilfe benötigte. Deswegen hatte sie auch damit aufgehört.

Umso mehr freute sie sich, nun willkommen zu sein.

Was Ottey hingegen nicht sonderlich willkommen war, das war die Tatsache, dass Carson ebenfalls zu ihnen stieß und wissen wollte: »Also, was läuft hier? Sollen wir das, was wir haben, gemeinsam durchgehen?« Womit er genau das aufgriff, was sie selbst noch wenige Augenblicke zuvor vorgeschlagen hatte. Wie machte er das, fragte sie sich. Er schien immer dann aufzutauchen, wenn sie gerade damit anfangen wollten, alles noch einmal durchzugehen. Es war, als hätte er Cross' Büro verwanzt. Bei genauerer Überlegung stellte sie fest, dass sie ihm das durchaus zutrauen würde. Aber als sie den Gedanken vertiefte, erkannte sie, dass das ziemlich nutzlos wäre, da Cross seine Zeit in diesem Raum größtenteils in vollkommener Stille verbrachte.

»Fangen wir mit der Textnachricht an«, schlug sie vor.

»Die Nachricht ist sonderbar«, überlegte Cross laut.

»Wegen des Zeitpunkts, meinen Sie?«

»Nein, mir geht es um den Wortlaut. Im Kontext mit dem Streit ist das sonderbar«, entgegnete er.

»Welcher Streit?«, fragte sie.

»Matthew und Alex hatten einen Streit. Eine physische Auseinandersetzung.«

»Was?« Ottey war ein wenig pikiert. »Woher wissen Sie das?«

»Die anderen Fahrer haben es mir zugetragen.«

»Weiter«, ermunterte ihn Carson.

»Einen Moment mal. Warum haben Sie mir das nicht auf der Rückfahrt erzählt?«, fragte Ottey.

»Sie haben nicht gefragt«, entgegnete Cross. Bei jedem anderen hätte sie nun vermutet, er würde lediglich bei Carson punkten wollen, doch nicht bei Cross. Frustrierend war es trotzdem.

»Aber Sie haben nicht mit Matthew gesprochen«, ereiferte sie sich.

»Das Team hat herausgefunden, dass Alex Drogen genommen hat. Matthew war fuchsteufelswild deswegen. Er ist absolut gegen Drogen«, fuhr Cross fort, ohne auf sie zu achten.

Carson hätte gern gefragt, um welche Drogen es ging, aber er wusste, dass er sich nur blamieren würde, weil er nicht auf dem Laufenden war. In solchen Situationen hielt er es grundsätzlich für vernünftiger, einfach so zu tun, als wüsste er, wovon die Rede war. So nickte er weise mit dem Kopf, als wollte er allem, was gesagt wurde, zustimmen.

»Lance Armstrong verabscheut er immer noch«, fuhr Cross fort. »Nach all diesen Jahren.«

»Wie haben die das herausgefunden?«, fragte Ottey, immer noch verärgert, dass sie überhaupt fragen musste.

»Ajjay hat es ihnen erzählt. Dann haben sie Alex damit konfrontiert, und der hat versucht, es zu rechtfertigen. Ajjay hat ihm gesagt, er könne nur Vereinsmitglied bleiben, wenn er mit den Drogen aufhörte. Er hat ihm klar mitgeteilt, dass er die Finger davon lassen muss, und verlangt, dass Alex ihm die Drogen gibt, damit er sie vernichten kann. Anschließend wollte er wöchentlich einen Drogentest von Alex. Da hat sich Matthew eingemischt. Er hat gesagt, es wäre besser, wenn Alex einfach sofort austreten würde. Sie hätten keinen Platz für Betrüger. Der Streit ist schnell außer Kontrolle geraten und sie haben sich geschlagen. Dann ist Alex abgehauen. Aber unterwegs hat er den Rückwärtsgang eingelegt und ist über Matthews Fahrrad gefahren. Ein Spitzengerät aus Kohlefaser, das um die zehntausend Pfund wert war. Das Nächste, was Matthew von Alex gehört hat, war die Textnachricht.«

»Dann war der Wortlaut wirklich sonderbar«, bemerkte Ottey und ging im Kopf durch, was sie gerade erfahren hatte. »Keine Erwähnung des Streits, keine Entschuldigung. Das war, als wäre gar nichts passiert. Sollte man nicht erwarten, dass er zumindest den Streit zur Sprache bringt? Etwas darüber schreibt? Sagt, dass es ihm leidtut? Er würde ihm doch bestimmt keine Nachricht wegen seines Oberschenkels schicken, als wäre nichts passiert. Er kann eigentlich auch nicht angenommen haben, dass er bei der Reise immer noch dabei wäre. Die Drogen wurden ebenfalls nicht erwähnt. Hätte er nicht sagen müssen ›Ich habe es verstanden und nehme sie nicht mehr‹? Oder auch: ›Ich weiß, ihr seid damit nicht einverstanden, aber können wir das nicht nach der Reise klären?‹. Doch gar nichts? Kommt Ihnen das nicht sonderbar vor?«

»Ist es nicht auch ein wenig sonderbar, dass die anderen immer noch davon ausgegangen sein sollen, er würde mit ihnen reisen?«, warf Carson ein.

»Guter Punkt«, stimmte Cross zu.

»Andererseits wissen wir im Grunde nichts über Alex. Ich meine, über seine Persönlichkeit. Vielleicht war er einfach so ein Typ«, wandte Ottey ein.

»Er müsste schon eine Art Soziopath gewesen sein, wenn er das für normal gehalten hat. Entweder das oder ein Autist«, sagte Cross. Ottey starrte ihn an. Niemand im Raum konnte fassen, was er gerade geäußert hatte.

»Das war ein Scherz«, erklärte Cross. »Sie haben gesagt, ich solle versuchen, öfter mal zu scherzen, um es Leuten wie Alice leichter zu machen.«

»Habe ich, ja«, stimmte Ottey peinlich berührt zu. »Vielleicht sollten wir daran noch arbeiten. Also, was denken Sie über diese Textnachricht?«

»Ich denke, dass Alex aller Wahrscheinlichkeit nach nicht der war, der sie geschickt hat.«

»Sie glauben, wer immer ihn umgebracht hat, hat sie geschickt?«

»Ich weiß es nicht, aber wer immer es war, kann von dem Streit und dem zerstörten Fahrrad nichts gewusst haben.«

»Das schließt alle Vereinsmitglieder aus, auch den Apotheker«, stellte Carson fest.

»Sieht ganz so aus«, stimmte Ottey zu.

»Aber die Person wusste von der Reise nach Teneriffa. Was bedeutet, dass der Mörder ihn gekannt hat.«

»Ich bin anderer Meinung«, sagte Mackenzie. Kurz trat Stille ein, was sie natürlich missverstand. Sie dachte prompt, die anderen wären sprachlos, dass sie sich zu Wort gemeldet hatte. Tatsächlich warteten sie nur darauf, dass sie ein Argument beisteuerte, was sie dann auch rasch tat. »Es könnte durchaus der Apotheker oder Matthew gewesen sein.«

»Nicht Matthew«, fiel Cross ihr ins Wort. »Er hat ein Alibi. Geschäftsessen. Acht Zeugen.«

»Okay, dann eben der Apotheker. Er könnte diese SMS auch geschickt haben«, fuhr sie fort. »Wenn er vorher Alex getötet hat, könnte er in Panik gewesen sein. Ich meine, ich gehe davon aus, dass das sein erster Mord gewesen wäre. Vielleicht konnte er einfach nicht klar denken.« Cross starrte sie eine unangenehm lange Zeit schweigend an. Oh, oh, dachte sie. Jetzt gibt's Ärger.

»Sie hat nicht unrecht«, sagte er schließlich. »Aber dieses Szenario würde auf einen Unfall hindeuten. Etwas, das ihn überrascht hat und das er dann vertuschen wollte.«

»Wenn er das vorsätzlich geplant hätte, dann hätte er es genauer durchdacht. Er hätte eine SMS geschrieben, die zu seiner Geschichte passt«, sagte Ottey. »Aber Sie sagen, Alex habe zugestimmt, das zu tun, was Ajjay wollte. Was also wäre für ihn dabei herausgesprungen? Er war nicht einmal an der L'Étape interessiert.«

»Das hat er uns jedenfalls erzählt«, sagte Cross.

»Oh, okay. Haben Sie von Ihren Fahrradfreunden etwas anderes erfahren?«, fragte Ottey und vergaß dabei ganz, dass er mit ihrem Sarkasmus nichts anfangen konnte.

»Ajjay wollte einspringen. Er wollte Alex' Platz übernehmen.«

»Wirklich?« Sie sah Carson an. »Das ist nicht das, was der Apotheker uns erzählt hat.«

»Ja. Anscheinend war er ziemlich erbittert. Er soll sich sehr geärgert haben, dass er sich nicht hat qualifizieren können«, berichtete Cross.

»Dann kam ihm das nicht ungelegen?«, fragte Carson.

»Die Fahrer sagten, er sei wie der Duracell-Hase gewesen, völlig überdreht; er hat über nichts anderes mehr geredet.«

»Holen Sie sich einen Durchsuchungsbeschluss für die Räumlichkeiten des Apothekers. Und nehmen Sie ein Forensikteam mit«, wies Carson sie an.

»Wonach genau suchen wir?«, fragte Cross.

»Drogen …«, antwortete Carson.

»Die sollten wir finden, immerhin ist er Apotheker«, konnte Ottey sich nicht verkneifen.

»Sie wissen, was ich meine, Josie. Da ist noch etwas. Wir haben bisher keinen Tatort. Er wurde nicht bei den Garagen getötet, das wissen wir. Also, wo wurde er umgebracht? Vielleicht in der Apotheke?« Und damit ging er. Als hätte er gerade eine signifikante Ermittlungsrichtung dargelegt, der sie zu folgen hatten und die ihnen nicht in den Sinn gekommen war. Verständlich, wenn man davon ausging, dass ihre detektivischen Fähigkeiten mit seinen natürlich nicht ansatzweise mithalten konnten.

»Ich hasse es, wenn er dermaßen selbstverliebt auftritt«, schimpfte Ottey. »Ich besorge den Durchsuchungsbeschluss.«

Sie ging, und Cross blieb sitzen und dachte, dass diese Durchsuchung aller Wahrscheinlichkeit nach pure Zeitverschwendung war. Aber nicht seiner Zeit, noch nicht. Dann blickte er auf und sah, dass Alice immer noch da war und sich anscheinend auch ein wenig in ihren Gedanken verloren hatte. Als sie erkannten, dass sie allein in seinem Büro waren, dass niemand sonst da war und sie einander nichts zu sagen hatten, zuckten beide regelrecht zusammen.

»Ich sollte gehen«, sagte sie.

»Ja«, antwortete er. »Das sollten Sie.«

11

Cross hatte gerade noch genug Zeit, um kurz den Kopf zur Tür des CCTV-Departments hineinzustecken, ehe sie den Durchsuchungsbeschluss erhielten und sich auf den Weg zu Patels Geschäftsräumen machten. Ihm gefiel, dass sich in dieser Abteilung nie irgendetwas änderte. Manchmal gab es einen Wechsel beim Personal, aber gewöhnlich sah er dieselben Leute, da er, selbst ein Gewohnheitstier, dazu neigte, stets ungefähr zur gleichen Tageszeit reinzuschauen. Er ging zu Catherines Schreibtisch; sie arbeitete immer noch an den Überwachungsaufnahmen von den Straßen, die zu den Garagen und wieder von dort weg führten.

»Schon Glück gehabt?«, fragte er, obwohl er im Grunde wusste, dass sie es ihm bereits gesagt hätte, wenn sie etwas entdeckt hätte. Sie schaffte es immer, ihm wichtige Beweise oder Informationen zukommen zu lassen, ganz gleich, was er gerade tat. Außerdem hatte sie einen angeborenen Sinn dafür, was bedeutsam sein könnte und was irrelevant. Eine Eigenschaft, die ihn beeindruckte.

»Nichts Eindeutiges; ich suche noch.«

»Wir haben inzwischen einen Zeitrahmen, der die Sache für Sie ein bisschen eingrenzen könnte. Er hat das Restaurant gegen acht verlassen. Auf dem Fahrrad. Ein leuchtend gelbes Rennrad, ziemlich markant …« Er unterbrach sich für eine

Sekunde, als ihm ein Punkt in den Sinn kam, den er, wie er dachte, umgehend klarstellen sollte. »Nur dass es auf Überwachungsaufnahmen natürlich gar nicht markant wäre.« Zufrieden damit, diesen Punkt geklärt zu haben, fuhr er fort. »Aber wir wissen nicht, wohin er gefahren ist. Er hat einem Teamkollegen um drei Uhr dreißig eine Textnachricht geschickt. Oder jemand hat mit seinem Telefon die Nachricht gesendet. Wir haben das Telefon bisher nicht gefunden. Anschließend ist er um sieben nicht am Flughafen erschienen. Aber ich denke, er war schon um drei tot«, sagte Cross.

»Okay, dann fangen wir am Restaurant an und schauen, was wir finden können. Die Garagen verschieben wir auf später.«

»Sie können nicht beides zugleich machen?«, fragte er hoffnungsvoll.

»Wir bearbeiten noch fünf andere Fälle, aber ich werde sehen, was wir tun können.«

Als sie mit dem Durchsuchungsbeschluss im Auto unterwegs zu dem Apotheker waren, dachte Ottey, dies wäre vielleicht ein guter Zeitpunkt, um Cross' Problem mit seinem Dad zur Sprache zu bringen. Nicht nur weil sie während der Fahrt wie immer eine endlose Stille genießen durften, sondern auch, weil er ihr hier nicht entkommen konnte. Sie saßen in einem fahrenden Wagen. Er saß in der Falle und konnte nirgendwohin.

»Haben Sie je einen Donnerstag ausfallen lassen?«, fragte sie.

»Ich verstehe nicht«, sagte er.

»Mit Ihrem Dad?«

»Ein paar. Natürlich nur, wenn es sich gar nicht vermeiden ließ«, antwortete er.

»Wegen der Arbeit?«, hakte sie nach.

»Ja.«

»Und wie hat Ihr Dad darauf reagiert?«

»Er wusste, dass es wichtig für mich war, wenn ich den Abend ausfallen lassen musste. Er hat das verstanden.«

»Okay.« Eine Weile fuhren sie schweigend weiter. Dann: »Also, die Arbeit Ihres Dads im Museum …«

»Das ist keine Arbeit«, korrigierte er sie hastig. »Es ist ein Ehrenamt.«

»Trotzdem kann man es doch sicher als Arbeit bezeichnen. Nicht bezahlt zu werden, heißt ja nicht, dass es keine Arbeit ist.« Er antwortete nicht, also fuhr sie fort: »Was meinen Sie, wie wichtig ist Ihrem Dad dieser neue Job? Ehrenamt hin oder her.«

»Ich habe keine Ahnung.«

»Könnte er ihm aus seiner Sicht nicht ebenso wichtig sein wie Ihrer für Sie?«

»Natürlich nicht. Wir haben es mit Morden zu tun.«

»Die alte Leier. Sie können doch nicht die Arbeit aller anderen schlechtmachen, nur weil die nichts mit Mord zu tun haben.«

»Das tue ich nicht. Es gibt Ärzte, Feuerwehrleute, Wissenschaftler, deren Arbeit würde ich auch als wichtig bezeichnen«, argumentierte er.

»Und Bach?«, fragte sie. »War seine Arbeit wichtig?«

»Natürlich.«

»Nicht für jemanden, der keine klassische Musik mag«, konterte sie. Er antwortete nicht, was sie ermutigend fand.

»Mir geht es darum, dass das absolut subjektiv ist. Was für jemanden wichtig ist und was nicht. Ich würde also argumentieren, dass der neue Job Ihres Vaters – oder wie immer Sie es auch nennen wollen – wichtig für ihn ist und zweifellos all den Leuten, die ihm zuhören werden, etwas gibt«, sagte sie.

»Darum geht es nicht«, antwortete er.

»Worum geht es dann?«

»Wir haben eine Vereinbarung. Wir treffen uns am Donnerstag immer zum Abendessen. Sie werden einen anderen Termin finden müssen.«

»Warum können Sie nicht einen anderen Termin finden?«, fragte sie.

»Sie verstehen das nicht«, hielt er ihr vor.

»Das sagen Sie immer«, bemerkte sie.

Patel war weniger wegen des ausgefallenen Geschäfts verärgert als wegen der diversen älteren und hilfsbedürftigen Leute, die ein rezeptpflichtiges Medikament holen wollten und nun daran gehindert würden. Also sorgte er dafür, dass einer seiner Mitarbeiter die Medikamente auslieferte. Cross fand das interessant. Seiner Ansicht nach setzte der Mann die richtigen Prioritäten. Sie überließen die Durchsuchung den Forensikern und kehrten zurück zur MCU.

Es war ungefähr zwei, als der Anruf einging. Die Forensiker wollten Cross und Ottey sofort wieder vor Ort haben. Sie hatten Blut gefunden. Es war weggewischt worden, aber sie hatten eine Spur entdeckt, die zur Tür und hinaus zum Rand des Gehwegs führte. Außerdem hatte es an der Verkaufstheke eine große Pfütze gegeben. Sie hatten am Fuß der Theke ein paar deutliche Spuren gefunden, die offenbar übersehen worden waren, und eine weitere am Türrahmen. Proben waren entnommen worden.

Als sie wieder in der Apotheke eintrafen, war Patel noch nicht informiert worden, aber die Mienen der beiden Detectives sagten ihm alles, was er wissen musste: dass es gerade wirklich ernst geworden war.

Sie nahmen ihn mit aufs Revier.

»Stehe ich unter Arrest?«, fragte er, als sie ihn in die Voluntary Assistance Suite brachten, die freundlich gestaltete Sitzecke, in der sie vor allem Leute befragten, die nicht unter Verdacht standen. Diese Frage, die mit irritierender Regelmäßigkeit gestellt wurde, erstaunte Cross immer wieder. Seiner Ansicht nach war völlig klar, ob jemand verhaftet war oder nicht, weil eine Verhaftung immer mit den Worten »Mr Soundso, ich verhafte Sie wegen des Verdachts« und so weiter eingeleitet wurde. Außerdem wurden die Rechte verlesen. War die Frage Zeichen einer unterschwelligen Furcht, dass etwas Illegales zutage treten könnte, das nicht zwingend mit dem Fall zu tun haben musste, zu dem die Person befragt werden sollte? Oder war es eine Art verkappter Hinweis an die Detectives, um sie daran zu erinnern, dass die Befragten jederzeit gehen konnten, wenn sie es wünschten? Allerdings bestand normalerweise niemand darauf zu gehen, vermutlich aus Angst, verhaftet und in eine Zelle gesteckt zu werden.

»Nein«, antwortete Ottey.

»Ich habe Ihnen doch schon gesagt, dass ich mit seinem Drogenkonsum nichts zu tun hatte«, sagte Patel.

»Sie verstehen sicher, warum es uns schwerfällt, das unbesehen zu glauben. Sie sind im selben Radclub. Sie sind Apotheker. Bemerkenswerter Zufall, finden Sie nicht?«, erklärte sie.

»Was ich denke, ist, dass er sie überredet hat. Was schadete es schon, solange niemand davon erfuhr?«

»Ich bin ein seriöser Apotheker und Amateur-Radrennfahrer. Ende der Geschichte. Was hätte ich davon, wenn ich ihn mit Dope versorgen würde?«, wollte er wissen.

»Dope?«, fragte Cross.

»Ach, nun kommen Sie schon. Ich kann auch ›leistungssteigernde Drogen‹ sagen, wenn Sie wollen, doch wir wissen doch alle, worum es geht.«

»Vielleicht haben Sie ihn nicht direkt versorgt, ihm aber den Weg gewiesen«, mutmaßte Ottey.

»Warum sollte ich das tun?«

»Wie gesagt, um die L'Étape zu gewinnen«, sagte sie.

»Ich habe doch bereits erklärt, dass ich kein Interesse an der L'Étape habe«, begehrte er auf.

»Das stimmt nicht ganz, nicht wahr?«

»Ich habe Ihnen gesagt, dass ich damit nichts zu tun habe.«

»Nur, dass Sie jetzt in der Mannschaft der achte Fahrer sind. Sie waren der Reservefahrer und sind aufgestiegen. Warum haben Sie uns davon nichts gesagt?«, fragte sie.

»Was meinen Sie wohl? Ich wusste, dass Sie mit dem Finger auf mich zeigen werden. Exakt so, wie Sie es jetzt tun. Was dumm ist. Um Ihnen das mal ganz genau zu verdeutlichen: Ja, ich habe die Tatsache zurückgehalten, dass ich jetzt zur Mannschaft gehöre. Bin ich erfreut darüber? Ja, aufgeregt und auch ein bisschen nervös. Sehen Sie, ich bin nicht der beste Fahrer im Club, also mache ich mir Sorgen, ich könnte der Sache nicht gewachsen sein. Habe ich Alex getötet, um in die Mannschaft zu kommen? Das klingt bereits idiotisch, wenn ich es nur laut ausspreche. Nein, das habe ich nicht getan. Habe ich ihn mit Drogen versorgt? Was, wie ich zugeben muss, schon ein bisschen plausibler klingt. Nein, das habe ich nicht. Habe ich ihm einen Tipp gegeben, wo er sie herbekommen kann? Nein. Hat er mich gefragt? Ja. Habe ich bemerkt, dass sich sein Verhalten während der letzten sechs Monate verändert hat? Ja.«

»Wie haben Sie herausgefunden, dass er dopt?«

»Wenn man weiß, worauf man achten muss, ist es ziemlich offensichtlich. Außerdem hatte ich einen Vorteil durch die Tatsache, dass er mich bereits auf entsprechende Mittel angesprochen hatte. Von da an habe ich ihn genauer im Auge behalten.«

»Und wie hat die Gruppe davon erfahren?«

»Ich habe Matthew erzählt, dass er an mich herangetreten ist. Und angesichts der Statistiken und seines Verhaltens während der letzten Monate habe ich angenommen, dass er eine andere Quelle aufgetan hat.«

»Warum haben Sie ihm davon erzählt?«, fragte Ottey.

»Was meinen Sie wohl?«, gab er vage fassungslos zurück.

»Weil Dopingtests bei der L'Étape inzwischen gang und gäbe sind«, lieferte Cross einen ersten Beitrag zu dem Gespräch. »Sie haben monatelang trainiert, sind früh am Morgen aufgestanden, sind nach der Arbeit gefahren, haben sich im Fitnessstudio abgerackert, waren bei jedem Wetter unterwegs und haben alles Mögliche geopfert. Angenommen, dass sie dann gewinnen, ist es das alles wert gewesen, aber nur so lange, bis Alex durch den Dopingtest fällt und sie disqualifiziert werden. Alle. Das ganze Team wäre als Schummlertruppe gebrandmarkt.«

»Da haben Sie es«, sagte Patel.

»Wollten Sie immer schon Apotheker werden?«, wechselte Cross abrupt das Thema.

»Was? Äh nein, nein, ich bin einer dieser verhinderten Ärzte, fürchte ich.«

»Sie haben Medizin studiert?«

»Nein, ich habe meinen Abschluss versaut. Mein Notendurchschnitt hat nicht gereicht.«

»Das muss sehr enttäuschend gewesen sein«, bemerkte Cross.

»Eigentlich nicht. Ich glaube, das war weniger mein Traum als der meiner Eltern. Sie sind während der Amin-Zeit aus Uganda hergekommen. Sehr einfache Menschen, die hart gearbeitet haben und große Ambitionen für ihr Kind hatten. Ihr einziges Kind. Sie haben so hart gearbeitet, weil sie sich verzweifelt wünschten, dass ich einen besseren Start ins Leben bekomme, als sie ihn hatten. Eine ziemlich normale Immigrantengeschichte, denken Sie jetzt bestimmt, und so war es natürlich auch. Sie wollten, dass ich Arzt werde. Ich glaube, dass ich unbewusst vielleicht versagen wollte. Auf jeden Fall bin ich sehr zufrieden damit, wie es nun gekommen ist. Immerhin, seit es Apothekern gestattet ist, in geringfügigem Umfang medizinisch zu beraten und Grippeimpfungen zu verabreichen, scheinen uns die Leute so oder so mit Ärzten zu verwechseln. Also bin ich auch auf diese Weise zumindest halb am Ziel.«

»Wie muss ich mir das vorstellen?«, fragte Cross.

»Viele sehen in uns die erste Anlaufstelle, ehe sie in die Notaufnahme gehen. Oder sie gehen hin, sehen die Wartezeit und kommen dann doch zu uns. Dabei stehen die Leute bei uns auch oft Schlange, weil sie auf ›eine Behandlung warten‹.

So oft, dass wir unsere Klienten einmal pro Woche in einem Arztsprechzimmer empfangen.«

»Privat abgerechnet?«

»Nein. Die Kosten übernehme ich persönlich«, sagte Patel.

»Das ist sehr großzügig von Ihnen«, bemerkte Ottey.

»Eigentlich ist das von beiderseitigem Nutzen. Es schützt uns vor den Scherereien, wenn wir Leute wegschicken müssen. Allerdings hat es ein paar Probleme mit Klienten gegeben, die unsere Sprechstunde wie die eines normalen Allgemeinmediziners nutzen wollten. Sie ist wirklich nur für Notfälle und die, wie ich sie nenne, ›Überbesorgten‹ gedacht, Leute, die nicht schnell genug einen Termin beim Arzt bekommen können. Sie werden nicht behandelt, nur untersucht und beruhigt. Es sei denn, natürlich, es liegt etwas Ernstes vor, dann rufen wir entweder ihre Praxis an oder schicken sie zur Notaufnahme.«

Das Wort »Notfälle« machte Cross nachdenklich. Prompt stand er auf und verließ den Raum. Ottey schloss langsam die Augen.

»Steht es mir jetzt frei zu gehen?«

»Ich fürchte nicht.« Sie mussten auf die Ergebnisse der Forensik und der Blutuntersuchung warten. Stimmte das Spurenmaterial mit dem Blut von Alex überein? »Möchten Sie etwas trinken?«

»Ein Kaffee wäre toll, danke.«

Ottey bat Mackenzie, Kaffee zu machen, und die war im Stillen dankbar dafür. Das gab ihr Gelegenheit, die Suche nach den Garageneigentümern, bei der sie nicht weit gekommen war, für einen Moment zu unterbrechen und durchzuatmen. Inzwischen hatte sie bereits beschlossen, später noch hinzufahren und herumzufragen, überzeugt, dass sie auf diese Art mehr erreichen würde.

Ohne anzuklopfen, marschierte Ottey in Cross' Büro. Nicht, weil sie wusste, dass ihn das ärgern würde, was der Fall war – er schoss mehr oder weniger von seinem Stuhl hoch –, sondern weil sie verärgert war. »Warum sind Sie einfach so aus dem Verhör abgehauen?«

»Eigentlich war das kein Verhör.«

»Seien Sie nicht so pedantisch. Sie wissen genau, was ich meine«, erwiderte sie.

»Er hat es nicht getan. Nichts von alldem. Er ist nicht dumm.«

»Wie Alice schon sagte, es könnte ein Unfall gewesen sein.«

»Könnte es. Aber die Wahrscheinlichkeit ist, wie ich behaupten möchte, gering. Ich dachte, meine Zeit wäre anderswo besser investiert.«

»Und was ist mit meiner?«, fragte sie.

»Für Ihre kann ich unmöglich sprechen«, entgegnete er.

»Und das Blut?«

»Er ist Apotheker. Er hat gesagt, die Leute suchen Apotheker heutzutage auf wie Notaufnahmen. Sie wurden ermuntert, in die Apotheke zu gehen, wenn sie einen Rat oder eine Grippeimpfung benötigen, und das scheint in einer Form eskaliert zu sein, dass aus Apotheken untergeordnete Unfallstationen gemacht werden. Damit wird das zusammenhängen. Haben Sie ihn danach gefragt?«

»Natürlich nicht. Ich warte auf die Ergebnisse.«

»Es könnte Ihnen und ihm einen Haufen Zeit ersparen, wenn Sie ihn einfach fragen. Er scheint eine Menge Gemeinsinn zu besitzen.«

Patel lachte, als Ottey das aufgewischte Blut zur Sprache brachte.

»Vielleicht haben Sie vorhin nicht zugehört? An manchen Tagen, nicht allzu häufig, sind wir mehr oder weniger eine Außenstelle der Notaufnahme, nur ohne deren Möglichkeiten.« Er zog sein Telefon hervor und suchte etwas. Dann zeigte er ihr einen wenige Monate alten Artikel der Bristol Evening Post. »Apotheker entbindet Baby«. Er zeigte ihr ein Foto von sich in der Apotheke. Auf einem Stuhl an der Ladentheke saß eine Frau mit einem Baby auf dem Arm. Sie war gerade erst niedergekommen. »Das war tatsächlich mal etwas Neues!«, sagte Patel stolz. »Sie haben das Mädchen Angelica Justine genannt.« Ottey starrte ihn verständnislos an. »Ihre Initialen lauten AJ, wie mein Name, Ajjay. Es war ein Mädchen, also war das die Grenze des Möglichen. Am Ende haben sie sie einfach AJ genannt. Ist das nicht süß?«

»Sicher. Und das Blut, das von der Apotheke hinaus auf den Bürgersteig führt?«

»Eigentlich hat es von einem Wagen in die Apotheke geführt. Eine Messerstecherei. Ein Kind. Sie haben es einfach abgeladen. Mit einer Stichwunde im Bein. Irgendeine Art von Gangbestrafung. Aber sie haben seine Femoralarterie erwischt. Wir konnten die Blutung stillen, bis der Rettungswagen da war. Er hätte sterben können. Idioten!«

»Er hat einer Frau in der Apotheke bei der Geburt ihres Babys beigestanden und das Opfer einer Stichverletzung behandelt. Aber das wussten Sie ja bereits«, sagte Ottey zu Cross.

»Ich habe es nicht gewusst, bin jedoch zu dem Schluss gekommen, dass aller Wahrscheinlichkeit nach so etwas dahinterstecken dürfte. Und dann hat Alice nachgesehen, um meine Vermutung zu verifizieren«, entgegnete er.

»Und Sie haben es nicht für nötig befunden, diese Information mit mir zu teilen?«

»Nein. Ich wollte Ihre Befragung nicht stören.«

»Sie haben mir auch nichts von der Information erzählt, die Sie am Wasserturm bekommen haben. Von den Radfahrern.«

»Sie haben nicht gefragt«, sagte er.

»Ich sollte gar nicht erst fragen müssen. Ich bin Ihre Partnerin. Sie sollten mich von sich aus auf dem Laufenden halten.«

»Ich verstehe.«

Sie sah ihm an, dass ihm das nicht zusagte. Zu entscheiden, wann er etwas weiterreichen sollte, fiel ihm schwer. So viel hatte sie mitbekommen. Allmählich verstand sie, dass seine Unbeholfenheit und sein Widerstreben gegen bestimme Dinge nicht daher rührten, dass er schwierig war, sondern dass er schlichtweg so gestrickt war. Für ihn waren solche Dinge problematisch.

»Vielleicht wäre es einfacher, wenn ich Sie frage, ob Sie etwas mitzuteilen haben?«, schlug sie vor.

»Ja. Das ist eine gute Idee«, sagte er, packte seinen kleinen Rucksack zusammen und schlüpfte in die neongelbe Fahrradjacke.

12

An diesem Abend ging Cross zur Kirche. Nicht, weil er in irgendeiner Weise religiös gewesen wäre. Er war alles andere als das. Dieser Tage hätte er sich selbst als Atheisten eingestuft. Eine Weile war er Agnostiker gewesen, aber dann, mit dreizehn, war er zu der bedingungslosen Schlussfolgerung gelangt, dass es keinen Gott gab. Obgleich er erkannte, dass der Glaube anderen in der Geschichte und in der Gegenwart Trost zu spenden vermochte, musste er selbst ohne ihn auskommen. In mancher Hinsicht, das wusste er, hätte Religiosität zu seiner Persönlichkeitsstruktur gepasst; die regelmäßigen sonntäglichen Gottesdienste, das Nachtgebet, zu dem er neben seinem Bett hätte knien müssen, sogar die wöchentlichen Bibelstudien. Zudem folgerte er, dass Katholizismus das Glaubenssystem seiner Wahl wäre. Das Judentum landete knapp dahinter auf Platz zwei. Aber der Katholizismus zeichnete sich seiner Ansicht nach durch sehr klare Regeln aus, die man zu befolgen hatte. Er mochte die Rigidität dieser Religion. Einmal war ihm in den Sinn gekommen, dass die meisten Religionen davon profitieren würden, gäben sie ihren Anhängern ein solches Regelwerk mit auf den Weg. Doch dann erblühte der Fundamentalismus in all seinen Formen und allen Religionen und er hatte sich zum Umdenken gezwungen gesehen.

Der Grund für seinen Besuch an diesem Abend war, dass er

die Orgel dieser Kirche spielte. Nicht zum Gottesdienst oder so etwas, nur für sich selbst. Während des Gottesdienstes oder einer Hochzeit oder einer Trauerfeier zu spielen, empfand er als scheinheilig, da er dadurch an einem Akt der Anbetung teilnehmen würde. Das konnte er mit seinem Unglauben nicht in Übereinstimmung bringen. Allerdings war es zum Thema etlicher Diskussionen mit dem jungen Priester Stephen geworden. Der hatte nämlich eine Kampagne mit dem Ziel inszeniert, George zu überzeugen, ein oder zwei Konzerte zwecks Spendensammlung für die Kirche zu geben. Aber George war abgeneigt. Stephen war sogar so weit gegangen, ein Komitee einzusetzen, um ein Orgelkonzert zu organisieren, doch von Cross' Seite aus schlug ihm unerbittlicher Widerstand entgegen.

»Vielleicht können Sie einfach ausrechnen, wie viel so ein Orgelkonzert einbringen könnte, und ich bedenke die Kirche mit einer entsprechend hohen Zuwendung«, hatte Cross vorgeschlagen.

»Darum geht es nicht. Ich denke, Sie sollten Ihre Gabe mit anderen teilen«, beharrte Stephen.

Einmal hatte er es zu weit getrieben, was der Diskussion beinahe ein finales Ende beschert hätte. Stephen beging den Fehler, von einer »Gabe Gottes« zu sprechen. Prompt hatte George entgegnet, es sei keine Gabe von irgendwem, ganz besonders nicht von einem imaginären Gott. Tatsächlich war es das Ergebnis vieler Stunden des Lernens und Übens. Viele Geistliche hätten ihm das »imaginär« krummgenommen, aber nicht Stephen, der offenbar aus einem anderen Holz geschnitzt war.

Die Abmachung, die sie getroffen hatten, lautete, dass George üben konnte, wenn er im Gegenzug die regelmäßige

Wartung der Orgel übernahm. Denn wie George so war, hatte es ihm natürlich nicht genügt, das Orgelspiel zu erlernen. Er hatte wissen müssen, wie die Orgel funktionierte. Folglich war er nun nicht nur ein geübter Orgelspieler, sondern auch Experte für die Geschichte des Orgelspiels und die grundlegende Mechanik des Instruments selbst.

Und so verschaffte George sich jeden Mittwochabend mit seinem eigenen Schlüssel Zutritt zu der Kirche und spielte. Oft empfand er diese Übung als nützlich – nicht nur als Pause und Ablenkung von dem jeweiligen Fall, an dem er arbeitete, sondern als Quell neuer Ideen zu dessen Aufklärung. Wenn er spielte, war er in einer völlig anderen Gemütsverfassung als sonst. Nicht nur, dass ihn das Spiel entspannte. Die Klänge der Orgel, die Koordination zwischen den Manualen und seinen über den Pedalen schwebenden Füßen, die instinktiv richtige Bedienung, das alles reinigte seinen Geist. In diesem Zustand dachte er auf eine andere Art über seine Arbeit nach, so mental befreiend wirkte das Spiel auf ihn. Überraschend häufig hatte er hier in der Kirche, während er die Orgel spielte, die Lösung zu einem Puzzle in einem Fall gefunden, zu einem Rätsel, das sie wochenlang verwirrt hatte. Stephen hielt das zweifellos für eine Art göttlicher Intervention, auch wenn er das dem musikalischen Detective wohl niemals erzählen würde.

An diesem Abend offenbarte sich George keine neue Perspektive. Trotzdem hatte er das Gefühl, einen etwas klareren Kopf zu bekommen. Der nächste logische Schritt bei den Ermittlungen führte ins Fitnesscenter. Er beendete sein Spiel und schaltete die Orgel ab. Doch als er ging, näherten sich ihm ein paar Frauen. Sie hatten die Kirche betreten, als er gerade anfing zu üben. Sofort erzählten sie ihm, wie wunderbar er spiele, was ihn durchaus erfreute: Eine kleine Anerkennung erzielte bei ihm bisweilen eine große Wirkung. Doch dann erkannte er in einer der Frauen ein Mitglied des »Konzertkomitees«, das Stephen ihm vor einigen Wochen vorgestellt hatte. Deshalb wussten diese Damen, wann er übte. Stephen hatte es ihnen erzählt. Er war ein dreister, aufdringlicher Lümmel. Zu seiner eigenen Überraschung ertappte sich George jedoch dabei, die Kommentare und Lobpreisungen dennoch zu genießen. Sie erfreuten ihn. Ermutigten ihn. Statt sich also zu entschuldigen und nach Hause zu fahren, stand er ganze zehn Minuten da und badete in Komplimenten. Bis dann eine der Damen zu dem Schluss kam, dies sei der richtige Zeitpunkt, um ihm zu erklären, was für eine Schande es doch sei, dass niemand sonst Gelegenheit bekam, ihn zu hören. Wer hätte gedacht, dass es solch ein Talent in ihrer Gemeinde gab? Ihre Lobhudelei hatte etwas Vertrautes an sich. Sie hätte direkt von Stephen kommen können. Cross beeilte sich, darauf hinzuweisen, dass er kein Gemeindemitglied war und auch kein Gläubiger, worauf sie umgehend das Konzert zur Sprache brachte. Da war der Punkt erreicht, an dem er sich abrupt aus Kirche und Gespräch entfernte. Er glaubte, er hätte Takt und Diplomatie walten lassen. Doch die Damen fragten sich, warum Stephen ihnen nicht erzählt hatte, dass der Mann, den sie zum Spielen animieren sollten, so unhöflich war.

Als Cross auf sein Fahrrad stieg, blickte er sich zum Pfarrhaus um und sah den Priester am Fenster stehen. Stephen winkte lächelnd. George ignorierte ihn einfach und fuhr davon, was bei dem Geistlichen den sicheren Eindruck hinterließ, dass sein Plan funktionierte. Nun konnte es nicht mehr lange dauern.

13

Am nächsten Morgen fuhren Cross und Ottey zu Alex' Fitnesscenter. Kaum saßen sie im Wagen, da fing Cross an, mit Ottey zu reden. Das war so untypisch für ihn, dass sie den leisen Verdacht hegte, er versuchte lediglich, sie abzulenken, damit sie die Diskussion über die Donnerstagstreffen mit seinem Vater nicht wieder aufleben ließ.

Das Fitnesscenter erwies sich für ihre Suche nach Alex' Drogen als nutzlos. Sie hatten gehofft, dass es dort Spinde gäbe, die für bestimmte Mitglieder reserviert waren, damit sie ihre Ausrüstung dauerhaft dort lagern konnten. Aber das war nicht der Fall. Die vorhandenen Spinde wurden jeden Tag an die Mitglieder vergeben, die gerade zum Training dort waren. Das Fitnesscenter befand sich in einem Industriekomplex, in dem es eine mittelgroße Halle belegte. Es gehörte einem berühmten hiesigen Boxer namens Johnny Hazel, der sich im Amateurbereich auf nationaler Ebene durch die Gruppe der Superfliegengewichte gearbeitet hatte. Den Hauptbereich belegte ein großer Boxring. Rundherum gab es Boxsäcke und Regale mit Handschuhen und Kopfschutzen. Dieser Laden war das, was man als »hardcore« bezeichnen könnte. Alles war bewusst einfach gehalten. Hier gab es keine schicken Geräte oder Saftbars. Der Fitnessclub wirkte altmodisch. Sah man jedoch genauer hin, erkannte man, dass dieser Eindruck auf sorgfältiger Planung beruhte. Alles folgte einer klaren Absicht, von den Schwarz-Weiß-Bildern von lange zurückliegenden Boxkämpfen an den Wänden über die antiken Spinde und Holzbänke im Umkleideraum bis hin zu den Handtüchern auf ihren Drahtgestellen. Wer hierher kam, dem sagte dieser Ort, dass er zum Training da war und für nichts anderes. Hier ging es um ernsthaftes, schlichtes Training. Der Geruch von Tigerbalsam, vermischt mit Schweiß, hing in der Luft.

Auf einer Seite des großen Saals wechselten die Bilder an den Wänden von Boxerporträts zu Actionfotos von Kämpfen und weiter zu Bodybuildern in Wettkampfpositur. In grotesken Haltungen präsentierten sie ihre absurd großen Muskeln und hatten mehr Öl am Körper, als in eine Salatsoße gehörte. Ein paar unerhört große und muskulöse Clubmitglieder – Männer und Frauen gleichermaßen – pumpten Gewichte. Angesichts dessen an Steroide – oder wonach immer einem der Sinn stehen mochte – zu denken, schien Ottey nicht sonderlich weit hergeholt zu sein. Sie trafen sich mit Danny. Wie Patel gesagt hatte, war es tatsächlich schwer, ihn zu übersehen. Ein Amateurbodybuilder mit Bizepsen, die doppelt so dick waren wie Cross' Oberschenkel. Sie durften das Büro benutzen, um sich zu unterhalten. Danny quetschte sich in einen der Sessel gegenüber den beiden Detectives.

»Ich habe gehört, Alex ist tot. Aber Mord? Das ergibt keinen Sinn«, sagte er.

»Wie gut kannten Sie ihn?«, fragte Ottey.

»Na ja, eigentlich nur von hier. Ich habe ihm bei der Kräftigung der Beinmuskulatur geholfen. Nicht, dass er das nötig gehabt hätte.«

»Wie meinen Sie das?«, hakte Cross nach.

»Na ja, er war Radfahrer. Haben Sie sich mal angesehen, was manche von denen für Oberschenkel haben? Wie Baumstämme. Total unproportioniert, stehen in keinem Verhältnis zum Rest des Körpers. Aber wir haben ein paar Sachen gemacht«, sagte er.

»Sie haben einen ziemlich schönen Körperbau«, stellte Ottey anerkennend fest.

»Danke. Ich bin gerade in der Wettkampfvorbereitung, deswegen bin ich jetzt besonders durchtrainiert«, sagte er.

»Mich interessiert nicht im Mindesten, inwieweit Sie diese beeindruckenden axialen Muskeln innerhalb des gesetzlichen Rahmens erworben haben. Aber ich wüsste gern, ob Sie zur Unterstützung Ihres Trainings irgendwelche zusätzlichen chemischen Mittel einsetzen«, sagte Cross.

»Nur die üblichen Nahrungsergänzungsmittel. Nichts Illegales«, antwortete er.

»Wie ich schon erwähnte, daran bin ich nicht interessiert. Der Grund, warum wir hier sind, ist, dass Spuren diverser Drogen in Alex' Leichnam gefunden wurden. Leistungssteigernder Drogen«, erklärte Cross.

»Okay«, sagte Danny, gab aber weiter nichts preis.

»Wissen Sie zufällig etwas darüber?«, erkundigte sich Ottey.

»Über Drogen oder darüber, dass Alex welche genommen hat?«

»Letzteres«, entgegnete sie.

»Nein.«

»Erwarten Sie von uns, dass wir das glauben?«

»Mir ist, ehrlich gesagt, scheißegal, was Sie glauben. Ich bin Mitglied der UKDFBA und nehme regelmäßig an Wettkämpfen teil«, sagte er.

»Und das ist was genau?«, hakte sie nach.

»Die United Kingdom Drug Free Bodybuilding Association«, warf Cross ein.

»Sie haben also davon gehört?«

»Nein, das ist nur ein Akronym, dessen Bedeutung ziemlich offensichtlich ist.«

»Jedenfalls bedeutet das, ich muss clean bleiben.«

»Hat Alex Sie gefragt, ob Sie ihm irgendwelche Drogen beschaffen können?«, fragte Ottey.

»Machen Sie Witze?«, schnappte er.

»Sie macht natürlich keine Witze«, sagte Cross. »Ich bin der Ansicht, das müsste auch für jemanden, der sie nicht kennt, ziemlich offensichtlich sein.«

»Wir müssen herausfinden, zu wem die Leute gehen, um sich so ein Zeug zu beschaffen«, fuhr Ottey fort.

»Das ist einfach. Die Leute hier gehen gewöhnlich alle zu demselben Typ. Bestes Angebot, beste Ware, wie es scheint, und umgänglich, wenn es um Geschäfte geht.«

»Und das ist …?«, fragte sie, nur zu bereit, sein Spiel mitzuspielen. Die Leute verhielten sich im Umgang mit der Polizei häufig so – entweder weil sie zu viel Sinn für Dramatik hatten oder aus purer Selbstgefälligkeit. Den Detectives blieb dann nichts anderes übrig, als nachzugeben und sich auf das Spielchen einzulassen, um an die benötigten Informationen zu kommen. Und dies war eine dieser Gelegenheiten.

»Alex Paphides.«

Für einen Moment saßen die Detectives schweigend da und ließen seine Worte sacken. Es überraschte sie nicht so sehr, wie es der Geschichte eine neue Wendung verlieh. Wie so viele Polizisten war auch Cross irgendwann zu dem Schluss gekommen, dass ihn im Zuge der Arbeit wirklich gar nichts mehr überraschen konnte. Er war aber intelligent genug zu wissen, dass er natürlich nicht »schon alles gesehen« hatte und dass sich daran aller Wahrscheinlichkeit nach bis zu seinem Ruhestand nichts ändern würde.

»Aber da er tot ist, würde es mich nicht wundern, wenn das etwas damit zu tun hätte. Wo immer er sein Zeug herbekommen hat, das sind meistens keine besonders netten Leute. Und der andere Gedanke, der mir gekommen ist: Ist er jemandem auf die Zehen getreten?«

In diesem Moment tauchte ein bulliger Mann vor dem Büro auf und klopfte an die Tür.

»Bereit?«, fragte er Danny.

»Hey, Tony, wir haben heute kein Training.«

»Ich schätze, du wirst feststellen, dass wir das doch haben«, antwortete Tony, worauf Danny auf seinem Handy nachschaute und aufblickte.

»Nein, das ist definitiv für morgen geplant«, sagte er.

»Bei mir steht es heute drin«, ertönte die Antwort, in der unverkennbar mitschwang, dass er nicht derjenige war, der einen Fehler gemacht hatte. Danny wollte noch etwas sagen, überlegte es sich aber anders.

»Weißt du was, das ist okay. Lass mich hier zum Ende kommen, dann können wir loslegen.«

»Ich habe nur eine Stunde Zeit«, sagte Tony und ging. Dannys Verhalten brachte Cross auf den Gedanken, dass Tony jemand war, mit dem man es sich besser nicht verdarb. Außerdem hatte er das Gefühl, ihn schon einmal gesehen zu haben.

»Regelmäßiger Kunde?«, fragte Ottey.

»Ja. Sind wir fertig?«

»Klar.«

»Ich hoffe, Sie finden den Kerl. Das tue ich wirklich. Wenn Sie sonst noch Fragen haben, ich bin hier.«

Die beiden Detectives gingen zurück zu ihrem Wagen, und Cross fragte: »Haben Sie Dannys Klienten erkannt?«

»Tony? Nein. Aber sehr angenehm wirkt er nicht. Danny hat einen unverkennbar nervösen Eindruck gemacht, finden Sie nicht?«

»Ich habe ihn definitiv schon mal gesehen. Kürzlich erst.«

Ottey startete den Wagen und stellte dann die Frage, die ihr bereits den ganzen Vormittag zu schaffen machte. »Trypanophobie. Raus damit.«

Verwirrt musterte er sie.

»Was bedeutet das?«, fragte sie widerstrebend.

»Oh, verstehe. Angst vor Nadeln.«

»Aha.«

Zurück in der MCU rief Cross Alice in sein Büro. Wegen seines Tons klang das für sie immer wie eine strenge Aufforderung. Oder ein Befehl. Einer, dem sie, wie sie im Lauf der Zeit gelernt hatte, am besten einfach wortgetreu folgte, ohne irgendwelche Ausflüchte zu suchen. Er deutete auf einen Stuhl, und sie nahm Platz, während er seinen Notizblock durchging, bis er seine Einsatzbefehle gefunden hatte. Auf diesen Blättern notierte er sämtliche Anweisungen, die er dem Team gab, zusammen mit dem Tag und der Uhrzeit, zu der er sie erteilte. Sobald sie ausgeführt waren, wurden sie abgehakt. Zusätzlich hielt er fest, wann er nachhaken wollte. Und das war das, was er gerade mit Mackenzie vorhatte. Er fand die Aufgabe, die er ihr zugeteilt hatte, und blickte auf.

»Laptop«, sagte er.

»Ja. Nicht viel, nur ganz alltäglicher Kram. Haufenweise Posts über das Radfahren. Wie viele Fotos kann man eigentlich von sich und seinen Clubkameraden haben, frage ich mich.« Er lieferte ihr keine Antwort. »Fotos von den Fahrrädern, von Schaltungen und Bremsen – alles ein bisschen überzogen.«

»Nichts über sein Geschäftsvorhaben in London?«, fragte er.

»Nope«, antwortete sie.

»Keine E-Mails dazu?«

»Keine.«

Er grübelte eine Minute. »Das erscheint mir ungewöhnlich«, konstatierte er.

»Das dachte ich auch. Ich habe mir den Papierkorb und alles angesehen. Nichts. Also muss er das woanders haben«, sagte sie.

»Exakt mein Gedanke«, stimmte er zu.

»Also lautet die Frage, wo. Ich hatte überlegt, ob er vielleicht noch einen Laptop hat, aber sie haben keinen gefunden, richtig?«, erkundigte sie sich.

»Nein, habe ich nicht. Andererseits habe ich auch nicht gezielt danach gesucht«, antwortete er.

»Mit ›sie‹ meinte ich uns.«

»Das klingt ziemlich verwirrend.«

»›Uns‹ im generischen Sinne.«

»Ich verstehe. Danke für die Erklärung.«

»Jedenfalls habe ich stichprobenartige Suchen in dem vorhandenen Laptop angestellt und dazu Begriffe genutzt wie ›Restaurant‹, ›London‹, ›Business-Plan‹ …«

»Und? Sind Sie fündig geworden?«, unterbrach er sie ungeduldig.

»Eigentlich nicht, aber ich habe ein paar Dokumente entdeckt, die ich nicht öffnen konnte, weil sie nicht gefunden wurden.«

»Was soll das bedeuten?«

»Das bedeutet, sie wurden woanders abgespeichert. Auf einem externen Laufwerk, soweit ich es sehe. Wir müssen also das Laufwerk finden«, sagte sie, ziemlich zufrieden mit sich, denn in ihren Augen war das echte Ermittlungsarbeit. Cross saß einige Momente schweigend da. Dann blickte er auf seine Armbanduhr. Es war kurz vor zehn. Das passte gut, denn er wusste, dass Ottey um diese Zeit den Waschraum aufsuchte, ehe sie sich ihren Morgenkaffee machte. Sie war, wie jeder andere auch, ein Gewohnheitstier. Das gehörte zu den Dingen, die Cross bei allem und jedem auffielen. Er hatte sich diesen Umstand gemerkt, um sich im Bedarfsfall bei passender Gelegenheit aus dem Büro zu schleichen. Bedarfsfall und Gelegenheit waren soeben eingetreten. Er sah sich zu ihrem Schreibtisch um, und sie war erwartungsgemäß nicht da. Also stand er auf, schnappte sich sein Fahrradzeug und wollte gehen.

»Wo wollen Sie hin?«, erkundigte sich Mackenzie und bedauerte umgehend ihre Wortwahl.

»Wie bitte?«, fragte Cross.

»Ich habe mich nur gefragt, wo Sie hingehen, das ist alles«, antwortete sie nervös.

»Und warum?«

Sie dachte einen Moment nach und erinnerte sich, dass es bei Cross oft bemerkenswert zielführend war, einfach die unverblümte Wahrheit zu sagen. »DS Ottey hat mich beauftragt. Ich soll Sie fragen, wenn sie nicht da ist. Sie ärgert sich, wenn Sie gehen, ohne ihr mitzuteilen, wo Sie hinwollen.«

»Ja, das tut sie«, sagte er und ging.

Mackenzie ertappte sich bei einem Lächeln. Je besser sie ihn kannte, desto charmanter erschien ihr bisweilen sein Verhalten – unbeabsichtigt charmant, aber dennoch.

Als er draußen die Fahrradklammern anlegte, sinnierte Cross darüber, wie erfrischend dieser Austausch gewesen war. Wenn doch nur mehr Leute einfach die Wahrheit sagen würden, statt sich hinter kläglich schlecht konstruierten Ausreden zu verstecken. Alles könnte so viel unkomplizierter sein.

Dass er bei solchen Gelegenheiten allein das Büro verließ, lag nicht daran, dass er Ottey nicht dabeihaben wollte. Es gab schlichtweg Anlässe, zu denen er sich nicht mit sozialen Interaktionen herumschlagen und von seiner besten Seite zeigen wollte. Schon eine ganz einfache Unterhaltung mit Ottey im Wagen kostete ihn Mühe. Es fiel ihm schwer, das Gespräch zu verarbeiten und sich angemessen zu beteiligen. Es kostete ihn Kraft, die er manchmal nicht zu haben glaubte – oder die er in einem anderen Zusammenhang besser nutzen konnte.

Bei dieser Gelegenheit hatte es jedoch eindeutig mehr mit der Tatsache zu tun, dass er nicht über sein Donnerstagabenddilemma mit seinem Vater reden wollte. Was auch Ottey sofort klar war, als Mackenzie ihr erzählte, dass er fort war. Ihrer Überzeugung nach lag das daran, dass er wusste, sie hatte nicht unrecht, es aber nicht zugeben wollte. Und da war definitiv etwas dran, denn während Cross zu Kostas radelte, gratulierte er sich im Stillen dazu, genau dem aus dem Weg gegangen zu sein.

14

»Was suchen Sie?«, fragte Kostas, als er Cross die Schlüssel zur Wohnung seines Bruders aushändigte.

»Ich suche eine externe Festplatte für seinen Computer.«

»Er hat eine hier im Büro.«

»Ich halte es für unwahrscheinlich …« Cross unterbrach sich. »Ja, das könnte helfen.«

Also wurde Cross zusammen mit einem Kaffee in das Büro verfrachtet und sich selbst überlassen. Der Raum wirkte genauso, wie man es bei einem Familienbetrieb erwarten sollte, war aber, wie ihm auffiel, sehr ordentlich. Quittungen, Rechnungen und andere Papiere hingen alle zusammengeklammert an Haken an der Wand. Auf einem Whiteboard waren die wöchentlichen Erfordernisse und Bestellungen aufgeführt. Aber das Ergreifendste waren die etlichen Dutzend Familienfotos. Die meisten waren im Restaurant aufgenommen worden und zeigten die beiden Jungs, die Mutter und Vater halfen. Cross sprang ins Auge, wie sehr Alex seinem Vater in jüngeren Jahren ähnelte. Da waren Fotos, die die Jungs als Tischkellner mit Weste und Fliege zeigten, als sie Cross' Schätzung nach nicht älter als sechs oder sieben gewesen sein konnten. Ihr strahlendes Lächeln glich dem der Gäste, die sie mit freundlichen Blicken bedachten. Alex hatte sich die erstaunliche Fähigkeit angeeignet, vier Teller mit Essen auf einmal zu tragen, als er gerade fünf gewesen war. Auf einem Bild balancierte Kostas eine große Servierplatte, beladen mit Meze, über dem Kopf, die ihn beinahe zwergenhaft erscheinen ließ. Alex stand auf einem Stuhl, um Gyros von einem Spieß zu schneiden, der mindestens doppelt so groß war wie er selbst. Sein Vater stand stolz daneben. Dann war da ein Bild, auf dem die beiden Jungs mit etwa elf oder zwölf Jahren ihren Vater am Holzkohlegrill flankierten. Cross fand es seltsam, dass es keine Fotos von Helena, ihrer Mutter, gab. Doch dann erkannte er den Grund – er lag auf der Hand: Sie war diejenige, die die Kamera hatte.

Auf der Festplatte war nichts über London zu finden, was ihn nicht verwunderte. Wenn Alex diesen Traum wachgehalten hatte, dann hätte er nicht gewollt, dass sein Bruder Hinweise darauf auf einem gemeinsam genutzten Rechner fände. Auf dem Weg hinaus unterhielt sich Cross mit Kostas. Er legte stets Wert darauf, persönlich mit den Leuten zu sprechen, die direkt mit einem Fall zu tun hatten. Wenn sich also eine legitime Möglichkeit bot, sie zu besuchen – in diesem Fall, um sich den Wohnungsschlüssel zu holen –, dann sollte man die auch nutzen. Die Leute verhielten sich ganz anders, wenn man sie extra wegen spezieller Fragen oder Themengebiete aufsuchte, als wenn man scheinbar aus einem völlig anderen Grund dort war und die Fragen einfach nebenbei fallen ließ. Dann waren sie gelöster, oft sogar unvorsichtig. Derlei Gelegenheiten erwiesen sich häufig als erheblich nützlicher als Besuche, die direkt der Befragung dienten. Zum Teil lag das daran, dass den Fragen, wenn ein Detective ihretwegen zu Besuch kam, meist mehr Gewicht zugemessen wurde, als eigentlich angebracht wäre. Dadurch jedoch wurden die Antworten stets mit mehr Bedacht und erhöhter Wachsamkeit erteilt.

»Das Fahrrad in Alex' Wohnung. Das muss um die 11 000 Pfund wert sein«, bemerkte Cross.

»Das überrascht mich nicht. In letzter Zeit hat er eine Menge Kohle hingeblättert«, antwortete Kostas. »Ich meine, wie viele Fahrräder braucht ein Mann?«

»Oh, ich glaube, das war nicht für ihn. Bauart und Spezifikationen entsprechen exakt dem von Matthew. Dem Fahrrad, das er zerstört hat. Ich glaube, er hatte vor, es zu ersetzen.«

»Und? Meinen Sie, ich muss es ihm geben?«

»Ich meine gar nichts. Ich habe nur festgestellt, warum er es meiner Ansicht nach gekauft hat.«

»Tja, ich kann es nicht gebrauchen.«

»Mag sein, aber es ist nagelneu. Ich bin überzeugt, unter diesen Umständen könnten Sie es zurückgeben. Es ist einen Haufen Geld wert.«

»Das ist wahr. Ich werde darüber nachdenken. Irgendwie fühlt es sich an, als wäre es richtig, es Matthew zu geben. Na ja, wenn Alex nicht gestorben wäre, dann hätte er es getan, also sollte ich vielleicht ...« Kostas verstummte. Es war einer dieser Momente, in denen der Schmerz und die Unumkehrbarkeit seines Verlusts sich quälend bemerkbar machten. Trauer befiel die Menschen oft völlig unerwartet wie aus heiterem Himmel.

»Was meinten Sie damit, dass er ›in letzter Zeit eine Menge Kohle hingeblättert‹ hätte?«, erkundigte sich Cross und sah ein kaum wahrnehmbares Zucken über Kostas Wange huschen. Offenbar bedauerte er, überhaupt davon gesprochen zu haben, was für Cross ein Signal zum Nachhaken war. »Hat sein Umgang mit Geld sich verändert?«

»Ja«, sagte Kostas leise.

»Mr Paphides, im Augenblick haben wir nichts. Nichts, worauf wir aufbauen können. Das wird sich ändern, aber es braucht Zeit. Ihr Bruder wurde ermordet. So viel steht fest, und wir werden unser Bestes geben, um den Täter der Gerechtigkeit zuzuführen. Aber an diesem Punkt der Ermittlungen könnte uns die kleinste Kleinigkeit, irgendetwas, das Ihnen völlig harmlos erscheint, auf eine wichtige Spur bringen. Zu neuen Erkenntnissen führen. Auch dann, wenn Ihr Bruder sich etwas hat zuschulden kommen lassen. Sollte er etwas Illegales getan haben, wäre das ohne Belang. Er ist tot. Er kann nicht mehr in Schwierigkeiten kommen. Sie natürlich schon, sollten Sie in etwas Derartiges verwickelt sein.«

»Nein! Nein, ich war in nichts verwickelt. Und er hat auch nichts Illegales getan. Das hätte ich gewusst, oder etwa nicht?«, sagte er. Cross antwortete nicht. Er wollte, dass er weitersprach. »Er hat nur in letzter Zeit, im letzten Jahr, definitiv mit dem Geld um sich geworfen, als könnte es aus der Mode kommen. Allein die Autos! Ich dachte, er hätte seine Kreditkarten voll ausgereizt, aber ich habe nachgesehen. Ich kenne alle seine Passwörter. Er kannte meine auch. Und alles war in Ordnung«, berichtete Kostas.

»Autos?«

»Ja. Er hat beide gekauft. Finanziert, natürlich, aber er hat es hingekriegt und ist allein dafür aufgekommen – Anzahlung, Raten und so. Ich wusste gar nichts davon, bis er eines Morgens damit angekommen ist. Ich konnte es nicht fassen. Doch ein Nein wollte er nicht gelten lassen. Er hat gesagt, das wäre gut fürs Geschäft. Die Wahrheit ist, wir hätten uns das gemeinsam leisten können, wenn wir nur darüber gesprochen hätten. Aber stattdessen ist er allein losgezogen und hat es einfach getan.«

»Was ist mit London?«, fragte Cross.

»Was soll damit sein?«

»Nichts«, sagte Cross. Aber Kostas hatte extrem schnell geantwortet, was in Cross den Verdacht weckte, Kostas hatte durchaus gewusst, dass Alex die Idee, ein Restaurant in London zu eröffnen, nicht hatte fallen lassen. Auf diesen Punkt würde er ein andermal zurückkommen.

»Sie hatten einen Streit, ein paar Tage bevor Alex umgebracht wurde«, stellte Cross fest.

»Mag sein. Wie mein Dad schon sagte, wir haben uns dauernd gestritten«, antwortete er.

»Aber dieser soll besonders hitzig gewesen sein«, wandte Cross ein.

»Möglich, doch ich erinnere mich nicht«, sagte er.

»Okay.«

Cross' instinktive Vermutung, dass Kostas etwas zu verbergen hatte, wurde bestärkt, als er äußerte, er würde gehen, und Kostas unverkennbar erleichtert reagierte.

Das Erste, was er in Alex' Wohnung tat, war, sich ein Glas zu nehmen, es zu spülen, aus dem Hahn zu füllen und zu trinken. Dann erst legte er seinen Mantel ab. Er suchte nach etwas Verborgenem, also sah er an allen üblichen Orten nach – Gefrierschrank, Rückseite der Garderobe, unter Tischen und Schubladen und in Belüftungskanälen. Vergeblich. Er setzte sich. Und dann rief sein Vater an.

»Cross«, meldete er sich.

»Du weißt doch, dass ich anrufe. Warum meldest du dich dann so am Telefon?«, fragte Raymond.

»So melde ich mich immer am Telefon.«

»So meldest du dich bei der Arbeit am Telefon.«

»Ich bin bei der Arbeit«, gab Cross zurück.

»Du musst dich nicht vorsätzlich begriffsstutzig geben. Du weißt, was ich meine«, sagte Raymond ungewohnt deutlich. Cross wusste, dass sein Vater über irgendetwas verärgert war. Das konnte er an seinem Ton erkennen. Er nahm an, das war auch der Grund, warum Raymond ihn anrief. Er rief seinen Sohn nie während der Arbeit an, wenn es nicht wichtig war.

»Worum geht es?«

»Diese Donnerstagssache wurde um eine Woche verschoben. Wir können wie gewohnt zusammen zu Abend essen.«

»Und in der nächsten Woche?«, fragte Cross.

»In der nächsten Woche kann ich nicht. Und auf absehbare Zeit auch nicht in irgendeiner anderen Woche«, sagte Raymond.

»Verstanden.«

»Was soll das heißen?«

»Es heißt, dass wir einen anderen Abend für unser gemeinsames Essen finden müssen. Ich dachte, Mittwoch könnte die optimale Lösung sein«, fuhr Cross fort.

»Ich dachte, mittwochs übst du an der Orgel.«

»Das tue ich, aber da daran niemand anderes beteiligt ist und ich festgestellt habe, dass die Kirche auch am Donnerstagabend zur Verfügung steht, muss ich lediglich diese beiden Termine austauschen«, erklärte er, als läge das auf der Hand und er wäre überrascht, dass sein Vater nicht daran gedacht hatte.

»Gut. Schön, ich bin froh, dass wir das regeln konnten«, entgegnete Raymond.

»Tatsächlich habe ich es geregelt, aber nun haben wir es ja. Ich muss Schluss machen.« Ohne sich zu verabschieden oder seinem Vater Gelegenheit zu geben, selbiges zu tun, beendete er das Gespräch. Für Raymond sollte das kein Problem sein. Er würde einfach erleichtert sein, dass das Donnerstagabendproblem aus der Welt geschafft war. Immerhin wusste er aus Erfahrung, dass solche augenscheinlichen Kleinigkeiten für seinen Sohn katastrophal sein konnten.

Auch für Cross war das Gespräch nutzbringend gewesen. Mit seinem Vater zu reden, hatte ihn an Dinge erinnert, die niemals weggeworfen wurden, und daran, wie er Alex' alte Mobiltelefone bei seinem ersten Besuch in der Wohnung in einer Schublade gefunden hatte. Er ging ins Schlafzimmer und öffnete die Schublade im Schrank. Als er die Telefone samt Kabel herausnahm, fiel ein kleiner USB-Stick aus dem Gewirr. Er nahm ihn und steckte ihn in die Tasche. Dann zog er die Schublade weiter auf und sah sich an, was hinten lag. Doch da war nichts außer einem Schlüsselbund, einem Herzfrequenz-Brustgurt und ein paar Sonnenbrillen. Er wollte die Telefone gerade zurücklegen, als sein Instinkt ihm sagte, er sollte sie mitnehmen.

Zurück in seinem Büro, dauerte es nicht lange, dann hatte Cross die Dokumente, die er suchte, auf dem USB-Stick gefunden. Da gab es einen ganzen Ordner mit der Bezeichnung »Adelphi London«. Er wollte ihn gerade öffnen, als Ottey mit einem Gesichtsausdruck hereinspazierte, den er als extrem verärgert einzustufen gelernt hatte. Er nahm an, es wäre das Beste, ihr gleich den Wind aus den Segeln zu nehmen.

»Ich konnte Sie nicht finden«, sagte er.

»Ja, das passiert schon mal, wenn Sie sich nicht die Mühe machen nachzusehen«, konterte Ottey. »Wo sind Sie gewesen?«

»In der Wohnung des Opfers.«

»Warum?«

»Weil wir nirgends einen elektronischen Fußabdruck des London-Projekts finden konnten. Aber irgendwo musste er sein. Debbie hat von einem Investor, einem Designer und Geschäftsräumen gesprochen. Ich glaube, ich habe ihn gefunden«, sagte er und starrte auf den Bildschirm. Ottey zog sich einen Stuhl heran, setzte sich neben ihn und beugte sich vor, um ebenfalls den Monitor zu betrachten. Cross erstarrte. Vollständig. Seine Hand hing über der Tastatur, während er mit stierem Blick den Bildschirm fixierte.

»Was ist, machen Sie weiter«, sagte sie. Seine plötzliche Paralyse hatte sie nicht bemerkt. Doch als sie es tat, reagierte sie sofort. »Sorry«, erklärte sie, stand auf und stellte den Stuhl zurück auf die andere Seite seines Schreibtischs. »Ich gehe meinen Laptop holen.« Sie hatte nicht daran gedacht, wie wichtig die persönliche Distanzzone für Cross war. Im Stillen tadelte sie sich selbst, während sie durch das Großraumbüro zu ihrem Schreibtisch ging. Das Problem, dass sie das gleiche Bild sehen wollte wie er und er mit der körperlichen Nähe nicht zurechtkam, hatten sie ein paar Monate zuvor in den Griff bekommen. Ein Techniker aus der IT-Abteilung hatte vorgeschlagen, dass Cross seine Anzeige virtuell mit ihr teilen sollte – so, dass er Maus und Desktop kontrollierte, sie aber seinen Desktop auf ihrem Computer sehen konnte. Diese Methode machten sich gewöhnlich Computertechniker zunutze, um PC-Probleme anderer zu lösen, bisweilen auf einem ganz anderen Kontinent, doch es funktionierte genauso gut über einen Schreibtisch hinweg.

In dem Ordner fanden sie Entwürfe eines Londoner Architekten, einen Antrag auf Baugenehmigung und einen für eine Lizenz. Was sie jedoch nicht fanden, waren Kreditunterlagen. Es gab einen Geschäftsplan, der offensichtlich verschickt worden war, und Korrespondenz mit einer Bank, die sich anscheinend als Finanzier zur Verfügung stellen wollte. Anfangs hatten sie ein Komplettpaket geschnürt, aber Alex hatte gesagt, er könne es sich nicht leisten und würde das nötige Kapital anderweitig beschaffen. Am Ende hatte er einen Plan aufgestellt, der teilweise durch eine Bank, teilweise durch einen Investor getragen wurde. Aber wer dieser Investor war, dazu konnte Cross rein gar nichts finden.

»Also, wer ist der Investor?«, fragte Ottey.

»Das könnte durchaus die Schlüsselfrage sein. Wir sollten ein bisschen tiefer graben. Sean von der Technik bitten, sich den Stick anzusehen und sich zu vergewissern, dass es keine verborgenen Dateien gibt.«

Er erzählte Ottey von seinem Treffen mit Kostas, der ihm verraten hatte, dass sein Bruder in letzter Zeit ungewöhnlich ausgabefreudig gewesen war. Und da war noch ein weiterer Punkt, bei dem Cross sich seiner Sache ziemlich sicher war.

»Welcher ist das?«, fragte Ottey.

»Ich glaube, Kostas wusste über London Bescheid. Ich glaube, er wusste, dass Alex die Sache nicht aufgegeben hatte.«

»Meinen Sie, er war glücklich darüber?«

»Alex hat Autos für beide gekauft«, sagte Cross.

»Woher hatte er das Geld dafür?«, fragte sie.

»Er hat sie finanziert, aber er hat sämtliche Raten und die

Anzahlungen bezahlt. Was verrät uns das über ihn? Er war optimistisch. Er dachte, das wäre nur der Anfang von etwas Großem für sie beide. Da gibt es Pläne für eine Expansion nach Manchester, Edinburgh, Leeds. Das sind große Ambitionen«, bemerkte er.

»Tatsächlich?«, fragte Ottey. Sie hatte nichts davon gesehen, weil er so unerträglich schnell las. Er hatte die Datensätze mit Schallgeschwindigkeit durchforstet, während ihr offensichtlich etwas entgangen war. »Meinen Sie, Kostas hat dabei mitgespielt?«

»Sie waren sich wirklich nahe. Sie haben zwar viel gestritten, aber ich glaube, das passiert oft unter Geschwistern, besonders, wenn sie sich so nahestehen. Eine Stadt fehlt auf der Liste.«

»Bristol«, sagte sie.

»Genau. Sie wollten ihren Vater nicht vor den Kopf stoßen. Sie wollten das alte Adelphi einfach lassen, wie es war.«

»Warum etwas reparieren, wenn es nicht kaputt ist?«

»In der Tat.«

Ihr fiel die Supermarkttüte voller Mobiltelefone und Ladegeräte auf. »Gehören die ihm?«

»Tun sie.« Er stand auf und ging zur Tür. »Alice, ich habe etwas für Sie.«

Ottey war im Lauf der Zeit aufgefallen, dass Cross es nicht nur nicht leiden konnte, wenn er angeschrien wurde – das versetzte ihn regelrecht in Panik und war eine echte Qual –, er mutete es auch anderen nicht zu. Er ging stets nahe genug heran, dass er leicht zu hören war.

Mackenzie betrat das Büro. Er deutete auf die Mobiltelefone auf seinem Schreibtisch.

»Sie müssen die für mich durchgehen und herausfinden, ob eines davon kürzlich benutzt wurde«, sagte er.

»Aber das sind uralte Telefone. Hätte er nicht eher sein aktuelles Gerät verwendet?«

»Durchaus möglich, doch dieses Telefon haben wir nicht, also können wir das nicht überprüfen, und seine Verbindungsdaten haben bisher nichts Ungewöhnliches ergeben.«

Ottey ging dazwischen. »Passen Sie auf, wir wissen, dass er leistungssteigernde Drogen unter die Leute gebracht hat, aber wir haben keinen Hinweis darauf, wie er vorgegangen ist. Er musste mit seinen Kunden kommunizieren. Soweit wir es bisher sagen können, hat er dazu aus offensichtlichen Gründen nicht sein normales Telefon benutzt. Aber irgendein Telefon muss er benutzt haben. Ein anderes haben wir nicht gefunden, daher ist es logisch, dass wir uns diese vornehmen. Alte Geräte mit Wegwerf-SIM-Karte. Das ist eine Überprüfung wert«, erklärte sie.

»Natürlich. Ich bin eine Idiotin«, sagte Mackenzie.

»So weit würde ich nicht gehen«, widersprach Cross. »Aber Sie haben noch einiges zu lernen.«

Als Alice fort war, starrte Ottey ihn an. »Sie hat nicht wirklich gemeint, dass sie eine Idiotin wäre.«

»Ich weiß«, antwortete Cross. »Ich bin auch kein Idiot.«

15

Ein paar ruhige Tage zogen dahin. Mackenzie wurde beauftragt, Alex' Beerdigung beizuwohnen. Diese fand in einer griechisch-orthodoxen Kirche statt. Sie war überrascht, wie ähnlich der Gottesdienst dem in anderen christlichen Kirchen war. Was natürlich auf ihrer eigenen Unkenntnis beruhte, wie sie beschämt feststellte. Dies war die zweite Bestattung, die sie in ihren ersten sechs Monaten bei der Polizei erlebte. Selbst an guten Tagen konnte sie Begräbnisse nicht ausstehen, und ihnen aus beruflichen Gründen beizuwohnen, war eine neue Erfahrung für sie. Zeugin einer so tiefen persönlichen Trauer zu werden, die sie nichts anging, gab ihr das Gefühl, ein Eindringling zu sein.

Die Polizei erwartete sich von der Feier keine neuen Erkenntnisse im Hinblick auf den Fall, anderenfalls wären Ottey und Cross selbst hingegangen. Sie war hergeschickt worden, weil Familien die Anwesenheit der Polizei oft tröstlich fanden, wenn der Fall noch nicht abgeschlossen war. Eigentlich hatte sie Carson fragen wollen, inwiefern sie in irgendeiner Form Trost würde spenden können, obwohl diese Leute sie doch noch nie zuvor gesehen hatten. Dann kam ihr allerdings in den Sinn, dass die Alternative für sie lediglich in noch mehr bedeutungslosen, niederen Tätigkeiten im Büro bestand, also ging sie einfach hin.

Es war eine gelungene Feier. Kostas sprach bewegend über seinen Bruder. Er sagte, sie hätten ebenso gut Zwillinge sein können, weil sie ähnlich dachten. Dass es ein Segen für sie gewesen war, gemeinsam ein Geschäft zu betreiben. Nicht, dass sie immer einer Meinung gewesen wären, und außerdem war, wie jeder von ihnen genau gewusst hatte, der wahre Boss ihre Mutter Helena. Von nun an würde die Arbeit ihn Tag für Tag an seinen Verlust erinnern. Aber er versuchte, das Gute zu sehen. Dass seine Trauer milder werden würde und sich diese alltägliche Erinnerung schließlich zum Segen wandeln würde. Ajjay Patel sprach im Namen des Fahrradclubs, der geschlossen angetreten war. Die Drogen oder das Zerwürfnis erwähnte er nicht, stattdessen erwies er ihm Ehre, indem er berichtete, was für ein großartiger Fahrer er gewesen sei. Wie er sie alle dazu brachte, die Messlatte höher zu legen und besser zu werden. Sie fragte sich, vielleicht ein wenig herzlos, wie Patel es geschafft hatte, so viele Sportklischees nahtlos aneinanderzureihen. Aber, ermahnte sie sich, er war Apotheker, kein Redner.

Auf jeden Fall war es gut, dass sie aufgepasst hatte, denn als sie zurückkam, wollte Cross von ihr wissen, was sie dort erfahren hatte. Sie berichtete so detailliert, wie sie nur konnte. Ob Jean und Andy dort gewesen waren, konnte sie nicht sagen, aber sie glaubte es nicht. Debbie hatte sich im Hintergrund gehalten, als die Familie an der Kirchentür den Trauergästen gedankt, ihre Beileidsbekundungen entgegengenommen und sie in ihr Restaurant eingeladen hatte. Niemand war aus der Reihe getanzt, um sie zu grüßen oder ihr Trost zuzusprechen. Von Ajjay und den anderen Radfahrern abgesehen, schien niemand auch nur zu wissen, wer sie war, was Mackenzie ein wenig sonderbar vorkam. Zum Schluss hatte es draußen eine Menge Wirbel gegeben, vermutlich um Alex' Vater aus seinem Rollstuhl in die Limousine des Bestattungsunternehmens zu schaffen.

»Sind Sie sicher, dass es um seinen Vater ging?«, fragte Cross.

»Ja«, bekräftigte sie.

»Woran konnten Sie das erkennen?«

»Er war an der Seite der Mutter, also war das einfach logisch«, sagte sie.

»Aber er benutzt keinen Rollstuhl«, wandte Cross ein.

»Tja, dazu kann ich nur sagen, heute hat er einen benutzt.«

Das hatte Cross' Interesse geweckt, weshalb er wenige Tage nach der Beerdigung an einem reservierten Tisch für eine Person im Adelphi saß. Kostas kam mit mehreren kleinen Tellern mit Meze zu ihm, als Cross noch die Karte studierte. Überrascht blickte er auf.

»Das habe ich nicht bestellt«, sagte er.

»Ich weiß. Geht aufs Haus«, antwortete Kostas.

»Oh, nein. Das kann ich nicht annehmen. Ich muss für mein Essen bezahlen«, protestierte Cross.

»Es ist von meiner Mutter. Ein Geschenk zum Dank für Ihre Freundlichkeit«, sagte Kostas.

»Dennoch, ich fürchte, ich kann das nicht annehmen«, beharrte Cross.

»Wollen Sie sich mit meiner Mutter anlegen? Denn ich werde bestimmt nicht so dumm sein«, sagte Kostas und stellte heißes Pitabrot, das mit rot kariertem Stoff abgedeckt war, auf den Tisch. Dann sah er sich zum rückwärtigen Teil des Restaurants um, wo seine Mutter an ihrem üblichen Platz saß und strickte. Cross folgte seinem Blick und die alte Dame nickte ihm auf ihre gestrenge Art achtungsvoll zu.

»Vielleicht haben Sie recht«, sagte Cross.

»Oh, ich habe ganz bestimmt recht«, entgegnete Kostas.

»Also gut, aber für den Rest meines Essens werde ich bezahlen müssen, und ich brauche eine Quittung«, meinte Cross.

»Natürlich«, sagte Kostas, entfernte sich, begrüßte in einem geschmeidigen Schwenk ein paar neue Gäste und führte sie zu ihrem Tisch. Meze war, soweit es Cross betraf, stets eine sichere Sache, weil alles traditionell auf separaten Tellern serviert wurde, was ihm sehr entgegenkam. Zudem hatte er schon beim Betreten des Restaurants mit Kostas über sein Bedürfnis gesprochen, die einzelnen Bestandteile der Mahlzeit auf getrennten Tellern zu erhalten. Kostas hatte das so selbstverständlich aufgenommen, als wäre es das Normalste auf Erden. Auf diese Reaktion hatte Cross gehofft. Hätte er eine andere erwartet, wäre er das Risiko, zum Essen herzukommen, höchstwahrscheinlich nicht eingegangen.

Während er die Meze verspeiste, sah er sich im Restaurant um. Es war wie üblich komplett ausgelastet und unter den Gästen waren viele Familien. Eine davon feierte einen Geburtstag und Kostas paradierte für sie mit einer besonderen Nachspeise durchs Lokal. Diese war mit einer großen Wunderkerze geschmückt und lag auf einem Teller, auf dem in Schokoladensoße ein persönlicher Gruß geschrieben stand. Das ganze Restaurant sang »Happy Birthday«, als die entzückte junge Frau tat, als wäre sie überrascht. Cross hielt die Überraschung für vorgetäuscht. Denn soweit er es anhand seiner wenigen Restaurantbesuche beurteilen konnte, war es quasi ein Muss, dass am Ende eines Geburtstagsessens ein derartiger Kuchen serviert wurde. Und trotz des Getues und der Beteuerungen, dass ihre Freunde das wirklich nicht hätten tun müssen, vermutete er, dass sie ziemlich enttäuscht gewesen wäre, hätten sie tatsächlich darauf verzichtet. Um das Ganze abzurunden, spendierte Kostas jedem der Geburtstagsgäste einen Ouzo. Ottey hatte Cross mal erzählt, dass die Leute in Restaurants häufig behaupteten, sie würden einen Geburtstag begehen, obwohl das gar nicht stimmte, nur um Aufmerksamkeit und vielleicht auch Freigetränke zu ergattern.

An einem anderen Tisch saß eine Gruppe ziemlich stämmiger Männer. Sie sahen südländisch aus, Griechen, nahm er an. Alle waren muskulös und durchtrainiert. In einem von ihnen erkannte Cross Tony, Dannys Klienten aus dem Fitnessstudio.

Der Hauptgang wurde serviert. Cross war überrascht, wie viele Meze er verschlungen hatte. Kostas räumte die Teller mit der Miene des stolzen Restauranteigners ab. Er hatte, kaum dass Cross den Tisch reserviert hatte, seinen Leuten gesagt, er allein werde die Mahlzeit zubereiten und servieren. Niemand sonst sollte sich beteiligen. Cross' Hauptgang war auf vier Teller verteilt worden: einer mit Lamm-Kebab vom Grillspieß, einer mit Reis, ein weiterer mit Salat; außerdem hatte Kostas sich die Mühe gemacht, die Zitronenviertel auf einem Extrateller zu bringen. Cross staunte, wie zart das Fleisch war. Kostas erklärte ihm, das liege an der Marinade seiner Mutter, in die das Fleisch 24 Stunden eingelegt wurde. Und es war Biofleisch von einem örtlichen Bauern, den sie sich angesehen hatten. Der Bauer war inzwischen Stammgast. Er kam her, wann immer es seine Zeit erlaubte, und hatte auch an der Trauerfeier teilgenommen.

Tony und seine Kameraden gingen. Was Cross interessant

fand, war, dass keine Rechnung erbeten, vorgelegt oder bezahlt worden war. Sie winkten den Angestellten zu und verließen das Lokal. Tony knöpfte sich im Gehen die Jacke zu, ganz so, wie es Männer tun, wenn sie den Eindruck von Autorität und Kontrolle vermitteln wollten. Als würde er glauben, alle Blicke seien auf ihn gerichtet. Das waren sie nicht, mit Ausnahme derer von Kostas und seinen Mitarbeitern vielleicht. Und dem von Cross.

Als Cross seine Mahlzeit beendet hatte, gesellte Kostas sich zu einem Tee zu ihm. Wieder wandte Cross ein, dass er keinen Tee bestellt habe, aber Kostas sagte, der Detective täte ihm einen Gefallen, würde er Tee mit ihm trinken, denn dies sei seine Pause und er fühle sich wie ausgedörrt.

»Wie laufen die Ermittlungen, Detective?«, fragte er.

»Derzeit stecken wir ein wenig fest, aber das passiert oft«, sagte Cross. Kostas war sichtlich enttäuscht.

»Denken Sie, das wird sich lange hinziehen?«, wollte er wissen.

»Das glaube ich nicht. Es kommt mir nicht allzu kompliziert vor. Andererseits ist es natürlich so, dass sich die einfachsten Fälle oft als die kompliziertesten erweisen«, dozierte Cross.

»Meinen Sie, es hatte etwas mit den Drogen zu tun?«, erkundigte sich Kostas.

»Ich bin nicht sicher. Ich denke, die meisten davon hat er sich online beschafft. Nun ja, mit Ausnahme von einer. Ich muss die Herkunft dieser einen aufdecken. Aber es waren keine dritten Parteien involviert, soweit wir sehen.«

»Welche?«

»Testosteron«, sagte Cross und glaubte, eine minimale Reaktion bei Kostas wahrzunehmen, die bestätigte, dass er auf der richtigen Spur war.

»Ist das gut oder schlecht?«, fragte Kostas.

»Weder noch«, sagte Cross. Kostas schien auf genauere Ausführungen zu warten, doch die erhielt er nicht. »Wo ist Ihr Vater heute Abend?«

»Oben.«

»Arbeitet er abends nicht?«

»Der alte Narr hat sich den Knöchel gebrochen. Ist in der Dusche gefallen und konnte sich mit seinem kaputten Arm nicht abfangen«, erklärte Kostas.

»Also hat er sich verletzt.«

»Wir mussten ihn im Rollstuhl zur Beerdigung bringen. Meine Mutter war furchtbar wütend«, berichtete Kostas.

»Davon habe ich gehört. Ich würde gern sämtliche Medikamente Ihres Vaters sehen.«

»Was? Warum?«

»Ich muss sie sehen. Würden Sie Ihre Mutter danach fragen? Ich nehme an, auf sie kommt es an«, bat Cross.

Kostas diskutierte nicht länger, sondern ging zu seiner Mutter und erklärte ihr Cross' Anliegen. Im ersten Moment schien ihr das gar nicht zu gefallen. Es gab eine Menge Geschrei und Protest auf Griechisch. Schließlich stand sie auf, stampfte die Treppe hinauf und bedachte Cross unterwegs mit einem wütenden Blick.

Dann kam Kostas zurück. »Bitte, folgen Sie mir«, sagte er.

»Danke.« Cross stand vom Tisch auf und ging mit Kostas hinauf. Die Wohnung war absolut makellos. Das Mobiliar wartete mit dunklem Mahagoniholz auf und die Räume waren mit einer stattlichen Menge an griechischem Kitsch und Bildern geschmückt. Ein Sofa war mit Plastikfolie abgedeckt, ebenso wie die beiden gegenüberstehenden Sessel. Der alte

Mann trug nur Unterhemd und Shorts und wurde von seiner Frau zusammengestaucht, die versuchte, ihn in einen Morgenmantel zu bekommen. Als Kostas und Cross hereinkamen, blickte er auf und brüllte etwas auf Griechisch.

»Können wir bitte ins Bad gehen oder wo immer er seine Medizin aufbewahrt?«, fragte Cross.

Sie gingen ins Bad. Kostas öffnete den Spiegelschrank über dem Waschbecken. Darin fanden sich diverse Mundspüllösungen, Zahnpasta, Seifen und, im obersten Fach, ein Haufen an Fläschchen und Packungen. Cross musterte sie und konzentrierte sich dann auf eine bestimmte Packung. Er las das Etikett. »Mr Patels Apotheke«, bemerkte er.

»Alex' Kumpel vom Fahrradfahren. Guter Mann. Bringt meinen Eltern immer die verschriebenen Arzneien mit, wenn er zum Essen kommt. So müssen sie nicht extra zu ihm fahren«, erzählte Kostas. Cross ging mit der Pillenpackung wieder zurück ins Wohnzimmer und zeigte sie Kostas' Vater. »Für Ihre Osteoporose?«

»Ja«, sagte der Vater.

»Kostas, Sie erzählten, Ihr Vater habe sich in jüngster Zeit häufiger Frakturen zugezogen.«

»Hat er.«

»Wissen Sie noch, wann das angefangen hat?«

»Irgendwann im letzten Jahr«, antwortete Kostas.

»Und wie lange leiden Sie insgesamt schon daran, Mr Paphides?«, erkundigte sich Cross.

»Fünf, sechs Jahre«, sagte er.

»Aber bis auf die letzten paar Monate hatten Sie keine ernsthaften Probleme?«

»Nein.«

»Bis Alex Sie überredet hat, ihm die Tabletten zu überlassen«, konstatierte Cross.

»Was?«, rief Kostas, und Helena sah aus, als hätte sie Mühe, Cross' Worte zu verarbeiten. Der Vater reagierte nicht sofort.

»Es war meine Idee, nicht seine«, sagte er schließlich. »Er hat so schwer gearbeitet und hart für das Rennen trainiert. Ich dachte, das würde helfen.«

Plötzlich stürzte sich seine Frau auf ihn, versetzte ihm eine Ohrfeige und brüllte ihn auf Englisch an.

»Du dummer, dummer Mann! Warum hast du das getan? Was kann bei so etwas Gutes herauskommen?«, schrie sie, bis Kostas sie packte und festhielt.

»Nein, Mama, nicht! Du tust ihm noch weh! Lass ihn in Ruhe!« Nun fing sie an, an der Brust ihres Sohnes zu schluchzen, während der Vater auf seinem Stuhl zusammensackte. Kostas drehte sich zu Cross um.

»Das hat nichts zu tun mit …«, setzte er an.

»Nein, es ist nur eine weitere Ermittlungsrichtung, die wir eliminieren können«, antwortete Cross.

»Hat Ajjay davon gewusst?«, fragte Kostas.

»Er hat es erst erfahren, als wir es ihm erzählt haben. Ich nehme an, wenn er von den zunehmenden Knochenbrüchen Ihres Vaters gewusst hätte, dann hätte er zwei und zwei zusammenzählen können. Aber er konnte nichts dafür. Die Verantwortung liegt in erster Linie bei Ihrem Vater und Alex.«

Die Mutter hatte inzwischen das Zimmer verlassen. Kostas wandte sich an seinen Vater. »Warum? Was hast du dir dabei gedacht?«

»Ich habe nur versucht zu helfen«, sagte sein Vater.

»Was? Wieso? Was hat dich dazu gebracht?«

»Er war so verzweifelt. Er wollte dieses Rennen unbedingt gewinnen – und warum sollte er nicht?«

»Hat er dich darum gebeten oder hast du es ihm angeboten?«

Philippos zögerte, als müsste er erst überlegen, welche Antwort am wenigsten Ärger auslösen würde.

»Ich habe es ihm angeboten«, sagte er schließlich.

»Ich glaube dir nicht.«

»Ich habe es getan.«

»Woher solltest du irgendetwas über Drogen wissen, die Radfahrer zur Leistungssteigerung benutzen? Ich bin nicht dumm. Er hat dich gefragt. Nun sieh dir an, was passiert ist. Du sitzt in einem verdammten Rollstuhl.«

»Schimpf nicht mit mir.«

»Ist das dein Ernst? Nach dem, was du getan hast? Du bist ein beschissener Idiot. Ihr beide seid beschissene Idioten. Ich gehe runter«, rief Kostas und ging davon. Cross folgte ihm.

Als Cross das Restaurant nach einer ausgedehnten Diskussion über die Bezahlung seiner Rechnung verließ, sagte Kostas: »Ich kann nicht fassen, dass Alex so etwas getan hat. Ich meine, was ist denn bloß in seinem Kopf vorgegangen? Es ist nur ein Fahrradrennen. Ein Hobby. Hat Debbie von den Drogen gewusst?«

»Sie weiß es auch erst seit Kurzem«, sagte Cross.

»Aber Alex hat gewusst, dass Dad dadurch noch anfälliger werden musste. Das ist sein dritter Bruch in sieben Monaten. Wie konnte er sich einbilden, das wäre in Ordnung? Ich meine, wir haben darüber gesprochen. Darüber, eine Privatarztpraxis aufzusuchen, eine zweite Meinung einzuholen. Und er hat die ganze Zeit gewusst, dass Dad diese Probleme bekommen hat, weil er seine Medizin genommen hat«, sagte er fassungslos.

»Erzählen Sie mir von Tony«, bat Cross.

»Tony? Welcher Tony?«

»Er war heute Abend hier. Ein großer Kerl mit drei Begleitern«, erklärte Cross, obwohl er keinerlei Zweifel hatte, dass Kostas genau wusste, von wem er sprach.

»Oh, ja, ein angenehmer Gast.«

»So angenehm, dass er nicht einmal zahlen muss? Lässt er vielleicht anschreiben?«

»Nein, nein, er war ein Freund von Alex.«

»Woher kannten die beiden sich?«, fragte Cross.

»Ich weiß nicht genau – aus dem Fitnesscenter, schätze ich.«

Cross sagte nichts; er sah Kostas nur auf seine unnachgiebige Art an. Auf die Art, die andeutete, dass er Kostas eine Frage gestellt hatte und immer noch auf eine richtige Antwort wartete. Kostas war sichtlich unwohl zumute.

»Alex hat ihm Geld geschuldet«, räumte er dann ein. »Er hat es sich geborgt. Das ist einer von Tonys Geschäftsbereichen. Er verleiht Geld.«

»Und die Zinsen sind halsabschneiderisch?«

»Ja. Er hat ihm bald mehr geschuldet, als er sich geliehen hat. Aber jetzt, na ja, Tony hat die Schulden abgeschrieben, als Alex umgebracht worden ist. Er war ziemlich aufgebracht.«

»Wie hoch war die Summe, als Alex gestorben ist?«

»Da waren es nur noch ein paar Tausend.«

»Und Tony bekommt dafür, dass er den Rest abgeschrieben hat, kostenlose Mahlzeiten?«, fragte Cross.

»Nein, eigentlich nicht. Heute war er seit Alex' Tod zum

ersten Mal hier und ich habe es ihm angeboten. Er hat nicht danach gefragt.«

»Er macht Ihnen Angst«, konstatierte Cross.

»Nein. Er ist unser Gemüselieferant. Er leitet einen Großhandel, arbeitet jedoch mit anderen Lieferanten zusammen. Sie helfen sich gegenseitig aus, wenn Bedarf besteht. Aber er hat noch eine Menge anderer Geschäfte«, sagte Kostas. Cross nickte, während er die Information verarbeitete. Dann machte er auf dem Absatz kehrt und ging.

Ein paar Tage später hatte die CCTV-Truppe Fortschritte gemacht, nun ja, Catherine hatte Fortschritte gemacht. Sie rief Cross und Ottey in ihr Büro und zeigte ihnen einige verschwommene Aufnahmen von einem Van, der eine Nebenstraße hinunterfuhr, die zu den Garagen führte. Cross bat sie wieder und wieder, die Aufnahmen erneut abzuspielen.

»Es könnte etwas sein … oder auch nicht«, sagte Catherine.

»Ich bin geneigt, von etwas auszugehen«, entgegnete Cross.

»Besonders, da wir derzeit absolut nichts anderes haben, das uns weiterbringen könnte«, stimmte Ottey zu.

»Jemand musste die Leiche irgendwie dort hinschaffen«, sagte Cross.

»Ein Nummernschild oder ein Logo wäre hilfreich«, bemerkte Ottey.

»Alisha versucht gerade, die Bildqualität zu verbessern«, sagte Catherine. Ottey sah sich zu dem Mädchen um, das an einem anderen Computerbildschirm klebte, und nickte ihm aufmunternd zu.

»Irgendwas von Alex?«, fragte Cross.

»Da arbeiten wir noch dran. Wir haben Aufnahmen, wie

er kurz nach halb sechs das Restaurant mehr oder weniger in nordwestlicher Richtung verlässt«, antwortete Catherine, worauf Cross kehrtmachte und ging.

»Danke, Catherine«, sagte Ottey.

»Viel ist es nicht, tut mir leid – wir suchen weiter.«

»Es ist ein Anfang«, erwiderte Ottey und ging ebenfalls hinaus.

16

In vielerlei Hinsicht glich Mackenzies Ungeduld bei der Arbeit der von Cross, als er bei der Truppe angefangen hatte. Sie war nicht erfahren genug, um anzuerkennen, dass Ermittlungen überwiegend aus einer Reihe winziger Schritte bestanden. Kleine, scheinbar unverfängliche Informationen, ob sie sich nun auf Namen, Orte oder Daten bezogen, erwiesen sich oft als hilfreich, wenn sie in einen Kontext oder eine nicht auf den ersten Blick erkennbare Ordnung gebracht wurden. Sie dachte, es wäre sinnlos, Alex' alte Telefone zu überprüfen. Aber sie tröstete sich mit dem Gedanken, dass sie immerhin mit echten Beweismitteln arbeitete. Das munterte sie wieder etwas auf. Sie fragte sich, ob sie Handschuhe tragen sollte, wenn sie mit den Geräten hantierte. Sicher war sie da nicht, und es kostete sie zehn Minuten, sich zu überlegen, welche Optionen sie hatte. Sollte sie einfach eine Packung Latexhandschuhe suchen, ein Paar anziehen und das Risiko eingehen, von allen Seiten ausgelacht zu werden, wenn sie falschläge? Aber wenn sie jemanden fragte, dann könnte diese Person sie auf diesem Wege dem allgemeinen Amüsement preisgeben. Sie könnte Alice sagen, sie müsse welche tragen, obwohl ihr Gegenüber wusste, dass das nicht nötig war. Folglich beschloss sie, ohne weiterzumachen. Sollte das ein Fehler sein, musste sie sich auf Vorwürfe von Cross gefasst machen – was, wie sie dachte, weitaus weniger demütigend wäre als allgemeine Erheiterung auf ihre Kosten.

Um die Aufgabe interessanter zu gestalten, beschloss sie, die Modelle all der Telefone zu googeln und sie dann in der Reihenfolge der Herstellung zu untersuchen. Es waren zehn. Alex hatte Technik und Neuentwicklungen gemocht. Ihrer Ansicht nach hatte er zu diesen Menschen gehört, die stets die neueste Version ihres bevorzugten Telefons haben mussten. Sie hatte die alljährlichen TV-Meldungen verfolgt und diese Leute, die tagelang Schlange standen, um das neueste iPhone zu kaufen, manche sogar mit Zelten und Campingkochern, nie verstanden. Wozu die Eile? Warum mussten sie es gerade dann haben? In genau dieser Minute? Wie konnte das Telefon, das sie in der Tasche hatten und für das sie sich nur zwölf Monate zuvor genauso begierig und erwartungsvoll angestellt hatten, in so kurzer Zeit plötzlich derart veraltet sein? Sich von einem unverzichtbaren Must-have, das sie so schnell wie möglich besitzen mussten, in etwas vollkommen Verzichtbares verwandeln, das so schnell wie möglich ersetzt werden musste?

Sie wusste, dass Cross ihre auf dem Herstellungszeitpunkt basierende Herangehensweise gefallen würde, auch wenn sie völlig nutzlos war. Solche Dinge sagten ihm zu. Die alten Klapphandys gaben nicht viel her, aber als sie sich den moderneren Geräten zuwandte, wurde es schon interessanter. Als sie das alte iPhone zur Hand nahm, war sie erschrocken darüber, wie schwer dieses Telefon bei seiner Markteinführung gewesen war. Als sie dann die Telefone jüngeren Datums durchging, deren Technik so hoch entwickelt war, stellte sie fest, dass sich ihre Einstellung gegenüber dem ganzen Fall veränderte. Da gab es Hunderte von Fotos von ihrem Opfer und seinem Bruder. Sie hatten sich offensichtlich nahegestanden. Die ganze Familie bildete einen engen Verbund. Unzählige Fotos von den Brüdern und ihren Eltern waren im und rund um das Restaurant aufgenommen worden. Ein besonderes Merkmal waren schauerliche Frisuren und eine fragwürdige Garderobe, von der sie sich nicht vorstellen konnte, dass sie je modisch gewesen sein könnte.

Was nun geschah, war, dass sich in ihrem Kopf ein Bild von Alex aufbaute. Er wurde vom Opfer zu einem realen Menschen mit einem Leben und Leuten um sich herum, ein Phänomen, das sie als erstaunlich bewegend empfand. Sie schien den jungen Mann nun richtig kennenzulernen; seinen Charakter, seine Standpunkte, seinen Humor.

Zwar wusste sie es nicht, aber dies war eine wichtige Lektion für ihre Arbeit bei der Polizei. Das Opfer noch nach seinem Ableben kennenzulernen, war heutzutage wegen der Telefone und der sozialen Medien so viel einfacher geworden. Vor dem Auftauchen dieser technischen Neuerungen waren die Erkenntnisse der Ermittler über ihre Opfer arg lückenhaft, um es vorsichtig auszudrücken. Cross wusste das alles natürlich und er hatte ihr die Telefone aus gutem Grund zugeteilt. Nicht nur, um die mühselige Arbeit loszuwerden, den Geräten ihre Informationen abzuringen. Er wusste aus Erfahrung, dass diese Aufgabe, wenn sie etwas taugte, eine Lehrstunde von unschätzbarem Wert für sie darstellte.

Tatsächlich fand sie sogar auf einem der älteren Geräte – kein Smartphone – etwas von Interesse. Alle Telefone waren erkennbar genutzt worden – da waren Telefonate und alte Textmitteilungen, allerdings stammten die alle aus der Zeit ihrer ursprünglichen Nutzung. Aber eines der Telefone, das jahrelang nicht in Gebrauch gewesen war, hatte Alex seit ungefähr zwölf Monaten doch wieder benutzt. Im Lauf des letzten Jahres waren einige Anrufe damit getätigt worden. Und da waren Textnachrichten zu Verabredungen und Übergaben. Sie war in Versuchung, alles genau zu analysieren und Cross ein Dossier mit Daten, Zeiten, Nummern und allen möglichen aufregenden Querverbindungen zu präsentieren, aber er hatte sie angewiesen, ihn zu informieren, sobald sie irgendetwas herausgefunden hatte.

Als sie ihm das Telefon brachte, nahm er es an sich und bat sie, beim Hinausgehen die Tür zu schließen.

Ottey blickte an ihrem Schreibtisch im Großraumbüro auf. »Was immer Sie gefunden haben, hat ihn beeindruckt«, sagte sie und sah Cross durch die Scheibe in seinem Büro an, wo er bereits über dem Telefon brütete, das Alice ihm gerade erst übergeben hatte. »Gut gemacht. Was war es?«

»Ein sieben Jahre altes Telefon, das Alex seit ungefähr einem wieder benutzt hat«, antwortete sie.

»Hervorragend. Dann warten wir mal ab, was er daraus macht.«

Mackenzie war erfreut und enttäuscht zugleich. Den reizvollen Teil der Arbeit hatte Cross an sich gerissen. Sie ärgerte sich, dass er nicht unterwegs gewesen war, denn dann hätte sie eine Gelegenheit gehabt, die Sache weiter zu verfolgen und ihm ihre Erkenntnisse vorzulegen. Ein andermal. Es würde definitiv ein anderes Mal geben. Vielleicht würde sie sich beim nächsten Mal einfach ein wenig Zeit lassen, statt gleich in Cross' Büro zu stürmen, wenn sie etwas gefunden hatte, und ein bisschen tiefer graben. Selbst ein bisschen ermitteln. Womöglich konnte sie damit Eindruck bei ihm schinden. Es sei denn, natürlich, die Zeit drängte. Dann würde sie, was immer sie fand, direkt zu ihm bringen.

Alex' Kontoauszüge zeigten unverkennbar, dass seine Ausgaben zu Beginn des Jahres einen Höchststand erreicht hatten und dass er zum Zeitpunkt seines Todes finanziell in einer ziemlich prekären Lage gewesen war. Ein weiteres Gespräch mit Kostas hatte diese Einschätzung bestätigt. Alex hatte versucht, sich von ihm Geld zu leihen. Das war, wie Kostas gesagt hatte, nicht ungewöhnlich. So lief das schon, seit sie noch sehr jung gewesen waren. Alex hatte sämtliches Taschengeld, das er von seinen Eltern erhalten hatte, mehr oder weniger umgehend ausgegeben. Genauso verhielt es sich mit dem bisschen Geld, dass sie sich als Teenager verdient hatten, indem sie im Restaurant mitgeholfen hatten. Anfangs war alles für Süßigkeiten und Fußballmagazine draufgegangen. Dann kamen die Playstation-Spiele. Er war, wie Cross erstaunt feststellte, der Erste in der Familie, die Eltern eingeschlossen, der ein Handy besessen hatte. Sein Vater hielt das für überflüssig. Er sagte, er sei so oder so immer im Restaurant und da gebe es ein Telefon, mit dem er seine beruflichen Anrufe erledigen konnte. Wozu also brauchte er ein Handy, wozu sollte er so viel Geld ausgeben? Er gehörte zur »Warum schreiben, wenn man anrufen kann«-Generation, wogegen die jüngere Generation dem Motto »Warum anrufen, wenn man texten kann« folgte, eine Eigenart, die durch WhatsApp und Messenger nur noch weiter um sich gegriffen hatte. Cross fragte sich oft, ob die Technik, nachdem sie bereits die Bildung und die Bereitschaft der breiten Öffentlichkeit, ernsthaft zu schreiben, unwiderruflich geschädigt hatte, die Menschen nun noch demotivieren würde, auch nur zu sprechen. Das virtuelle Leben – das Leben im Smartphone – schien heutzutage so viel wichtiger zu sein als das echte Leben. Wie kam es nur, dass jedes Signal von Telefonen, was immer es auch verkündete, die sofortige Aufmerksamkeit ihrer Besitzer erforderte? Woraufhin diese alles, was in ihrem realen Leben stattfand, unterbrachen, selbst wenn sie gerade mit echten Menschen im Gespräch waren.

Es dauerte ein paar Tage, alle Informationen von dem USB-Stick und dem Telefon zusammenzutragen. In der Zwischenzeit hatte Cross sein letztes gemeinsames Donnerstagabendessen mit seinem Vater genossen. Sie hatten mehr zu reden als sonst, und statt eine aufgezeichnete Folge Mastermind zu schauen, brachte Raymond den Vortrag zur Sprache, den er in der kommenden Woche im Luftfahrtmuseum über die Concorde zu halten gedachte. Er hatte einen ersten Entwurf verfasst und war recht zufrieden damit, wie er George erklärte. Und dann war er außerordentlich überrascht, als sein Sohn sich erbot, den Vortrag durchzusehen. Oder, wenn ihm das lieber sei, anzuhören. Das war so untypisch für George, er fragte sich, ob das etwas mit Josies Einfluss zu tun hatte. Vermutlich. Ohne dass George es wusste, hatten er und Josie Kontakt gehalten, seit George und er an einem Sonntag zum Mittagessen zu Gast bei ihr gewesen waren. Für Raymond war es eine wahre Freude, ja sogar eine Erleichterung, jemanden zu haben, mit dem er über seinen Sohn sprechen konnte. Diese Möglichkeit hatte ihm während Georges Kindheit und Jugend nie offengestanden. Und er hatte recht. Auf Otteys Betreiben hin versuchte George, seine Art der Interaktion mit anderen Leuten zu ändern, und er war zu dem Schluss gekommen, dass es keinen Grund gab, seinen Vater von diesem Experiment, wie er es sah, auszunehmen.

Cross führte mehrere Änderungen und Korrekturen in dem Text aus. Zusammenarbeit konnte man das nicht nennen, denn er nahm Raymond nur den Block weg und konzentrierte sich auf den Text. Er fragte seinen Vater nicht einmal, ob er einverstanden war, ehe er große Textteile durchstrich und einige Absätze komplett neu schrieb. Er tat es einfach. Raymond schluckte seinen Stolz hinunter und ließ seinen Sohn machen, denn im Grunde war er begeistert, dass sie dabei waren, etwas gemeinsam zu tun. Nun ja, nicht so ganz gemeinsam, aber so sehr gemeinsam, wie George überhaupt etwas gemeinsam mit anderen tun konnte. Das war ein Schritt nach vorn, der Hoffnung machte. Cross bat seinen Vater, ihm den Text noch einmal vorzutragen. Hätte Raymond Lob oder Ermutigung erwartet – was er natürlich nicht tat –, wäre er enttäuscht worden. Kaum war er mit dem letzten Satz fertig, da räumte George auch schon die Packungen ihres chinesischen Essens zum Mitnehmen weg und huschte zur Tür hinaus.

Am nächsten Morgen las Cross all die Informationen, die sie den Telefonen und dem USB-Stick hatten entnehmen können, in Tony's Café. Er hatte Alice gebeten, alles für ihn auszudrucken, was Angehörigen ihrer Generation natürlich völlig unverständlich war, aber er hatte nun einmal gern Ausdrucke zur Hand. Zwar arbeitete auch er überwiegend am Computer, doch er zog es vor, schriftlich festgehaltene Fakten auf Papier zu kommentieren. Anschließend pflegte er die Blätter in einen Aktenordner in einzelne Segmente einzusortieren, sodass er mühelos wieder auf sie zugreifen konnte. Schließlich kombinierte er all das mit seiner Liste geplanter Tätigkeiten und dem Kalender, alles auf Papier ausgedruckt. So ging er bereits seit dem Schulabschluss vor, und da diese Methode sich als unglaublich erfolgreich erwiesen hatte, sah er keinen Grund, damit aufzuhören.

Carson hatte eine Besprechung anberaumt, und Cross war nun dabei, alle notwendigen Unterlagen vorzubereiten, damit Ottey sie ihm vorlegen konnte. Der Grund, weshalb er das im Café tat, war, dass er hier seine Ruhe hatte. Auf dem Revier, kurz vor einer Besprechung, würden ständig irgendwelche Leute in sein Büro schauen – auch dann, wenn er die Tür geschlossen hielt –, um dieses oder jenes im Vorfeld abzuchecken. Er hielt alle wichtigen Punkte in Großbuchstaben in einer Liste für Ottey fest. Die letzte Frage, die seiner Ansicht nach beantwortet werden musste, bezog sich auf einen Namen, der im Zuge der bisherigen Ermittlungen aufgetaucht war. Sie lautete: Wer oder was war »Hellenic«?

Natürlich war Ottey so oder so auf dem Laufenden, aber er legte Wert darauf, dass die Dinge in einer bestimmten Reihenfolge abgearbeitet wurden. Und dazu musste er eine Liste anfertigen, denn er selbst sah sich außerstande, Teambesprechungen zu leiten, und fühlte sich weitaus wohler damit, einfach zuzuhören und im Bedarfsfall einen Kommentar abzugeben.

Cross hörte gern zu. Er hörte sich gern an, wie das Team vorankam. Welchen Weg sie als Nächstes einschlagen wollten. Welche Arbeitsschritte abgeschlossen waren. Welche neuen zugewiesen. All das wurde vernehmlich vorgetragen, und er hatte festgestellt, dass diese Art der Darstellung für ihn besonders nützlich war, weil sie es ihm ermöglichte, im Geiste ein Bild der gesamten Operation zu zeichnen.

»Eine weitere Ermittlungsrichtung gilt den wirtschaftlichen Verhältnissen des Opfers. Er hat sich während der letzten zwölf Monate finanziell deutlich verhoben, doch wir wissen im Grunde nicht, warum«, begann Ottey.

»Optimismus. Unbegründet. Aber Optimismus«, fiel Cross ihr ins Wort.

»George bezieht sich auf Alex' Vorhaben, ein Restaurant in London zu eröffnen und dann landesweit zu expandieren. Seine Pläne waren schon ziemlich weit fortgeschritten. Aber alles hing davon ab, dass sein Bruder ihn aus dem Adelphi rauskauft, was Kostas nicht wollte. Das hätte die Finanzen der Familie zu stark belastet. Alex war darüber nicht erfreut, besonders, nachdem sein Vater ihn unerwartet unterstützt und versucht hat, Kostas umzustimmen. Obwohl das alles hätte gefährden können, was er aufgebaut hat, war er ziemlich beharrlich. Das führte innerhalb der Familie zu Spannungen, wobei Alex und sein Vater auf der einen, Kostas und seine Mutter auf der anderen Seite standen. All das fand zu Beginn des Jahres ein Ende, nachdem Alex einen Sinneswandel erlebt hatte. Diese Familie hat starke Bande, dennoch konnte er sehen, dass diese Sache sie zu zerreißen drohte. Also hat er das Projekt abgeblasen. Aber nun hat Alex finanziell in der Klemme gesteckt. Kostas hat ihm ausgeholfen, so gut er konnte, doch Alex hat seinem Bruder nie das wahre Ausmaß seiner Probleme offenbart. Stattdessen hat er sich eine neue Geldquelle und einen neuen Investor gesucht – Hellenic. Die sehen wir uns gerade an. Er hat angefangen, andere Sportler mit Drogen zu versorgen, um sich kurzfristig Bargeld zu verschaffen, nehmen wir an. Seine Ware hat er sich über das Internet besorgt. Dabei hat er sich ganz schön ins Zeug gelegt. Ich schätze, die Leute haben für diese Annehmlichkeit gern bezahlt. Aber das könnte mit seinem Tod in Zusammenhang stehen. Johnny?«, sagte sie dann zu einem Detective, der ganz vorn saß.

An dieser Stelle setzte Cross sich auf. DI Johnny Campbell hatte bei dieser Besprechung nichts verloren. Er versuchte, Blickkontakt zu Ottey herzustellen, aber die wich ihm gezielt aus.

»Der Markt für leistungssteigernde Mittel gehört zu den am schnellsten wachsenden Märkten im ganzen Vereinigten Königreich. Fragen Sie mich nicht warum, aber die Leute scheinen ihren Sport heutzutage aus irgendeinem Grund sehr viel ernster zu nehmen – wenn man das überhaupt so nennen kann. Damit lässt sich natürlich Geld machen, und wo das der Fall ist, sind auch die Dealer, die mit Kokain, Heroin und Crystal Meth handeln, nicht weit. Es wäre also möglich, dass unser Opfer mit einem dieser Jungs aneinandergeraten ist«, sagte Campbell.

»Pure Spekulation, Theoriebildung basierend auf was? Auf nichts«, platzte Cross heraus. »Können wir bitte ein wenig Zeit sparen und uns wieder dem widmen, was wir wissen? Wie wenig das auch sein mag.«

»Das ist eine plausible Theorie, George«, begehrte Campbell auf.

»Plausible Theorien fußen üblicherweise auf einem faktischen Fundament. Das hingegen ist nichts weiter als Kaffeeküchenklatsch.«

»Sie können so ein verdammter Wichser sein«, giftete Campbell. Cross zuckte zusammen, als hätte er einen physischen Schlag eingesteckt. Das geschah manchmal, wenn er angegriffen wurde. Vor einigen Jahren wäre das für ihn das Ende der Besprechung gewesen. Seine Reaktion hätte darin bestanden, zu der Tür hinaus zu verschwinden, neben der er immer zu sitzen pflegte. Aber nun tröstete er sich mit der Tatsache, dass er wohl etwas Grenzwertiges gesagt hatte, wenn seine Worte solch eine bösartige Reaktion hervorriefen.

»Okay, Johnny, ich denke, Sie können jetzt gehen«, sagte Carson.

»Ernsthaft? Das ist doch ein Witz. Warum lassen Sie ihm so etwas immer durchgehen?«

»Vermutlich, weil ich, wenn so etwas vorkommt, gewöhnlich recht habe«, sagte Cross. Mackenzie brach in Gelächter aus, was ihr einen bösen Blick von Ottey eintrug. Sie entschuldigte sich und starrte wieder den Boden an. Innerlich lachte Ottey aber auch. Sie mochte Campbell nicht. Die Wahrheit war, dass sie ihn hatte gewähren lassen, als er seine Theorie zum Besten geben wollte, weil sie gewusst hatte, dass so etwas passieren könnte. Sie hielt es für besser, die zu erwartende Konfrontation gleich jetzt hinter sich zu bringen.

Campbell verließ den Raum.

»Es gibt zwar bisher keine Beweise dafür, dass Drogendealer etwas mit der Sache zu tun haben. Ich nehme an, da stimmen Sie mir zu, George? Doch auch wenn wir diese Idee derzeit nicht weiter verfolgen, sollten wir offen für diese Möglichkeit sein, sollten die Beweise uns in diese Richtung führen«, sagte Carson. Ottey überlegte, dass ihr Boss gerade seine Managementsprache ziemlich weitschweifend demonstriert hatte.

»Also, wir wissen nun, dass Alex zu dealen angefangen hat«, fuhr Ottey fort. »Aber vor acht Monaten schien alles eine neue Wendung zu nehmen. Ein Investor ist in das London-Projekt eingestiegen. Das Interessante ist, dass Alex in diesem Punkt sehr geheimniskrämerisch war, sogar hinsichtlich dessen, was er auf seinem USB-Stick gespeichert hatte. Kostas hat er es auch nicht erzählt. Hat er sich die Sache also später anders überlegt? Wie ich schon sagte, wir haben einen Namen in Erfahrung bringen können, nun ja, einen Teil eines Namens. Wir nehmen an, es könnte so etwas sein wie Hellenic Trusts oder Holdings, Financials. Unser nächster Schritt besteht also darin, uns das näher anzusehen.«

»Warum?«, fragte Carson. Unter den gegebenen Umständen eine absolut vernünftige Frage, wie Cross dachte. Ottey hatte ihm nicht viele Details geliefert, was möglicherweise ein Fehler war.

»Weil Alex sich mit jemandem bei diesem Hellenic-Unternehmen, oder was immer das ist, getroffen hat, und zwar am Abend seines Todes«, erklärte Cross.

»Hellenic?«, hakte Carson nach. »Gab es nicht früher mal eine Schifffahrtslinie dieses Namens? In der Onassis-Ära, meine ich.«

»Ich glaube schon«, stimmte Cross zu.

»Gut. Gehen wir es an!«, sagte Carson und marschierte zielstrebig hinaus. Wie das Ziel aussehen mochte, darüber ließ sich trefflich spekulieren, und was genau sie nun angehen sollten, hatte er auch nicht deutlich gemacht.

Cross, Ottey und Mackenzie hatten alle Nummern des »Drogentelefons« durchgesehen und etliche angerufen, die, wie sie annahmen, Alex' Klienten gehörten. Fast alle landeten auf der Mailbox. Die, die den Anruf entgegennahmen, behaupteten, von nichts zu wissen, sobald sie erkannten, dass sie es mit der Polizei zu tun hatten. Ein paar andere waren vollkommen unerreichbar. Aber da Alex offenbar angenommen hatte, niemand würde dieses Telefon je finden, hatte er freundlicherweise einige der häufiger genutzten Nummern mit Namen versehen. Danny tauchte nicht in der Anrufliste auf, Tony schon. Mehrfach. Viel öfter als andere Stammkunden, und je näher Alex' Todestag rückte, desto häufiger erschien sein Name. Ottey rief ihn an und vereinbarte ein Treffen.

17

Der Franopoulos-Obst-und-Gemüse-Großhandel befand sich in einem großen Gebäudekomplex in einer Eastoner Industrieanlage. Auf der Fahrt dorthin sagte Ottey nicht gerade wenig spitzbübisch zu Cross: »Ich freue mich sehr, dass Sie einen schönen Abend mit Raymond verbracht und das Problem mit Ihrem Essenstermin gelöst haben.«

Cross dachte gerade über die Fragen nach, die er Tony stellen wollte, und war folglich abgelenkt. »Ja« war alles, was er sagte.

»Wie war sein Vortrag?«, fragte sie.

»Einen Moment mal. Woher wissen Sie von alldem?«, fragte Cross.

»Ich habe heute Morgen mit ihm gesprochen«, informierte sie ihn.

»Sie haben meinen Vater angerufen? Warum?«

»Zufällig hat er mich angerufen«, korrigierte sie.

»Und Sie haben mit ihm gesprochen?« Eine ziemlich absurde Frage für seine Verhältnisse.

»Das mache ich meistens, wenn mich jemand anruft, den ich kenne. Es scheint mir unhöflich zu sein, es nicht zu tun, es sei denn, ich bin anderweitig beschäftigt«, sagte sie. Er antwortete nicht. Prompt bedauerte sie ihre scherzhafte Entgegnung. »Schauen Sie, er hat sich wirklich gefreut, dass Sie es geschafft haben, einen neuen Termin zu finden, und er hat gesagt, sie hätten ihm bei seinem Vortrag enorm geholfen. Das hat ihm sehr gefallen. Sie haben etwas Gutes getan. Alles ist bestens.« Er antwortete immer noch nicht. Also beschloss sie, das Thema fallen zu lassen, bis sie herausgefunden hatte, was genau der Grund dafür war, dass er so verärgert zu sein schien. Dann würde sie vielleicht, nur vielleicht, mit ihm darüber sprechen.

Der Großhandel war modern gestaltet und bestand hauptsächlich aus einem Anlieferbereich für mehrere Lastwagen und einem Lagerhaus. Ein Laster lieferte Paletten mit spanischen Orangen an, alle verpackt in mit Stroh ausgelegten Lattenkisten. Der Geruch war verblüffend. Als hätte jemand ein Dutzend Duftkerzen angezündet, um einen hartnäckigen Modergeruch zu übertünchen. Alles wirkte sehr sauber. Tatsächlich war ein Mann in einem Sweatshirt mit Firmenaufdruck bei ihrer Ankunft gerade dabei, jeglichen Schmutz wegzufegen. Es war unvermeidlich, dass beim Transport ein kleiner Prozentsatz der Ware schlecht wurde, wie Tony ihnen in aller Ausführlichkeit erzählte, als sie in seinem Büro mit Blick auf den Ladebereich saßen. Es gab etliche Monitore, auf denen die Bilder der Überwachungskameras angezeigt wurden, die den Großhandel von innen und außen aus sämtlichen Blickwinkeln einfingen. Sie recycelten so viel wie möglich, berichtete er. Beinahe aufs Stichwort fuhr ein Kleinlaster mit Anhänger vor. Gleich darauf schlenderte ein junger Mann mit Tattoos, langem Haar und geflochtenem Bart herein.

»Das ist Billy. Er kommt, um Schweinefutter zu holen. Er ist einer dieser Biotypen, die seltene Rassen züchten.« Als er Otteys vage verächtliche Miene bemerkte, lachte er. »Lassen

Sie sich von seiner Erscheinung nicht täuschen. Der Junge ist stinkreich. Frei laufende Bioschweine sind einfach das Beste, was es gibt. Er beliefert sämtliche Spitzenrestaurants, Sterneküche und alles. Sogar zwei Drei-Sterne-Restaurants in London sind unter seinen Kunden. Früher hat er bis rauf nach Schottland geliefert, aber dann hat er den Köchen da gesagt, sie sollen lieber lokale Produkte verwenden, und die Lieferungen eingestellt. Das Gleiche in London, deswegen sind es da nur die zwei. Er hat einen Blog und ungefähr dreißigtausend Follower oder so was. Gibt Schlachtkurse, alles. Der Mann ist ein getarnter Unternehmer.«

»Toll, dass Sie die Ware auf diese Weise weiterverwenden«, bemerkte Ottey.

»Sehen Sie es mal so – mir wird es nie an Schweinefleisch mangeln. Nur gut, dass ich kein Jude bin.« Er sagte das auf eine Art, die bei Ottey den Verdacht weckte, dass er geradezu hoffte, damit ein bisschen Ärger zu erregen. »Was haben Sie kürzlich gegessen?«, fragte er Cross, doch der hatte nicht die geringste Ahnung, worum es ging. »Im Adelphi; ich habe Sie dort gesehen – hab Sie aus dem Fitnesscenter wiedererkannt.«

»Ich hatte Lamm-Kleftiko mit Reis und Salat«, antwortete Cross.

»Das Lamm stammt von Billys Vater, ihr Schweinefleisch von Billy und das Geflügel von seinem Onkel. Alles Topqualität!«

»Sie scheinen sehr genau über die Herkunft der dort verwendeten Erzeugnisse informiert zu sein«, stellte Cross fest.

»Ich habe vor einigen Jahren eine Marktlücke gesehen, noch bevor es mit Bioware so richtig losgegangen ist. Diese Jungs hatten keine Ahnung vom Handel, also bin ich eingesprungen und habe ausgeholfen. Wie so eine Art Fleischvertreter. Aber inzwischen brauchen sie mich nicht mehr – mit dem Internet hat sich alles verändert. Trotzdem habe ich immer noch ein Adressbuch voller nützlicher Namen.«

Sie setzten sich. Tony bot ihnen Obst aus einer Schale auf seinem Schreibtisch an, das sie ablehnten. Er war äußerst selbstsicher, aber mit dieser Sorte hatten sie es schon früher zu tun gehabt. Unter der charmanten, offenherzigen Fassade lauerte eine oft geradezu bösartige Gefahr. Alles war in bester Ordnung, solange man ihn nicht verärgerte. Wenn das geschah, konnte alles Mögliche passieren. Sein Haupthaar lichtete sich, doch er gab sich keine Mühe, das zu verbergen. Sein Hinterkopf glänzte in gut gepflegter Bräune. Was an Haar noch da war – pechschwarz und lockig, aber nicht lang –, hatte er mit Pomade an den Seiten zurückfrisiert. Und er hatte sich die Zähne machen lassen, wie Cross bemerkte. Außerdem trug er einen kostspieligen Nadelstreifenanzug, der deutlich mitteilte, dass er Geschäftsmann war, und ein frisches weißes Hemd, das am Kragen offen war und den Blick auf eine zarte Goldkette an seinem Hals freigab. Und er trug Manschettenknöpfe. Dieser Mann achtete sehr genau auf sein Äußeres. Sein Anzug war so geschneidert, dass er sich in der Taille verjüngte, was die breiten Schultern und den muskulösen Brustkorb betonte.

»Sie meinten am Telefon, Sie wollen mit mir über Alex sprechen«, sagte er.

»Ja, das ist korrekt«, antwortete Ottey.

»Eine Tragödie. Und es war tatsächlich Mord?«, fragte er.

»Ohne Zweifel.« Ottey wusste, dass ihr Partner in seinen stummen Beobachtermodus geschaltet hatte, was sie zu

Beginn ihrer Zusammenarbeit gehasst hatte. Damals hatte sie das Gefühl gehabt, der unangenehme Teil der Arbeit bliebe allein an ihr hängen. Aber ganz gleich, an welchem Fall sie arbeiteten, er rückte stets irgendwann mit etwas Grundlegendem heraus. Das gehörte, wie sie im Lauf der Zeit erkannt hatte, einfach zu seiner üblichen Vorgehensweise, die sie inzwischen als ihre gemeinsame Ermittlungsmethode betrachtete. Diese Einordnung hatte ihr einiges erleichtert. Mit ihm zu arbeiten, war definitiv nicht einfach. Er hatte sich beispielsweise nie auf das eingelassen, was sie als Verhörgeplänkel bezeichnete, eine Art der Befragung, bei der die beteiligten Polizisten sich ergänzende Rollen übernahmen. Nicht im Sinne von »guter Cop, böser Cop«, sondern einfach zwei Polizisten, die laut über die mehr oder weniger absurden Aussagen nachdachten, die man ihnen vorgesetzt hatte, und sie auf ironische Weise zerpflückten. Ihrem letzten Partner hatte sie sich eng verbunden gefühlt, Cross hingegen gar nicht. Cross hatte keine Vorstellung von Beziehung, also konnte er sich auch nicht darauf einlassen. Manchmal trieb sie das in den Wahnsinn. Das Schlimmste war, dass ihm das überhaupt nicht bewusst war. Für sie kam hinzu, dass sie stolz auf dieses gelungene Zusammenspiel gewesen war, und nun bekam sie keine Gelegenheit mehr, ihre Fähigkeiten auf diesem Gebiet zu nutzen. Sie hegte den Verdacht, dass Alice recht gut darin wäre, und sie war fest entschlossen, das irgendwann zu testen.

»So eine nette Familie. Ich fühle mit ihnen, das tue ich wirklich«, bekundete Tony und blickte zu Boden.

»Beliefern Sie sie schon lange?«, erkundigte sie sich.

»Nein, gar nicht. Erst seit ungefähr zwei Jahren. Philippos hat mich nie so recht gemocht. Seiner Ansicht nach bin ich zu teuer. Von Bio hält er nichts. Ziemlich altmodisch. Ich will nicht mäkeln, aber er hat nie so viel Wert auf Qualität gelegt wie die Jungs. Trotzdem gibt sogar er zu, dass die Geschäfte wirklich gut laufen, seit wir Partner sind«, erzählte er.

»Partner?«, fragte Ottey.

»Falsche Wortwahl. Ich meinte, seit wir zusammenarbeiten.«

»Wie haben Sie Alex kennengelernt?«

»Ich fürchte, das wird kein gutes Licht auf mich werfen. Ich bin ihm im Fitnesscenter begegnet. Hab ihm sozusagen nachgestellt, wenn Sie so wollen. Ich wusste sofort, wer er war, aber er ist erst vor ungefähr drei Jahren dort aufgetaucht. Wenn es ums Geschäft geht, gebe ich alles. Nichts ärgert mich mehr, als abgewiesen zu werden. Wie von seinem Vater. Das war für mich gewissermaßen eine unerledigte Angelegenheit. Und das ist ein gutes Geschäft, dieses Restaurant, besonders seit sie erweitert haben.«

»Wann war das?«, fragte nun Cross.

»Ungefähr ein Jahr nachdem die Jungs den Laden von ihrem Dad übernommen haben. Sie wollten das ganze Potenzial des Restaurants ausreizen, aber ich glaube, sie sind vielleicht ein bisschen zu forsch vorgegangen. Sie sind in finanzielle Schwierigkeiten geraten. Die standen bei der Bank tief in der Kreide.«

»Sie scheinen bemerkenswert gut über deren Geschäfte informiert zu sein.«

»Wenn es ums Geschäft geht, mache ich aller Leute Angelegenheiten zu meiner Angelegenheit. Eine schlechte Angewohnheit, sagt meine Frau«, räumte er ein. »Jedenfalls habe ich Alex' Bekanntschaft gemacht; wir haben angefangen, zusammen zu trainieren und irgendwann auch übers Geschäft zu sprechen. Ich war ein paarmal Gast in seinem Restaurant, an seinem Geburtstag, bei der Hochzeit eines Cousins. Das Essen war gut, aber es hätte mit besseren Zutaten so viel besser sein können.«

»Und Sie waren der perfekte Lieferant.«

»Natürlich. Kostas hat erst genauso reagiert wie sein Vater: vorsichtig, festgefahren. Hielt die Preise für Abzocke. Ich wollte sie überreden, es ein paar Monate lang auszuprobieren, aber Kostas hat befürchtet, sie könnten ihre Stammlieferanten verlieren, wenn sie abwanderten, auch wenn es nur für kurze Zeit wäre, also ist erst mal gar nichts passiert. Wir haben nur trainiert. Aber Alex hatte Ehrgeiz. Ihm gefiel gar nicht, dass das Restaurant nur das zweitbeste war – seine Worte. Aber was Alex noch weniger mochte, war, wenn man ihm sagte, irgendetwas würde einfach nicht gehen. Er wollte immer Neues ausprobieren. Der Beste sein. Also hat er seinen Bruder irgendwann doch noch überzeugt. Mit uns als Lieferant haben sie ihre Umsätze um fünf Prozent gesteigert. Die Kosten für den Wareneinkauf sind um fünfzehn Prozent gestiegen, aber die haben nur, ich weiß nicht, vielleicht vierzig Prozent der Ausgaben ausgemacht. Rechnen Sie mal nach. Die zusätzlichen Kosten waren schon da durch den gestiegenen Gewinn mehr als gedeckt. Und jetzt haben sie gegenüber damals noch mal um zehn Prozent zugelegt. Sogar Philippos schenkt mir jetzt das ein oder andere Lächeln.«

»Das ist beeindruckend«, räumte Ottey ein.

»Ja, aber wie ich schon sagte, die Freundschaft hat unter den falschen Voraussetzungen begonnen. Was meinen Sie, ob Freundschaft so etwas je übersteht? Ich weiß es nicht. Ob ich ein schlechtes Gewissen habe? Wenn ich so darüber nachdenke, nein. Wir haben beide davon profitiert. Und jetzt ist er tot«, sagte er bekümmert.

»Warum hat er sie von seinem Dealertelefon aus angerufen?«, fragte Cross.

»Wie bitte?«

»Ich habe ihn gut verstanden«, sagte Ottey, der allmählich übel wurde von der Kombination aus der After-Shave-Wolke, die Franopoulos umwogte, und seinem überwältigenden Charme.

»Er hat Sie nur mit dem Telefon angerufen, das er für seine Drogengeschäfte benutzt hat«, sagte Cross. »Wussten Sie von den Drogengeschäften?«

»Ja«, antwortete Tony.

»Haben Sie sich so kennengelernt? Waren Sie ein Kunde von ihm?«

»Nein. Absolut nicht!«

»Ich glaube Ihnen nicht«, bemerkte Ottey.

»Ich nehme keine Drogen. Habe ich nie getan. Ich habe hart gearbeitet, um in diese Form zu kommen.«

Die beiden Detectives sagten nichts dazu, sahen ihn nur zweifelnd an.

»Ernsthaft? Sie glauben mir nicht? Okay, kein Problem, das haben wir gleich.« Er stand auf, schnappte sich einen Pappbecher vom Wasserspender in einer Ecke des Raums und ging hinaus. Ottey sah Cross an.

»Sie glauben doch nicht …?«, fing sie an, brachte den Satz aber nicht zu Ende. Fünf Minuten später kehrte Franopoulos mit dem Pappbecher zurück, der mit Frischhaltefolie abgedeckt war, und stellte ihn auf den Tisch.

»Da. Sie können ihn nach Herzenslust testen«, sagte er triumphierend. Der Becher war gefüllt mit frischem Urin. Die beiden Ermittler schwiegen zunächst. Dann blickte Cross auf.

»Das beweist gar nichts. Sie hätten jemand anderen bitten können, für Sie in den Becher zu urinieren«, sagte er.

»Schön«, erwiderte Tony, stand auf und ging zum Wasserspender.

»Das ist wirklich nicht nötig, Mr Franopoulos. Bitte«, beteuerte Ottey.

»Bestimmt?«

»Ganz bestimmt.«

Er setzte sich wieder.

»Auf Alex' Zweittelefon sind bis zu seinem Tod etliche Anrufe bei Ihnen verzeichnet. Wenn es nicht um Drogen gegangen ist, worum dann?«

»Das war geschäftlich.«

»Warum hat er dann nicht sein normales Telefon benutzt?«

»Das hat er, und ich habe ihn auf der Nummer angerufen.« Er holte sein Smartphone hervor und ging die Anrufliste durch. Da waren Anrufe von Alex, und als Cross genauer hinsah, stellte er fest, dass beide Telefone des Opfers in der Liste auftauchten.

»Aber Sie tauchen nicht in der Anrufliste des anderen Telefons auf«, bemerkte Cross.

»Sie suchen nach dem falschen Namen. Versuchen Sie es mit Fanny«, sagte er. Ottey sah ihn fragend an. »Die Leute nennen mich Franny. Alex hat das einmal falsch geschrieben, als er den Namen am Telefon eingegeben hat. Fand das furchtbar lustig, also ist es dabei geblieben.« Nun zeigte er auf seinen Schreibtisch, auf dem zwei weitere Telefone lagen. »Ich habe drei Telefone, und ich bin kein Drogendealer. Eines für Geschäftliches, eines für die Familie.«

»Und das dritte?«, hakte Cross nach.

»Das ist persönlich«, antwortete er, und nun konnte Ottey ihn sogar noch weniger ausstehen.

»Was sagt Ihnen der Name Hellenic?«, fragte sie zu Cross' Verdruss. Zum einen fiel diese Frage seiner Ansicht nach viel zu früh in diesem Gespräch, zum anderen kannten sie bisher nicht einmal den vollen Namen.

»Nichts. Was ist das?«, fragte er.

»Tja, da sind wir nicht ganz sicher, aber Alex schien Geschäfte mit ihnen zu machen … oder ihm«, sagte sie und bestätigte damit Cross' Überlegungen. In seinen Augen vermittelten ihre Worte den Eindruck, als würden sie die Ermittlungen nicht führen, sondern sich von ihnen führen lassen.

»Warum haben Sie kürzlich Ihr Abendessen nicht bezahlt?«, fragte Cross.

»Das ist eine Privatangelegenheit«, sagte Tony lächelnd.

»Dies ist eine Mordermittlung. Derartige Feinheiten sind hier nicht angebracht, und sie interessieren uns auch nicht«, konstatierte Cross. Tony holte tief Luft und hielt den Atem an, als müsste er darüber nachdenken, ob er noch mehr sagen wollte.

»Alex hat mir etwas Geld geschuldet. Wie ich bereits sagte, sind wir ziemlich gute Freunde geworden. Angesichts der Umstände habe ich es ihm erlassen. Es waren nur ein paar Tausend«, erklärte Tony.

»Das wäre sehr großzügig von Ihnen gewesen, hätten Sie ihm nicht so exorbitante Zinsen berechnet. Tatsächlich haben Sie die gesamte Summe plus Zinsen bereits vor Monaten zurückbekommen. Das kann man kaum als einen Schuldenerlass bezeichnen«, meinte Cross leicht angewidert. Tony schwieg.

»Ich glaube, wir sind hier fertig«, merkte Ottey an. Normalerweise überließ sie es Cross, solche Unterredungen zu beenden, aber ihr Instinkt sagte ihr, dass er inzwischen auch genug hatte. Sie standen auf und gingen zur Tür.

»Haben Sie nicht etwas vergessen?«, fragte Tony. Als Ottey sich umdrehte, sah sie, dass er den Becher mit Pisse hochhielt. Cross, der mit nichts anderem gerechnet hatte, war einfach weitergegangen.

Während sie unterwegs zu ihrem Auto waren, fuhren zwei Lieferwagen auf den Hof, ein Luton und ein Transit. Beide waren hellblau und trugen Franopoulos' Logo: im Hintergrund ein großes Bild der Akropolis vor einem herrlich klaren Himmel, im Vordergrund diverse Kisten mit Lebensmitteln. Sie stiegen in den Wagen, und als sie davonfuhren, fiel Cross auf, dass Tony auf der Laderampe aufgetaucht war und ihnen nachblickte. Wenn Leute sich so verhielten, lag das seiner Erfahrung nach oft daran, dass sie annahmen, sie würden noch mehr mit der Polizei zu tun bekommen, und sich überlegten, welche Schritte sie ergreifen sollten.

»Was für ein widerlicher Typ«, stellte Ottey fest. »Er könnte leicht in die ganze Geschichte verwickelt sein.«

»Und ebenso leicht könnte er es nicht sein«, entgegnete Cross.

18

Carson sah von seinem Büro aus, wie Ottey und Cross das Department betraten, und kam heraus in das Großraumbüro.

»Bei der Tür-zu-Tür-Befragung hat sich etwas ergeben. Alice wird Sie informieren«, erklärte Carson und ging zu Mackenzies Schreibtisch.

»Ja?«, sagte sie und blickte auf, als hätte sie ihn nicht gehört. Sie trug Kopfhörer. Eigentlich hatte Cross Ottey bitten wollen, ihr zu sagen, dass sie bei der Arbeit darauf verzichten solle. Das schien Ottey auf wundersame Art vorausgeahnt zu haben, denn sie war ihm zuvorgekommen und hatte ihm erzählt, Alice würde sich die Befragung eines Verdächtigen in einem anderen Fall anhören, was nach Carsons Ansicht lehrreich für sie wäre.

»Sie haben mit den Uniformierten gesprochen«, soufflierte Carson.

»Oh, ja, sorry. Ein paar Anwohner haben einen Lieferwagen gesehen, der dem auf den Überwachungsaufnahmen vom hinteren Ende der Garagenreihe gleicht – vermutlich direkt vor der Garage, in der die Leiche gefunden wurde –, und zwar vor zwei Wochen gegen zwanzig nach zwei morgens.«

»Das genaue Datum?«, hakte Ottey nach.

»Der Neunte«, antwortete Mackenzie.

»Der Morgen der Abreise nach Teneriffa«, kommentierte Ottey.

»Warum hören wir erst jetzt davon?«, fragte Cross.

»Da ist noch mehr«, sagte Carson.

»Einer der Zeugen ist gerade nach Hause gekommen und hat den Lieferwagen nur da stehen sehen. Die andere hat eine Zigarette geraucht und ihn eine Weile im Auge behalten«, berichtete Mackenzie.

»Nummer zweiundsechzig?«, fragte Cross. Mackenzie zog ihre Notizen zurate.

»Ja. Woher wussten Sie das?«

»Ihre Freundin arbeitet in der Spätschicht und sie wartet immer auf sie. Ihre Vorhänge bleiben bis zum späten Nachmittag geschlossen – die Freundin ist Nichtraucherin«, sagte Cross. »Fahren Sie fort.«

»Sie hat gesagt, der Lieferwagen sei scheinbar ziellos umhergefahren. Der Mann …«

»Ist sie sicher, dass es ein Mann war?«, fiel Cross ihr ins Wort.

»Sie glaubt es jedenfalls. Aber er war zu weit weg, als dass sie ihn genau hätte erkennen können. Er hat die Garagentür geöffnet und den Lieferwagen rückwärts reingefahren.«

»Er wollte nicht gesehen werden«, dachte Cross laut.

»Ja, aber viel interessanter ist, dass er auf einer Seite an den Rahmen des Garagentors geschrammt ist. Sie meint, der Wagen müsste beschädigt worden sein, weil das höllisch laut war«, sagte sie. »Und dann ist da noch etwas …«

»Klingt, als hätte er es eilig gehabt, vielleicht war er extrem aufgeregt. Das war der Neunte, also war der Mord gerade erst begangen worden«, bemerkte Cross und unterbrach sie erneut.

»Da war ein Schriftzug auf der Seite des Vans – eine Art Firmenzeichen«, sagte Mackenzie.

»Das CCTV-Department sieht sich die Sache gerade an«, fügte Carson hinzu.

»Wir sollten bei den Karosseriewerkstätten in der Umgebung nachfragen, besonders bei unseren zwielichtigen Freunden, und uns erkundigen, ob jemand in den letzten paar Wochen einen Lieferwagen zur Reparatur abgegeben hat«, sagte Ottey.

Mackenzie, die noch vom letzten Fall genug davon hatte, verdrehte genervt die Augen.

»Tommy, können Sie das übernehmen?«, fragte Ottey einen Uniformierten im hinteren Bereich des Großraumbüros. Der nickte und machte sich eine kurze Notiz. Mackenzie war erleichtert.

»Alice könnte ihn unterstützen«, schlug Cross vor. »Sie weiß nach dem Carpenter-Fall eine Menge über diese Werkstätten.«

Sie fühlte sich zwar geschmeichelt, war aber auch verärgert. Würde sie nie wieder irgendeine zwielichtige Karosseriewerkstatt sehen müssen, wäre das noch nicht annähernd gut genug.

»Wir sollten noch einmal zum Ablageort zurückgehen«, sagte Cross zu Ottey. »Die Forensiker haben sich auf den Bagger konzentriert. Da war alles voll mit Farbe, Öl, Graffiti, Zement. Farbrückstände an einem Garagentorrahmen wären nicht überraschend gewesen, also haben sie die vielleicht gar nicht beachtet.« Und schon verschwand er. Insgeheim war er wütend auf sich selbst, weil er die Zeugin nicht gefragt hatte, ob sie in der Nacht des Mordes irgendetwas gesehen hatte, als er mit ihr gesprochen hatte. Das war grobe Stümperei. Er ging stets hart mit sich ins Gericht, wenn er sich solche Fehler zuschulden kommen ließ.

»Wollen Sie Ihren Partner nicht begleiten, Josie?«, fragte Carson spitzbübisch.

Bis Ottey sich gesammelt hatte und ihm nach draußen gefolgt war, hatte Cross den Parkplatz bereits auf seinem Fahrrad verlassen. Als sie mit dem Wagen an ihm vorbeifuhr, hupte sie, um ihren Ärger darüber auszudrücken, dass er ohne sie losgezogen war. Er erschrak so sehr, dass er aus dem Gleichgewicht geriet und vom Rad stürzte. Prompt hatte sie ein schlechtes Gewissen. Sie ging vom Gas, um über den Rückspiegel nachzusehen, ob er wohlauf war. Das war er, also beschleunigte sie und fuhr davon, ehe er Gelegenheit hatte, zu erkennen, wer da gehupt hatte.

Cross hatte darauf bestanden, dass die Abrissarbeiten nicht fortgesetzt wurden, sehr zum Ärger von Morgan, dem Bauunternehmer. Aber selbstverständlich hatte Cross recht behalten, denn nun waren sie wieder dort und suchten nach Spuren von Autolack – die natürlich längst verschwunden wären, wären die Arbeiten fortgesetzt worden. Autolack hatte auch in einem ihrer letzten Fälle eine wichtige Rolle gespielt, wie Ottey durch den Kopf ging, als sie den Wagen abstellte. Cross traf nicht lange nach ihr ein. Sie fragte ihn, ob alles in Ordnung sei, und bereute die Frage sogleich, weil sie fürchtete, sie könnte ihm verraten, dass sie diejenige war, die gehupt hatte. Er bejahte und machte sich schnurstracks auf den Weg zu den Überresten der relevanten Garage. Da von dem hölzernen Rahmen des Tors noch große Teile verblieben waren, dauerte es nicht lange, und er fand, was er gesucht hatte. An einem dieser Teile hafteten Lackspuren.

»Lack. Metallic, glaube ich. Wir müssen die Forensiker herholen«, sagte er.

Zwanzig Minuten später, nachdem sie ihm gesagt hatte, dass kein Forensikteam verfügbar war, sah Ottey zu, wie Cross über den Trümmerhaufen stieg und anfing, an dem Holzrahmen zu zerren.

»George, das ist immer noch ein Tatort«, mahnte sie.

»Es hat keinen Sinn, ihn im Istzustand zu erhalten, wenn wir kein Forensikteam haben, das herkommt und die Beweise sichert«, antwortete er. Aber das verflixte Teil wollte sich so oder so nicht lösen lassen, wie sehr er sich auch bemühte. Entrüstet betrachtete er es und versuchte es erneut, aber es gab nicht nach. Ottey seufzte und ging zu ihm, um ihm zu helfen.

Glücklicherweise fuhr Ottey einen Kombi, denn auf dem Rückweg zum Revier beherbergte ihr Kofferraum nicht nur Cross' Fahrrad, sondern auch ein großes Stück aus dem Rahmen des Garagentors, das gerade so reinpasste. Es beanspruchte die ganze Länge des Innenraums, ragte zwischen ihren Sitzen hervor und endete nur wenige Zentimeter vor der Windschutzscheibe. Sie konnte nur hoffen, dass sie nicht abrupt bremsen musste, ehe sie die MCU erreichten. Immerhin war sie ziemlich sicher, dass ihre Windschutzscheibe kostenlos in der Fahrzeugversicherung mitversichert war. Wie kamen die nur darauf, so etwas einfach zu verschenken, fragte sie sich. Aus reiner Herzensgüte passierte das bestimmt nicht, also musste es einen geschäftlichen Vorzug haben. Vielleicht gab es schlicht und ergreifend nicht viele Schäden an Windschutzscheiben, und die Gratisversicherung sah nur aus wie ein großzügiges Angebot, war aber im Grunde keines.

Cross war verärgert, denn ein verdammt großer Splitter hatte sich in seinen Finger gebohrt. Den größten Teil hatte er wieder herausbekommen, doch das Ende war abgebrochen.

Er würde sich der Sache später mit einer sterilisierten Nadel annehmen; das war genauso effizient wie ein voll ausgebildeter Arzt in der Notaufnahme.

Carson blickte von seinem Schreibtisch auf und starrte gleich wieder auf seinen Monitor. Dann stutzte er und schaute erneut auf. Tatsächlich, was er gesehen hatte, war ein riesiger Türpfosten, der von einem zürnenden Cross an ihm vorbeigetragen wurde. Cross hatte ihn über seine Schulter gelegt und das andere Ende schleifte über den Boden. Carson wollte nicht aussprechen, was ihm in den Sinn gekommen war, denn sein politisches Gespür stellte sich dem umgehend in den Weg – aber Cross sah aus, als wäre er auf dem Weg zu seiner eigenen Kreuzigung. Carson trat ins Großraumbüro, wo Cross innegehalten hatte.

»George, ich wusste gar nicht, dass Sie Treibholz sammeln«, sagte er lachend, und einige der anderen im Raum stimmten mit ein.

»Was?«, fragte Cross verwirrt. »Das tue ich nicht. Warum sollte ich Treibholz sammeln?« Dann ging ihm auf, worauf sich sein Boss bezog. »Das stammt von einem Tatort. Es ist ein Teil eines Torrahmens.«

»Und was hat das hier zu suchen? Das verstößt gegen alle Grundsätze zum Schutz der Beweiskette«, konstatierte Carson und sah Ottey an, als erhoffte er sich von ihr eine Erklärung. Aber ihre Mimik verriet ihm, dass er die nicht erhalten würde. Sie war auch so schon aufgebracht genug.

»Was hätte ich sonst tun sollen? Offenbar konnte die Forensik niemanden entbehren. Wie sollen wir Verbrechen aufklären, wenn uns die Ressourcen fehlen?«, fragte Cross.

Darauf hatte Carson keine Antwort. Außerdem sagte ihm

die Erfahrung, dass jeder Versuch, darüber öffentlich mit Cross zu diskutieren, nur dazu führen würde, dass er den Kürzeren zöge und dumm dastünde.

»Ich bringe relevante forensische Beweisstücke auf das Revier, weil heute offenbar kein Forensiker verfügbar ist«, fuhr Cross fort.

»Das ist wahr«, räumte Carson ein.

»Tatsächlich? Sind Sie da wirklich sicher?«

»Das ist das, was man mir, genauso wie Ihnen, gesagt hat«, antwortete Carson.

»Ich weiß nämlich zufällig, dass Eric Walsh zu Hause sitzt und nichts tut. Farben, Plastik und synthetische Materialien sind sein Spezialgebiet, und wir könnten uns seine Fertigkeiten zunutze machen, wäre er nicht im letzten Monat wegen abteilungsinterner Sparmaßnahmen entlassen worden«, sagte Cross. Carson versuchte gar nicht erst, die Aussage zu entkräften. »Wenn es also nicht zu viel verlangt ist, wäre es mir lieb, würde irgendjemand das hier ins Labor bringen und Eric bitten, zurückzukommen und diese Lackspuren zu identifizieren.«

»Ich fürchte, das ist nicht möglich. Aber das wissen Sie ja bereits, genau wie jeder andere, dass ich zu Kürzungen gezwungen war. Was mir so wenig gefällt wie Ihnen«, sagte Carson.

»Das verstehe ich, weshalb ich es unter den gegebenen Umständen auch für hilfreich gehalten habe, die Beweismittel herzubringen. Die Frage ist, was ich jetzt damit anfangen soll«, sagte Cross.

»Überlassen Sie das mir. Ich kümmere mich darum«, antwortete Carson beschwichtigend.

»Danke. Ich bin in meinem Büro«, entgegnete Cross, machte kehrt und marschierte davon.

»Gern geschehen. Es wird ein paar Tage dauern.«

»Was?« Cross blieb wie angewurzelt stehen.

»Wir müssen es jetzt eben wegschicken, das ist alles. Das ist kein großer Unterschied.«

»Das ist ein enormer Unterschied«, gab Cross zurück.

»Ich stimme George zu«, warf Ottey wenig hilfreich ein. »Demnächst schicken wir unsere Tatortfotos noch zum Drogeriemarkt.«

»Nein, das werden wir nicht tun«, blaffte Cross wütend. »Sie sind sowieso alle digital, folglich ist das unnötig.« Ein paar der anderen Detectives im Raum fingen an zu kichern.

»Ich habe nur versucht, etwas zu verdeutlichen, George. Um Sie zu unterstützen«, protestierte Ottey.

»Mit fehlerhaften Informationen können Sie gar nichts unterstützen«, konterte er. Sie gab auf. Sollte er diese Sache eben allein ausfechten. Ottey ging zurück zu ihrem Schreibtisch.

»Sie sagten, es dauere ein paar Tage. Das allein ist schon ein Unterschied«, konstatierte Cross, dessen Aufmerksamkeit nun wieder ausschließlich Carson galt.

»Hoffentlich kommen wir mit zwei Tagen hin. Ich fordere sofort einen Kurier an«, sagte der.

»Einen Kurier?«, stieß Cross fassungslos hervor. Carson verschwand, ehe er noch etwas sagen konnte, das weiteren Ärger heraufbeschwören könnte.

In seinem Büro legte Cross eine Pause von dem aktuellen Fall ein und widmete sich wieder der Vorbereitung der Papiere für den Prozess im Mordfall Carpenter. Ein Mann und seine Frau, ermordet im Abstand von fünfzehn Jahren. Der Fall war schwierig gewesen und die Ermittlungen hatten zu einem überraschenden Ende geführt. Wie stets war er bestrebt, seinen Bericht zu diesem Fall für das Gericht so klar wie nur möglich abzufassen. Die Jury sollte keinerlei Zweifel hegen, die Staatsanwaltschaft keine Schwachstellen finden, und keine Formalien sollten das Gericht davon abhalten können, die schuldige Partei zu verurteilen. Alles musste exakt nach Vorschrift ablaufen, wie es bei Cross immer der Fall war.

Ottey tauchte an der Tür auf. »Ich brauche Kaffee und frische Luft. Wollen Sie mich begleiten?«

Cross sah zur Uhr. »Ich werde erst in einer halben Stunde wieder Kaffee zu mir nehmen. Nein.«

Sie war klug genug, keine Einwände zu erheben, obwohl sie wollte, dass er mit ihr ging. Sie wollte den Fall noch einmal mit ihm durchgehen, ohne dass irgendjemand anderes dabei war. Also wartete sie. Dreißig Minuten später fuhren sie auf Cross' Betreiben ins Zentrum von Bristol zu einem Café, das von einem neuseeländischen Paar betrieben wurde. Diese machten, wie er sagte, den besten Espresso mit heißer, nicht aufgeschäumter Milch im ganzen Südwesten. Neuseeland, klärte er sie auf, war weltweit führend geworden auf dem Gebiet der Kaffeezubereitung. Tatsächlich behaupteten sie von sich, den »Flat White« erfunden zu haben, was zu einer erbitterten Auseinandersetzung geführt hatte, weil ein Australier aus Sydney nun für sich beanspruchte, diese Zubereitungsart bereits 1989 erfunden zu haben.

Als sie zum Wagen zurückging (er hatte nach einem Blick durchs Fenster festgestellt, dass das Café zu voll war, als dass er sich konzentrieren und ein sinnvolles Gespräch mit ihr führen könnte) und den Kaffee kostete, sah sie sich gezwungen einzugestehen, dass er die Fahrt in der Tat wert war.

Cross bestand darauf, die Fakten, die sie bisher hatten, durchzusprechen. Nachdem ihr die Partnerschaft mit ihm aufgezwungen worden war, hatte sie diese Vorgehensweise zunächst als sagenhaft ermüdend und mühselig empfunden. Inzwischen musste sie jedoch zugeben, dass einige seiner besten Überlegungen und Ideen zu den jeweiligen Ermittlungen genau diesen sich wiederholenden Aufzählungen entsprangen.

»Also, was denken Sie über den Obst-und-Gemüse-Mann?«, fragte Cross.

»Er hat irgendetwas damit zu tun«, antwortete sie. Ein wenig überrascht blickte Cross sie an. »Sorry, ich meine nicht mit dem Mord, nicht zwingend, obwohl ich auch das nicht ausschließen würde. Aber es gibt definitiv eine Verbindung zwischen Alex und ihm.«

»Und Hellenic?«

In Hinblick auf Hellenic hatten sie wieder eine Niete gezogen. Es handelte sich um ein griechisches Unternehmen, das, soweit sie es sagen konnten, von Athen aus operierte. Die Niederlassung in London bestand lediglich aus einem Messingschild an einem georgianischen Gebäude in Mayfair und einer Postfachadresse. Kein Telefon, keine Informationen bei Company House. Hellenic war tatsächlich einmal eine der großen Schifffahrtsgesellschaften gewesen, die von dem Sohn des Gründers veräußert worden war, einem typischen Eurotrash-Playboy, Otteys Eindruck zufolge. Mehrere Ehefrauen, noch mehr Freundinnen und Dutzende von Kindern, ehelich und außerehelich. Trotz seines erstaunlichen Hangs zum Exzess war es ihm nicht gelungen, die geerbten Millionen durchzubringen, ehe er irgendwo in den Kykladen über Bord gefallen war. Sein Leichnam war nie gefunden worden. Er hatte etliche Erben, doch trotz der großen Anzahl konnten sie sich dank des enormen Reichtums alle als begütert betrachten. Eine seiner Töchter führte eine Wohltätigkeitsorganisation im Namen ihres Großvaters. Einige der anderen Kinder waren in diversen Geschäftsbereichen tätig, darunter Immobilien und Medien. Ein Nachfahre war sogar Künstler. Aber derzeit konnten sie nicht sagen, wieso der Name im Zusammenhang mit Alex aufgetaucht war.

»Da könnte alles Mögliche dahinterstecken«, sagte Cross.

»Richtig«, stimmte sie zu. »In Leeds gibt es sogar ein Reiseunternehmen namens Hellenic.«

»Gut, was haben wir sonst noch?«

»Die Apotheke ist, soweit wir wissen, sauber«, sagte Ottey.

»Was nur heißt, dass sie nicht der Tatort war. Den Apotheker schließt das jedoch nicht aus. Die Tat könnte sich an irgendeinem anderen Ort ereignet haben«, gab Cross zu bedenken.

»Richtig.«

»Wir müssen uns auch wieder auf die Textnachricht konzentrieren.«

»Warum?«

»Weil sie keinen Sinn ergibt. Da ist der fehlende Hinweis auf die vorangegangene Auseinandersetzung. Es klingt, als wäre alles in bester Ordnung. Als wäre nichts passiert. Etwas stimmt da nicht.«

»Also hat er sie, wie wir bereits festgestellt haben, aller Wahrscheinlichkeit nach nicht selbst geschickt«, schlussfolgerte sie.

»Exakt. Aber da ist auch noch das Gepäck. Er hat gepackt und wollte offensichtlich immer noch mitreisen, was ebenfalls bedeutsam ist. Es heißt, dass zwischen Auseinandersetzung und Textnachricht definitiv noch etwas geschehen ist, von dem wir nicht wissen. Aber die Kernfrage lautet: Wer hat diese Nachricht geschickt?«

Sie nippten an ihrem Kaffee. Dann hatte Cross eine Idee.

»Sein Oberschenkel. Wir sollten Clare bitten zu prüfen, ob da irgendeine Verletzung vorliegt.«

»Kann sie das postmortal feststellen? Ich meine, kann man so einen Muskelfaserriss oder eine Zerrung wirklich sehen?«

»Das weiß ich nicht genau. Aber wenn Sportler sich verletzen, lassen sie gewöhnlich ein MRT machen … Sie sollten Clare anrufen und fragen, ob sie ein postmortales MRT hat durchführen lassen.«

»Warum ich?«, fragte sie.

»Sie wissen sehr genau, warum, und ich glaube, im Moment wollen Sie mich aufziehen«, sagte er. Sie wussten beide, dass Clare Cross eine Art Hassliebe, gepaart mit widerwilligem Respekt, entgegenbrachte und sie nie wissen konnten, in welche Richtung das Pendel ihrer Gefühle ihm gegenüber gerade ausschlug.

19

Cross saß einige Tage bei geschlossener Tür und herabgezogenen Rollos in seinem Büro. Er kam früh am Tag, vor allen anderen, und ging als Letzter. Die ganze Zeit bekam niemand ihn zu sehen. Ottey hatte einmal im Scherz zu ihm gesagt, wenn er sein Büro auf diese Art verrammelte, könne er sich einfach für ein paar Tage freinehmen, und niemand würde irgendetwas merken. Er hatte verständnislos reagiert und nicht begriffen, warum er mitten in einer Mordermittlung so etwas tun sollte. Seine Handlungsweise deutete doch lediglich darauf hin, dass er nicht gestört werden wollte. Die Leute hatten sich daran gewöhnt und respektierten seinen Wunsch, denn wenn er wieder zum Vorschein kam, hatte er meist etwas für den gerade aktuellen Fall Bedeutsames entdeckt. Nicht im Stil von Sherlock Holmes, der in eloquenter Weise über eine perfekt zugeschnittene Theorie zum jeweiligen Geschehen salbadern würde. Nein, bei Cross war es gewöhnlich ein kleines Detail, das bisher niemandem aufgefallen und folglich schlicht übergangen worden war, das sich jedoch nun als etwas erwies, das einen entscheidenden Beitrag zur Lösung des Falles darstellte.

Außerdem zog er sich nur derart zurück, wenn er überzeugt war, dass sie derzeit nicht viel vorzuweisen hatten und zweifelhaften Spuren nachjagten, um mit zu wenig Fakten ein Narrativ zusammenzupuzzeln. Was natürlich einen großen Teil der Polizeiarbeit ausmachte. Aber er wusste einfach, dass er, wenn er sich konzentrierte, vielleicht etwas zutage fördern könnte. Manchmal dauerte es nur ein paar Stunden, dann wieder mehrere Tage am Stück. Derzeit brütete er über den Nachrichten in einem E-Mail-Konto von Alex, das sie durch den USB-Stick gefunden hatten. Da gab es eine Menge Korrespondenz mit einem Angelo Sokratis von Hellenic Holdings in Athen. Was Cross aber vor allem ins Auge sprang, war der Name der Person, die die beiden miteinander bekanntgemacht hatte: Franny. Also hatte Tony etwas damit zu tun. Noch interessanter war, dass in Alex' Terminkalender ein Treffen für den Abend vermerkt war, an dem er gestorben war. Es hatte im Hampton by Hilton Hotel am Flughafen stattfinden sollen. Cross ging die Flugpläne durch und suchte nach Privatflugzeugen, und tatsächlich entdeckte er eines, das um halb sechs am Nachmittag aus Athen gekommen und kurz nach eins am Morgen wieder gestartet war. Ihm war gar nicht bewusst gewesen, dass der Flughafen von Bristol vierundzwanzig Stunden am Tag in Betrieb war. Für den Flug waren zwei Passagiere und eine Stewardess eingetragen worden. Bei den Passagieren handelte es sich um Angelo Sokratis und seinen Geschäftspartner Theo. Wie es schien, hatte sich Angelo von einem potenziellen Mitinvestor zum einzigen Investor gemausert, und zwar etwa zu der Zeit, zu der Alex seiner Bank erklärt hatte, er würde ihren Kredit nicht benötigen.

Über die Bedingungen hatte es ein erhebliches Hin und Her gegeben, im Zuge dessen Theo versucht hatte, Alex unter Druck zu setzen, doch der hatte sich, das muss gesagt werden, nicht unterkriegen lassen. Am Ende erklärte er den Athenern, dass er auf diesen Deal nicht angewiesen sei. Er würde einfach wieder zur Bank gehen, sich in Geduld üben und einen anderen Investor suchen. Er war zuversichtlich gewesen, dass sein Projekt für mögliche Investoren immer attraktiver geworden war, je mehr Arbeit er hineingesteckt hatte. Je genauer er rechnete, desto mehr potenzieller Profit kam dabei heraus. Eine der großen Entscheidungen, die Alex getroffen hatte, war, den Standort von dem frisch sanierten Gebiet um King's Cross nach Camden zu verlegen, was die Fixkosten erheblich reduzierte. Er fand King's Cross viel zu überteuert und behauptete, er sei dazu verführt worden, eine Gegend zu wählen, die sich in rapidem Tempo zu einem der angesagtesten und folglich kostspieligsten Viertel von London entwickelte, obwohl gerade das ursprünglich der Grund für diese Wahl gewesen war. Besser, so sagte er, er schlug seine Zelte an einem weniger kostenintensiven Ort auf, bis er sich einen Namen gemacht hatte. Und dann, wenn er einen ausreichend großen Kundenstamm hatte, konnte er vielleicht doch noch nach KX ziehen.

Aber irgendetwas war in den letzten paar Wochen schiefgelaufen. Was das war, konnte Cross anhand dessen, was er vor sich hatte, nicht feststellen. Aber es war bedeutsam genug, dass Angelo hergeflogen war, um sich persönlich mit Alex zu treffen. Der dritte und vielleicht wichtigste Punkt, der zudem leicht zu übersehen war bei den Hunderten von E-Mails von Alex und Theo, war ein »CC« in einer davon. Und der Name, der dort stand, verblüffte Cross, denn diese Person wusste angeblich gar nichts davon, dass das London-Projekt weiterverfolgt worden war.

Eines Nachmittags tauchte Kostas bei der MCU auf und fragte nach Cross und Ottey. Als sie sich in die Voluntary

Assistance Suite oder kurz VA-Suite setzten, schüttete Kostas den Inhalt eines schwarzen Abfallbeutels, den er mitgebracht hatte, auf den Tisch, auf dem die Kaffeemaschine thronte. Zum Vorschein kamen etliche Packungen und Fläschchen, alle voller Pillen.

»Die habe ich versteckt im Lebensmittellager gefunden«, verkündete er. Ottey sah sich die Packungen an. Die Namen sagten ihr nichts. Größtenteils waren es pharmazeutische Bezeichnungen, soweit sie es beurteilen konnte. Cross jedoch schien gar nicht an den Drogen interessiert zu sein. Er musterte Kostas.

»Haben Sie danach gesucht?«, fragte er.

»Nein«, sagte Kostas.

»Aber wenn sie versteckt waren, wie konnten Sie sie dann entdecken«, fuhr er fort. »Haben Sie also danach gesucht?« Eine Nanosekunde verging, während Kostas sich offensichtlich überlegte, wie er darauf antworten sollte.

»Nein, wir haben die übliche Lagerbestandsaufnahme gemacht«, sagte er. »Verderbliche Ware«, ergänzte er, als würde das seinen Worten mehr Glaubwürdigkeit verleihen.

»Also schön. Nun, da Sie schon hier sind, können wir uns vielleicht unterhalten?«, fragte Cross. Kostas wirkte verunsichert. Vielleicht hatte er erwartet, sie würden sich einfach bedanken und ihn seiner Wege schicken.

»Sicher. Aber ich kann nicht lange bleiben. Ich muss den Abendbetrieb vorbereiten«, sagte er.

»Natürlich. Würden Sie mich entschuldigen?«, sagte Cross und ging hinaus, worauf Kostas ein wenig verwirrt Ottey anstarrte.

»Kaffee?«, fragte sie. »Das Einzige, was ich Ihnen versichern kann, ist, dass er nicht annähernd so gut sein wird wie Ihrer.«

»Danke, gern«, antwortete er.

Cross kam zurück und stieß die Tür mit der Kehrseite auf. In seinen Händen hielt er einen kleinen Tisch, etwa so groß wie ein Kartentisch. Er stellte ihn mitten in den Raum und verschwand wieder. Kostas sah erneut Ottey an.

»Meistens kommt er ohne den Tisch zurecht, aber heute braucht er ihn anscheinend«, sagte sie. Wortlos trat Cross wieder ein, stellte einen Stuhl hinter den Tisch und fing an, seine Papiere zu sortieren, ehe er Kostas anblickte.

»Also, Kostas«, begann er, »ich glaube, es ist Zeit, dass Sie anfangen, uns die Wahrheit zu sagen, und nicht nach eigenem Gutdünken entscheiden, was Sie uns gegenüber preisgeben und was nicht.«

»Ich verstehe nicht.«

»Ihr Bruder ist tot, ermordet. Ein netter junger Mann, der sich, wie ich annehme, vielleicht ein bisschen in Schwierigkeiten gebracht hat. Sie jedoch, nun, Sie stecken nicht in Schwierigkeiten, aber wie lange das so bleibt, hängt ganz davon ab, wie ehrlich Sie uns gegenüber sind. Bis zu einem gewissen Grad waren Sie aufrichtig, doch Sie haben auch Dinge zurückgehalten. Was ungünstig ist. Sehen Sie, es kostet uns Zeit, herauszufinden, was Sie uns verschwiegen haben. Nutzlos, denn Sie hätten uns durch Ihr Wissen viele Stunden Arbeit ersparen können. Und wenn die Leute uns nicht alles sagen, dann meist, weil sie etwas zu verbergen haben. Weil sie etwas getan haben, das sie verheimlichen müssen, weil sie in irgendeiner Weise in das verwickelt sind, was die Polizei gerade untersucht. Sie, davon bin ich überzeugt, haben nichts mit dem Tod Ihres Bruders zu tun, und das Gleiche gilt vermutlich für seinen Drogenhandel.«

»Seinen was?«, fragte Kostas.

»Ihr Bruder hat nicht nur leistungssteigernde Drogen genommen, er hat während der vergangenen Monate auch damit gehandelt. Sie haben doch nicht gedacht, dass die ...« Er deutete auf den Haufen Tabletten auf dem anderen Tisch. »... nur für den Eigenbedarf waren, oder?«

»Dieser verdammte Idiot«, schimpfte Kostas. »Da ist also das ganze Geld hergekommen?«

»Es scheint so. Angesichts dessen, dass er einen regelrechten Handel damit betrieben hat, haben wir angenommen, dass er irgendwo einen Vorrat gelagert hat, und den haben Sie gefunden.«

»Ich fasse es nicht. Ist er deswegen umgebracht worden?«

»Die Wahrheit lautet, wir wissen es nicht genau. Und Sie sagen, Sie haben von alldem nichts gewusst?«, hakte Cross nach.

»Absolut nichts«, versicherte Kostas.

»Und das ist in Ihrem Fall ein eindeutiger Nachteil, Kostas«, konstatierte Cross.

»Wie meinen Sie das?«

»Nun ja, unter normalen Umständen würden wir Ihnen glauben. Und mit normal meine ich, wenn Sie uns nicht bei den beiden vorangegangenen Gelegenheiten, als wir Sie aufgesucht haben, Dinge vorenthalten hätten. Sie haben uns nichts von Debbie erzählt, Sie haben uns nichts von dem Drogenkonsum erzählt ...«

»Weil ich nichts davon gewusst habe. Ehrlich.«

»Ich weiß nicht, ob ich Ihnen das abnehme. Sie beide haben sich laut Ihrer und Debbies Aussage extrem nahegestanden, wie Zwillinge. Sie haben über alles gesprochen«, sagte Cross.

»Nicht darüber, das schwöre ich.«

»Was ist mit London?«, fragte Cross.

»Was soll damit sein?«, gab Kostas zurück. In Cross' Augen war das eine interessante Reaktion. Defensiv und ein wenig streitlustig – ein ungewöhnliches Auftreten bei diesem Mann.

»Sie haben gesagt, anfangs seien Sie informiert gewesen?«

»Ja, er wollte, dass wir Partner sind, aber ich war nicht interessiert.«

»Und warum das?«

»Wir sind gut zurechtgekommen, doch er hat immer mehr gewollt. Der Beste sein, wie ich Ihnen schon gesagt habe.«

»Das war alles?«

»Ich wollte meine Eltern nicht aufregen. Sie haben das Geschäft aus dem Nichts aufgebaut und sie sind stolze Menschen.«

»Und das war ein Teil seines Problems«, mutmaßte Cross. »Es war ihr Geschäft, nicht seines oder Ihres.«

»Aber das ist es jetzt. Es gehört uns«, sagte Kostas.

»Das ist der Punkt. Er hat es nicht selbst aufgebaut. Man hat es Ihnen beiden auf dem Silbertablett serviert, wenn Sie das Wortspiel verzeihen, und das hat ihm enorm zu schaffen gemacht. Hat es Ihnen auch zu schaffen gemacht?«

»Nein. Wie gesagt, ich fand, wir sind gut zurechtgekommen. Das war alles nicht nötig.«

»Ist das wirklich wahr?«, hakte Cross nach.

»Ich verstehe nicht, worauf Sie hinauswollen.«

»Er war immer der Ehrgeizige. Er war ein Anführer, Sie waren ein Mitläufer. Stimmt das nicht?«

»Als wir jünger waren, vielleicht, aber jetzt nicht mehr so sehr.«

»Dann sind Sie also jetzt etwas ehrgeiziger. Etwas ambitionierter, vielleicht?«

»Ich war es vielleicht …«, korrigierte er. »Möglich; das ist ja kein Verbrechen.« Wieder klang er nach Cross' Eindruck defensiv.

»Aber nicht ambitioniert genug, um sich an seinen Plänen zu beteiligen.«

»Wie ich schon erwähnte, ich habe Nein gesagt, und das war es dann«, sagte Kostas. Ottey fiel auf, dass sich der Ton des Gesprächs auf subtile Art verändert hatte. Sie hatte keine Ahnung, worauf Cross aus war, da sie keine Gelegenheit gehabt hatten, sich zu unterhalten, nachdem er wieder aus seinem Büro herausgekommen war.

»Aber für ihn war es damit nicht zu Ende, nicht wahr?«, hakte Cross nach.

»Was ist hier eigentlich los?«, fragte Kostas.

»Wir reden über die geschäftlichen Ambitionen Ihres Bruders. Über seine Pläne.«

»Denken Sie, ich hätte damit etwas zu tun gehabt?«, wollte Kostas wissen.

»DS Cross hat ausreichend deutlich gemacht, dass er nicht glaubt, dass Sie ein Verbrechen begangen haben. Dass Sie in den Drogenhandel oder den Mord verwickelt wären. Er hat Ihnen gesagt, dass er davon nicht ausgeht«, sagte Ottey.

»Es fühlt sich aber ganz anders an«, entgegnete er, sah dabei jedoch Cross an. Sollte er eine Entschuldigung erwarten, so wurde er enttäuscht.

»Für ihn war es damit nicht zu Ende, richtig?«, wiederholte Cross, als hätte er die Frage nicht bereits gestellt.

»Nein, er wollte, dass ich ihn rauskaufe, wie ich Ihnen

schon gesagt habe. Doch als wir die Zahlen durchgegangen sind, haben wir erkannt, dass das nicht funktionieren würde. Also hat er den Plan fallen gelassen.«

»Das sagen Sie immer wieder. Nur hat er das wirklich? Hat er ihn fallen gelassen?«, fragte Cross.

»Er hat es noch einmal bei der Bank versucht, allein. Aber er hatte bereits eine Hypothek auf seiner Wohnung, und bei all den Kosten, die eine Geschäftseröffnung in London mit sich gebracht hätte, hat er keinen Sinn mehr darin gesehen.«

»Und den Plan fallen gelassen«, griff Cross seine Worte ein weiteres Mal auf.

»Ja«, wiederholte Kostas.

»Und da sind Sie ganz sicher?«

»Ja.«

»Sie haben sich ausschließlich auf das Adelphi festgelegt, nicht wahr? Ich meine, das ist eine zeitraubende Arbeit. Sie sind nicht verheiratet. Haben Sie eine Freundin?«, fragte Cross.

»Zurzeit nicht, nein. Ich habe keine Zeit; ich arbeite ständig.«

»Wäre es korrekt zu behaupten, dass Sie mehr als Ihren gerechten Teil der Arbeit geleistet haben? Ich meine, Sie und Alex haben das Restaurant gemeinsam besessen, aber für mich sieht es aus, als hätten Sie die Hauptlast getragen.«

»Vielleicht.«

»All die Bestellungen und Rechnungen in Ihrem Büro haben Sie unterzeichnet. Der Dienstplan trägt Ihre Handschrift. Das Gleiche gilt für das Reservierungsbuch. Und Sie sind Koch und Restaurantleiter in einer Person.«

»Die Gäste möchten den Eigentümer sehen. Sie wollen eine Beziehung aufbauen.«

»Was so lange in Ordnung ist, solange der Eigentümer dort

ist. Oder sollte ich besser sagen, die Eigentümer? Alex hat immer weniger Zeit im Restaurant verbracht und war mehr mit seiner Radfahrerei und seinen außerplanmäßigen Aktivitäten beschäftigt. War es nicht so? Das Training für das Rennen hat immer abends stattgefunden, wenn alle anderen Feierabend gemacht hatten. Aber für Sie und Alex war das die arbeitsreichste Zeit des Tages.«

»Das hat er beim Mittagstisch wieder gutgemacht«, sagte Kostas.

»Aber zurück zu meinem ursprünglichen Punkt: Das war keine wirklich ausgeglichene Partnerschaft, nicht wahr?«

»In letzter Zeit weniger. Doch ich hatte kein Problem damit. Ich liebe meine Arbeit. Vielleicht ein bisschen mehr als Alex. Ich habe Spaß daran, zu kochen und den Leuten Essen zu servieren.«

»Hat er Ihnen deswegen die Autos gekauft? Um es wiedergutzumachen?«

»Teilweise, ja, aber nun sieht es aus, als hätte er sie, na ja, die Anzahlungen und die Raten, mit seinem schmutzigen Geld bezahlt«, sagte er. »Das ist wirklich eine Ironie. Wissen Sie, was ich gerade herausgefunden habe? Die Restschulden wegen der Fahrzeuge erlöschen nicht mit seinem Tod – sie sind weiter da.«

»Sie fallen in die Erbmasse und die Verantwortung des Nachlassverwalters«, bestätigte Cross.

»Das ist das Problem, nicht wahr? Was, wenn es gar keine Erbmasse gibt? Jetzt habe ich die Raten für zwei Autos am Hals, die ich gar nicht haben wollte.«

»Sprechen Sie mit dem Leasinggeber oder dem Fahrzeugkreditgeber. Vielleicht nehmen sie Alex' Wagen zurück, er ist ja noch ziemlich neu. Doch ich glaube, auf Ihrem werden Sie sitzen bleiben. Aber so einen Wagen ›am Hals‹ zu haben, ist ja vielleicht nicht das Schlechteste.«

Eine längere Pause trat ein.

»Wollen Sie die Drogen, die Sie mitgebracht haben, durchsehen und behalten, was legitim ist? Womit ich sagen will, was nicht tatsächlich illegal ist?«, fragte Cross.

»Nein, ich will sie nicht, danke. Sind wir dann fertig?«

»Sind wir.«

Daraufhin stand Kostas auf und wollte Cross die Hand reichen. Ottey sprang ein und ergriff sie.

»Danke, dass Sie gekommen sind, Kostas; wir melden uns«, sagte sie. Cross hatte sich bereits wieder seinem Schreibblock zugewandt und machte sich eifrig Notizen. Kostas ging zur Tür und öffnete sie, da blickte Cross auf.

»Oh, eines noch. Was wissen Sie über Hellenic?«

»Hellenic? Und weiter?«

»Das ist eine Holdinggesellschaft mit Sitz in Athen.«

»Nie davon gehört. Sollte ich?«, fragte er.

»Nicht unbedingt«, antwortete Cross und widmete sich wieder dem Block. Kostas sah Ottey an, vermutlich, weil er wissen wollte, ob er immer noch gehen konnte. Sie lächelte ihm zu, was er offenbar als Bestätigung verstand, denn er verließ den Raum. Ottey setzte sich wieder und sah Cross an. Er schrieb niemals etwas nieder, um den Eindruck zu vermitteln, dass er mit jemandem fertig und das Gespräch vorüber wäre, sondern weil er großen Wert auf zeitnahe Notizen legte. Er wollte seine Gedanken zu Papier bringen, damit er später auf seine ursprünglichen Eindrücke zurückgreifen konnte, wenn sie nicht mehr so frisch und unwillkürlich waren. Sie wartete darauf, dass er fertig wurde, aber als es so weit war, klappte er die Akte zu, schnappte sich den Tisch und ging.

»Verdammt nochmal!«, fluchte sie und folgte ihm.

»Wenn ich im Raum bleibe, während Sie sich Notizen machen, dann tue ich das, weil ich davon ausgehe, dass wir uns über das, was direkt vorher passiert ist, unterhalten werden«, erklärte sie ihm, als sie in sein Büro marschierte.

»Dann sollten Sie mir das sagen. Woher soll ahnen, dass Sie mit mir reden wollen?«

»Das bin nicht nur ich; das ist ein ganz normales menschliches Verhalten. Wenn man gerade etwas gemeinsam gemacht hat und am Ende einer von beiden beschäftigt ist und der andere wartet, impliziert das, dass Letzterer ein Gespräch über das vorherige Geschehen erwartet«, dozierte sie.

»Richtig. Ich werde es mir merken.«

»Wenn Sie das tun könnten, wäre ich dafür sehr dankbar.«

»Wie ich bereits sagte, beim nächsten Mal werde ich es wissen«, erklärte er.

»Genau das haben Sie beim letzten Mal auch gesagt«, erwiderte sie. Er sah sie an und wusste nicht recht, was er erwidern sollte, also ergriff sie wieder das Wort: »Ich verstehe das ja. Ihnen fliegt so etwas nicht von selbst zu, wie es bei anderen Leuten der Fall ist, und es macht Ihnen Mühe, daran zu denken. Aber ich wüsste es wirklich zu schätzen, wenn Sie diese Mühe auf sich nehmen würden.«

»Natürlich, ich werde versuchen, mir diese Mühe zu machen«, versicherte er.

»Danke. Also, Kostas – da ist eigentlich nichts dabei herausgekommen, oder?«

»Im Gegenteil …« Abrupt unterbrach er sich, als ihm bewusst wurde, dass diese Art von Widerspruch andere Leute verärgern konnte, und da er nicht vergessen hatte, was gerade passiert war, beschloss er, vorsichtiger aufzutreten.

»Also, was denken Sie?«, fragte Ottey.

»Wie alle anderen in diesem Fall hält er etwas vor uns zurück. Ich wüsste gern, warum er es für nötig befunden hat, Alex' Drogen herzubringen. Warum hat er sie nicht einfach vernichtet? Warum das Bedürfnis, uns auch nur davon zu erzählen?«

»Weil er das Richtige tun wollte?«, mutmaßte sie.

»Oder weil er versucht, uns von etwas anderem abzulenken. Weil er wollte, dass wir weiterhin denken, Alex' Tod hätte etwas mit den Drogen zu tun?«

»Weshalb sollte er das wollen?«

»Noch weiß ich das nicht.«

»Wieso haben Sie ihn nach Hellenic gefragt?«

»Weil ich etwas herausgefunden habe, als ich Alex' E-Mails durchgesehen habe. Kostas behauptet, er wisse nichts über sie, und doch hat er bei einer der E-Mails, die Alex an ihren Anwalt Theo Dukas geschickt hat, im Verteiler gestanden.«

»Wann war das?«

»Vor zwei Monaten.«

»Also, wie viel, vier Monate nachdem Alex den Bankkredit abgelehnt und gesagt hat, London wäre gestrichen?«, überlegte sie laut.

»Exakt. Alex hat also weitergemacht – mit Hellenic als einzigem Geldgeber und, so scheint es, der Unterstützung seines Bruders.«

»Sie denken, Kostas war an dem London-Geschäft beteiligt?«

»Ich weiß, dass er das war. Wir müssen das Puzzle nur zusammensetzen. Warum hat er in diesem Punkt gelogen?«

Im Grunde hätte sie gern gewusst, warum er den Koch nicht während des Gesprächs danach gefragt hatte, aber sie war an diesem Morgen nicht in der Stimmung, am Altar Cross'scher Ermittlungsmethoden ihre Huldigung darzubringen. Tatsache war, dass Cross häufig erst herausfinden wollte, warum er belogen wurde, ehe er der fraglichen Person offenbarte, dass er über deren Lügen im Bilde war. Je länger er den Leuten gestattete, die falsche Fassade oder Geschichte aufrechtzuerhalten, desto mehr wiegten sie sich in einer vermeintlichen Sicherheit, die er ihnen später gnadenlos nehmen würde. Ihm war stets wichtig, das Warum zu kennen, weil er wollte, dass die Leute, wenn ihnen bewusst wurde, dass er ihre Lügen entlarvt hatte, zugleich begriffen, dass er auch den Grund für selbige kannte. Das wiederum führte dazu, dass sie sich ängstlich fragten, wie viel er noch wissen mochte. Kannte er die ganze Geschichte? War es besser, sofort damit herauszurücken? Seine Methode vermittelte den Eindruck, er wisse Bescheid, er wisse mehr, als er bisweilen tatsächlich wusste. Was Kostas betraf, so wusste er, dass der mit dem Tod seines Bruders nichts zu tun hatte, aber er hatte das Gefühl, dass, was immer Kostas sich zu offenbaren scheute, durchaus relevant für den Fall sein könnte.

20

Cross hatte einen Detective, der Griechisch beherrschte, gebeten, sich mit der Polizei in Athen in Verbindung zu setzen und sich über Hellenic Holdings und Angelo Sokratis zu informieren. Außerdem fragte er bei seinem Kontakt beim GCHQ, der Regierungskommunikationszentrale, nach, ob man Hellenic dort auf dem Radar hatte. Toby Fletchers Frau war vor ein paar Jahren knapp außerhalb von Bristol ermordet worden und Cross hatte die Ermittlungen in dem Fall geleitet. Zunächst war Toby hinsichtlich der Befähigung dieses West-Country-Detectives skeptisch gewesen und überzeugt, der Secret Service, genauer, Leute beim MI5, die er persönlich kannte, wären imstande, diese entsetzliche Tragödie schneller aufzuklären als Cross. Es hatte eine Menge territoriales Gehabe seitens einiger Leute gegeben, die im Rang über Cross standen, darunter auch Carson, doch er hatte sich einfach an die Arbeit gemacht und in aller Ruhe ermittelt. Ottey glaubte, dass Carson sein Glück, tatsächlich direkt mit dem MI5 zu tun zu haben, gar nicht hatte fassen können. Derweil hatte Cross den Fall auf seine übliche methodische Art ziemlich schnell aufgeklärt.

Fletcher hatte sich gleichermaßen beeindruckt und dankbar gezeigt und Cross gesagt, sollte er je bei irgendetwas Hilfe benötigen, würde er sie ihm mit Freude gewähren. Außerdem war da noch eine Agentin des MI5, Michelle, eine Studienfreundin von Fletcher, die von Cross' Instinktsicherheit und seiner Beharrlichkeit fasziniert gewesen war. Sie hatte ihm einmal gesagt, er würde einen großartigen Spion abgeben. Jeder andere wäre überaus erfreut gewesen über diese Aussage, die letztlich die größte Anerkennung darstellte, die man sich von jemandem aus dem MI5 je wünschen konnte. Er jedoch hatte nur erklärt, seine Fähigkeit, andere zu täuschen, sei unzureichend und sein moralischer Kompass nicht verdreht genug, als dass er sich zum Spion eignen würde. Mit dieser unbeabsichtigten Kränkung machte er sich bei ihr nur noch beliebter, so sehr, dass sie sich bereits ganze drei Male im Zusammenhang mit terroristischen Bedrohungen im Südwesten an ihn gewandt hatte, um sich Rat und Hilfe zu holen. Im Department wusste niemand davon, ganz einfach weil er nie davon erzählt hatte. Aber es erklärte, warum er bisweilen Zugang zu wertvollen Informationen bekam, während andere nicht die Spur einer Ahnung hatten, wo sie auch nur anfangen sollten, nach dieser Art Gold zu graben.

Aus Athen traf ein Dossier über Angelo ein. Offenbar hatte er mit Immobilien und Tourismus als rechtschaffener Geschäftsmann in Griechenland angefangen. Einst der begehrteste Junggeselle Griechenlands, hatte er einige Jahre zuvor große Bestürzung ausgelöst, indem er sich geoutet hatte. Er und sein Partner hatten sich seither für die gleichgeschlechtliche Ehe starkgemacht. Dann, als sie hatten erkennen müssen, dass das im Griechenland jener Tage ein Ding der Unmöglichkeit war, hatten sie ihre Zeit damit zugebracht, in ihrem Heimatland für eine gleichwertige eingetragene Lebenspartnerschaft für gleichgeschlechtliche Paare zu werben, doch auch dem begegnete ein breiter Widerstand. Vor zehn Jahren hatte Angelo einen Ausflug in das Baugewerbe gewagt, den er im Zuge des Abschwungs und der griechischen Wirtschaftskrise bitter bereut hatte. Anschließend konzentrierte er sich auf das Ausland, erneut mit wenig Erfolg.

Aber der Polizei zufolge hatte der Mann bis zu einem gewissen Ausmaß durchaus Geld zu verlieren, und als es wirklich eng für ihn wurde, ging er dazu über, aus diversen illegalen Unternehmen Profit zu schlagen. Das fand Cross interessant, denn angeblich hatte dieser Mann genug Geld, so viel, dass er wie seine Geschwister ein Luxusleben führen konnte und gar nicht arbeiten musste. Aber das war nichts für ihn. Sein größter Erfolg, aufgrund dessen derzeit in Griechenland gegen ihn ermittelt wurde, war umfangreiche, paneuropäische Geldwäsche. Selbst ein wenig anglophil, hatte er auf der Suche nach Investitionsmöglichkeiten einige Reisen hierher unternommen. Aber das gewaschene Geld brachte Probleme mit sich. Inzwischen wurde er mit diversen Morden in Griechenland und einem bedeutenden Netzwerk von Drogenschmugglern in Verbindung gebracht. Doch der Mann besaß auch eine sonderbar philanthropische Seite. Im Zuge der Flüchtlingskrise auf Lesbos hatte er Tausende von Euro gespendet, um den Menschen zu helfen. Für griechische Politiker war das ein ethischer Albtraum, denn er setzte sich für diverse Ziele ein und versuchte, durch politische Zuwendungen Einfluss zu nehmen. Sein Ruf war jedoch inzwischen so geschädigt, dass die Gelder zurückgewiesen wurden, weil die Politiker ihre Reputation schützen wollten. Aber laut Polizei hatte Sokratis eine Möglichkeit gefunden, das Problem zu umgehen, und die Politiker hatten sein Geld nur zu gern genommen, solange niemand davon erfuhr. Man konnte mit einiger Sicherheit davon ausgehen, dass dieser Mann einen gewissen Einfluss in den politischen Kreisen Griechenlands hatte.

Auch Toby und Michelle hatten Hellenic auf dem Schirm. Angelo hatte mehrere erfolglose Versuche unternommen, seine Geldwäsche auch im Vereinigten Königreich zu etablieren. Er hatte mit der Idee gespielt, ein großes Anwesen auf dem Land zu erwerben, und sich sogar ein paar angesehen. Es hieß, er habe sich dort niederlassen wollen, um endlich seinen langjährigen Partner heiraten zu können. Doch er hatte feststellen müssen, dass die Polizei in England ein genauso reges Interesse an seinen Aktivitäten zeigte, wie es die in seiner Heimat getan hatte. Ihm haftete der Ruf an, insgeheim auf breiter Ebene der Korruption Vorschub zu leisten, um seine geschäftlichen Operationen in Griechenland voranzutreiben. Cross fragte sich, ob er zu dem Schluss gekommen war, dass seine speziellen Fähigkeiten ihm im Vereinigten Königreich womöglich nicht so sehr von Nutzen sein würden – nicht dass Cross geglaubt hätte, das müsse zwingend der Fall sein. Auf jeden Fall würde er, wenn er in England lebte, das Interesse hiesiger Autoritäten wecken, was bedeutete, dass gleich zwei Polizeitruppen jede seiner Bewegungen beobachten würden. Womit sich das Risiko, geschnappt zu werden, womöglich auch verdoppelt hätte.

Mackenzie hatte die Aufgabe übernommen, sich Tony Franopoulos und seine Geschäftstätigkeit genauer anzusehen. Neben seinem Großmarkt hatte er ein kleines, aber ansehnliches Immobilienportfolio und mehrere Beteiligungen an anderen einheimischen Unternehmen. In der griechischen Gemeinde in Bristol und Bath war er ein großes Tier. Er gehörte dem Kuratorium etlicher griechischer Stiftungen an und ging regelmäßig zur Kirche. Doch sein Ruf war zwiegespalten, den einen galt er als heilig, den anderen als der Teufel selbst, seit er vor einigen Jahren in das Kreditgeschäft eingestiegen war. Angefangen hatte es mit einem Zufall, aber die Nachfrage war so groß, dass er die Gelegenheit wahrgenommen hatte, Wucherzinsen zu verlangen, und er war damit durchgekommen. Natürlich flirtete er in diesem Gewerbe stets mit dem Verbotenen, wenn es um die Durchsetzung seiner Forderungen ging. Denn was sollte er tun, wenn jemand nicht zahlen wollte? Ursprünglich hatte er Geschäfte oder einen Anteil an Geschäften als Sicherheit akzeptiert, aber bei einigen davon dauerte es nicht lang, bis ihm klar wurde, warum die Eigner sich überhaupt Geld hatten leihen müssen. Die Folge war, dass sie trotz seiner Bemühungen bankrottgingen.

Er konnte aber auch ein paar lohnende Geschäfte verbuchen, bei denen das Geld benötigt worden war, um Spielschulden zu begleichen. Dann war das geliehene Geld erneut als Spieleinsatz genutzt worden in dem festen Glauben, dass das nächste Ding eine »absolut sichere Sache« wäre und alle Probleme lösen würde. Auf diese Weise hatte er einen Autohandel und ein Taxiunternehmen erbeutet. Daraufhin hatte er sich etwas zugegebenermaßen nicht ganz so Originelles einfallen lassen: Er wollte nur noch Fahrerinnen in seinen Taxis haben. Das war der Grund, warum es ihm gelungen war, Uber die Stirn zu bieten – auch wenn er natürlich trotzdem Marktanteile an sie verloren hatte. Er ergatterte auch ein Softwareunternehmen, das er beauftragte, eine App zu programmieren, mit der seine Frauentaxis gerufen werden konnten, lange bevor Uber am Markt auftauchte. So waren seine Kunden bereits daran gewöhnt, seine Taxis per App anzufordern. Das war ein weiterer Grund, warum sich sein Unternehmen so gut gegen Uber behaupten konnte.

Aber seine wahre Liebe galt dem geerbten Familienunternehmen, dem Obst-und-Gemüse-Großhandel. Lange vor seinen Konkurrenten hatte er Biowaren in sein Angebot aufgenommen. Und vor einigen Jahren war ihm ein Markt aufgefallen, der bis dahin vollkommen vernachlässigt worden war – der Lieferservice. In jener Zeit hatte sein Großmarkt nur Gewerbebetriebe als Kunden gehabt – er hatte lediglich Restaurants, Krankenhäuser und größere Unternehmen versorgt. Privatpersonen – die Kunden daheim – hatte er völlig ignoriert. Doch dann hatte er einen Online-Lieferservice ins Leben gerufen. Der funktionierte so gut, dass er am Ende ein paar Gehöfte in Somerset aufkaufte, die in Schwierigkeiten geraten waren. Er gab Anweisungen, was angebaut werden sollte, darunter vieles, was bisher hatte importiert werden müssen. Er ließ Folientunnel aufstellen und konnte bald nicht nur Biogemüse anbieten, sondern auch solches, das keine Luftmeilen auf dem Konto hatte – oder zumindest nur sehr wenige. Weniger Transportkosten bedeuteten, dass er kostengünstig verkaufen konnte. Bald stand er in vorderster Front eines neuen Geschäftszweigs ökologisch gesinnter Unternehmer. Mackenzie entdeckte sogar ein Youtube-Video von ihm, in dem er in den Lokalnachrichten mit einer sorgsam austarierten Portion Geheimnistuerei über seine Gehöfte sprach. Er züchtete mediterranes Obst, das niemand sonst im ganzen Land anbaute, und er wollte den Standort nicht preisgeben.

Aber was ihr wirklich ins Auge sprang, war ein Foto, das ihn bei einer örtlichen Wohltätigkeitsveranstaltung zugunsten eines griechischen Hospizes zeigte. Das lag nicht an der (monetären und physischen) Größe des Schecks, den er hochhielt, sondern an dem Mann, der neben ihm stand. Sie verglich das Bild mit einigen anderen, ehe sie aufsprang, um Cross zu informieren. Das war ein Durchbruch, davon war sie überzeugt, und hinzu kam, dass niemand sie aufgefordert hatte, diese Nachforschungen anzustellen. Sie konnte die Dankbarkeit und die Überraschung schon riechen. Sie klopfte an Cross' Tür und wurde hineingebeten. Ottey war bei ihm und sah ausgesprochen verärgert aus. Offenbar hatten die beiden gerade den Fall besprochen.

»Ich habe etwas entdeckt«, berichtete Mackenzie eifrig. Cross sagte nichts.

»Weiter«, ermunterte Ottey sie.

»Tony Franopoulos war – oder genauer, ist – mit Angelo Sokratis bekannt«, rief sie vielleicht ein bisschen zu theatralisch. Die beiden Detectives wechselten schweigend einen knappen Blick, erwogen die Bedeutung und die genauen Implikationen, die dieser Paukenschlag auf die weiteren Ermittlungen haben würde. Diesen Eindruck machte es jedenfalls.

»DS Cross hat mir gerade erzählt, dass Franopoulos derjenige war, der Sokratis mit Alex Paphides bekanntgemacht hat«, sagte Ottey.

Was? Mist!, dachte Mackenzie. Das war das zweite Mal in ebenso vielen Fällen – zugegeben, an mehr als zwei Fällen hatte sie noch gar nicht mitgearbeitet –, dass sie etwas herausfand und ihn informieren wollte. Nur um sich anschließend sagen zu lassen, dass er es bereits wusste, was ihr jeglichen Wind aus den Segeln nahm.

Ottey drehte sich zu Cross um. »George?«

»Ja? Oh, ja. Alice, habe ich Sie beauftragt, sich Tony Franopoulos anzusehen?«, fragte er.

»Nein«, räumte sie seufzend ein.

»Der hörbaren Exhalation entnehme ich, dass Sie bereits genau wissen, was ich nun sagen werde. Hätten Sie sich auf das konzentriert, womit ich Sie beauftragt habe, statt ›sich selbstständig zu machen‹, dann hätten Sie vielleicht nicht Ihre kostbare Zeit damit verschwendet, etwas herauszufinden, was mir bereits bekannt war. Gibt es sonst noch etwas?«

»Nein«, sagte sie und drehte sich zur Tür um, hielt aber dann inne und wandte sich wieder ihm zu. »Nur ein kleines Problem mit dem, was Sie gerade gesagt haben. Sie haben mich eigentlich gar nicht mit irgendetwas beauftragt.«

Cross überlegte einen Moment. »Das, Alice«, sagte er dann, »ist ein vortreffliches Argument.«

»Danke«, sagte sie, erstaunt, dass sie aus dieser Sache mit etwas Gutem herauskam, wie geringfügig es auch sein mochte.

»Und zudem etwas, das ich unverzüglich korrigieren werde. Ich werde mit einem Auftrag zu Ihrem Schreibtisch kommen«, fügte er hinzu. Cross sah sich zu Ottey um und zog die Brauen hoch, als wollte er sagen: »Sehen Sie? Ich lerne.« Kopfschüttelnd verließ sie sein Büro.

Catherine war gebeten worden, sich die Überwachungsaufnahmen des Hotels von dem Abend, an dem Alex gestorben war, anzusehen. Etwas später tauchte sie mit ihren Ergebnissen in Cross' Büro auf. Ottey entdeckte sie von ihrem Schreibtisch aus und erhob sich, um ihr zu folgen, genau wie Carson, der sie ebenfalls durch die Abteilung hatte gehen sehen. Das letzte Mal, dass sie sich in dieser Form versammelt hatten, war am vorigen Tag gewesen. Da war Cross erschrocken gewesen zu erfahren, dass Catherine die Aufnahmen von dem unscharfen Logo auf der Seite des verdächtigen Transporters zur Bildverbesserung »eingeschickt« hatte.

»Was soll das heißen, ›eingeschickt‹?«, hatte er gefragt.

»Was meinen Sie wohl, was das heißt, George?«, stichelte Carson.

»Wie kommt es, dass wir anscheinend nicht mehr imstande sind, Dinge zu erledigen, die noch vor ein paar Monaten alltäglich waren und als unerlässlich für die korrekte Durchführung der Polizeiarbeit gegolten haben?«

»Leistungsverbesserung, wie Sie sehr wohl wissen«, sagte Carson.

»Ich weiß nichts dergleichen. Sie können mir nicht erzählen, dass diese Vorgehensweise hinsichtlich ihres Arbeitsaufwands oder ihrer Zeit effizienter oder kostensparend wäre«, erwiderte Cross. »Demzufolge wird der Zweck dieser Einschnitte, namentlich die ›Leistungsverbesserung‹, offensichtlich nicht erreicht.«

»Sie musste ja nicht erst zum Postamt laufen, es in eine gepolsterte Versandtasche packen und eine Briefmarke kaufen, George.«

»Nein, offensichtlich nicht«, sagte Cross und dachte darüber nach. »Es ist ein elektronisches Bild, womit das unmöglich wäre, es sei denn, sie hätte es erst ausgedruckt. Dann hätte sie das Foto in einem Umschlag verschicken können, wie Sie es beschrieben haben, aber das hätte den ganzen Sinn der Sache untergraben. Was bearbeitet werden muss, sind die Pixel, also muss das Bild elektronisch gesendet werden.«

Prompt bereute Carson seine kleine Spöttelei, und er nahm sich vor, sich in Zukunft solcher Scherze zu enthalten, und sei es nur, um Zeit zu sparen.

Catherine zeigte ihnen einige Clips, die sie aus den Überwachungsaufnahmen des Flughafenhotels zusammengeschnitten hatte. Zunächst tauchten zwei Männer auf, Angelo und sein Geschäftspartner Theo. Beide waren unglaublich gut gekleidet, mit Anzügen, die lauthals verkündeten, dass sie dort waren, um Geschäfte zu machen. Der nächste Abschnitt zeigte Alex, der im Hotel eintraf und an der Rezeption von Theo in Empfang genommen wurde. Es war eine steife, formelle Begrüßung, wie Cross dachte. Als wäre, was immer bevorstand, für keinen von beiden sonderlich erfreulich. Vermutlich würde dieses Treffen nicht besonders angenehm werden. Eine Stunde später ging Alex wieder. Dann, kurz danach, konnte man Tony Franopoulos durch das Hotel zum Konferenzzimmer gehen sehen. Der Timecode verriet, dass diese Besprechung knapp fünfundvierzig Minuten andauerte.

»Sie scheinen sich nicht die mindesten Gedanken über die Sicherheitskameras zu machen. Sie halten sich offen in der Lobby auf. Sie suchen die Toiletten auf. Sie genehmigen sich sogar einen Drink an der Bar. Warum sind sie noch nicht gegangen? Worauf warten sie? Worum es auch geht, sie haben offenbar nichts zu verbergen«, sagte Cross.

Catherine lächelte. Sie mochte Cross wirklich. Seine professionelle, sachliche Art gefiel ihr. Ihn interessierte nur, was sie vor sich hatten, und sonst nichts. Aber was ihr besonders zusagte, war, dass er allen anderen einfach immer einen Schritt voraus zu sein schien. Genau wie jetzt.

»Sie haben tatsächlich auf jemanden gewartet«, sagte sie und ließ das Video vorlaufen. Um zehn Uhr, etwa zu der Zeit, als Alex getötet wurde, betrat sein Bruder das Hotel. Er wurde von Angelo mit einer warmherzigen Umarmung begrüßt und zum Konferenzzimmer geführt. Zwei Stunden später verabschiedeten sie sich: Umarmung zwischen Angelo und Kostas. Warmer Händedruck mit Theo. Und dann gingen sie. Die beiden Griechen flogen direkt zurück nach Athen. Das war eine wirklich kurze Stippvisite.

Stille kehrte ein, während sie alle dasaßen und das Gesehene verarbeiteten.

»Die haben ihn also nicht getötet«, konstatierte Carson schließlich.

»Niemand hat gesagt, sie hätten«, wandte Cross ein.

»Nein, ich habe nur laut gedacht, sozusagen. Also, was bedeutet das nun, George?«

»Ich denke, ich sollte Tony Franopoulos einen weiteren Besuch abstatten, ehe ich etwas dazu sage«, entgegnete der.

»Also sind Sie der Ansicht, er hat etwas damit zu tun?«, fragte Carson.

»Er hat ganz bestimmt mehr damit zu tun, als er bisher eingeräumt hat. Er trifft sich mit Hellenic in diesem Hotel und verschwindet kurz nach Alex.«

»Dann denken Sie, er könnte ihn umgebracht haben«, schlussfolgerte Carson.

»Ich denke nichts dergleichen, aber ich wüsste wirklich gern, wo er nach dem Treffen hingegangen ist. Seine Firmenlieferwagen haben den gleichen hellen Blauton wie der Lack, den wir am Garagentor entdeckt haben, was durchaus interessant sein könnte«, sinnierte er.

»Sie machen Witze«, sagte Carson.

»Warum sollte ich …«, begann Cross.

»George …«, fiel Ottey ihm ins Wort, um ihn darauf hinzuweisen, dass er die Sache mit der übertragenen Bedeutung wieder einmal übersehen hatte.

»Nein, das ist mein Ernst. Kostas möchte ich auch noch einmal sehen, und sei es nur, um meine eigene Neugier zu befriedigen.«

»Meinen Sie, wir haben genug Zeit dafür?«

»Wenn wir forensische Beweise und digitale Aufnahmen zur Untersuchung einschicken können, dann nehme ich an, ich habe genug Zeit, um mir Angelo Sokratis' Geschäftsbeziehung zu Kostas Paphides anzusehen. Denn wenn dieser Mann plötzlich finanziellen Interessen in Bristol nachgeht, dann wäre es meiner Ansicht nach klug, genau zu wissen, worum es dabei geht. Ich glaube nicht für eine Minute, dass wir den gerade zum letzten Mal gesehen haben, und angesichts dessen, was wir aus Athen und vom MI5 erfahren haben, ist er ein äußerst unangenehmer Typ, den wir besser im Auge behalten sollten.«

»MI5?«, fragte Carson, aber Cross stand einfach auf und schnappte sich seine Jacke und seine Fahrradausrüstung. Als er die Tür erreicht hatte, hielt er inne, als wäre ihm etwas eingefallen, und er drehte sich zu Ottey um.

»DS Ottey, wollen Sie mich begleiten?«, fragte er.

»Gern, George«, sagte sie lächelnd. Also legte er seine Fahrradsachen zurück auf den Tisch und sie gingen gemeinsam. Carson versuchte zu begreifen, was hier los war, und überlegte nicht zum ersten Mal, wen zum Teufel Cross wohl beim MI5 kannte. Er sah, dass Catherine ihn musterte, also tat er, was er in solchen Situationen stets tat. Er demonstrierte Befehlsgewalt, indem er laut genug Anweisungen erteilte, dass jeder in Hörweite den Eindruck gewann, er hätte alles im Griff.

»Geben Sie mir Bescheid, wenn Sie etwas über das Logo auf dem Transporter haben.«

21

Tony war nicht am Arbeitsplatz. Seine Sekretärin erzählte den beiden Detectives, er sei im Fitnesscenter. »Da verbringt er neuerdings immer mehr Zeit«, sagte sie. Auf dem Rückweg zum Wagen sahen Cross und Ottey sich erst die Flotte hellblauer Transporter genauer und dann einander an.

»Sie sind foliert«, stellte Cross fest.

»Das schließt sie aus«, fügte sie hinzu.

»So sieht es jedenfalls aus.«

Danny machte Dehnübungen mit Tony, als sie im Fitnesscenter eintrafen. Nach Tonys nassem T-Shirt zu schließen, hatte Danny ihn hart rangenommen. Er bat sie zu warten, bis er geduscht hatte, legte aber auch sichtlich Wert darauf, sie zu fragen, was sie von ihm wollten. Denn er war der Ansicht, er habe ihnen schon beim letzten Mal alles gesagt, was er wusste.

»Wir möchten mit Ihnen über Hellenic reden«, sagte Ottey. Tony stutzte kurz. Überlegte er, ob er ihnen erneut vormachen sollte, er wisse nichts darüber? Falls er das tat, dann kam er offensichtlich zu dem Schluss, dass sie, wenn sie ihn nochmals fragen, nun mehr wissen mussten als beim letzten Mal und der Versuch folglich sinnlos wäre.

»Sicher. Unten an der Hauptstraße gibt es ein Café. Gehen Sie nach links, ungefähr hundert Meter die Straße runter. In fünfzehn Minuten dort?« Damit ging er zu den Duschen.

»Wie kommen Sie voran?«, fragte Danny.

»Wir machen Fortschritte, danke«, antwortete Ottey.

»Denken Sie, es hat etwas damit zu tun, dass er Drogen beschafft hat?«

»Wir sind nicht sicher. Warum fragen Sie? Ist Ihnen noch etwas eingefallen, seit wir das letzte Mal hier waren?«

»Nein. Aber das ergäbe doch Sinn oder nicht? Ich meine, viele von diesen Typen verticken nicht nur leistungssteigernde Mittel, wissen Sie; die haben auch anderes Zeug. Vielleicht ist er ja jemandem auf die Füße getreten«, fuhr er fort.

»Jemandem, der ins Fitnesscenter gekommen ist, richtig? Und nicht nur einmal?«, mutmaßte Cross.

»Wie haben Sie das herausgefunden?«, fragte Danny.

»Sie haben es uns gerade verraten«, sagte Ottey. Für eine Sekunde sah er verwirrt aus, während er ihre Worte verdaute. »Name?«, fragte sie.

»Ich weiß es nicht. Ich würde es Ihnen sagen, wenn ich es wüsste.«

»Wären Sie bereit, zum Department zu kommen und sich mit einem der Detectives, die die Drogengeschäfte abhandeln, ein paar Verbrecherfotos anzusehen?«, hakte sie nach.

»Zweideutige Wortwahl«, kommentierte er. »Aber klar, wenn Ihnen das hilft. Ich könnte morgen vorbeikommen.«

Etwa zehn Minuten später betrat Tony das Café, das Haar immer noch nass vom Duschen. Er kaufte sich eine Flasche Wasser und bot beiden etwas an, aber sie lehnten ab.

»Warum haben Sie uns erzählt, Sie wüssten nichts von Hellenic?«, fragte Cross.

»Habe ich? Ich erinnere mich nicht. Ich wüsste nicht, warum ich das getan haben sollte. Vielleicht habe ich Sie einfach nicht richtig verstanden.«

»Was tun Sie für die?«, setzte Cross nach.

»Ich weiß nicht, was Sie meinen. Ich tue nichts für die«, entgegnete er.

»Ich weiß nicht, warum Sie so ausweichend antworten, Mr Franopoulos«, sagte Cross. Tony schwieg. »In welcher Beziehung stehen Sie zu Angelo Sokratis?«

»In keiner. Ich bin dem Mann nie begegnet.«

»Haben Sie es in Ihrem Geschäftszweig mit vielen Leuten zu tun?«

»Nicht mehr als jeder andere.«

»Sokratis ist ein großer Name in Griechenland, richtig?«, fragte Cross.

»Ja.«

»Wichtig genug, dass Sie sich vermutlich erinnern würden, wenn Sie ihm begegnet wären«, stellte Cross fest. Franopoulos antwortete nicht.

Ottey öffnete eine Bilddatei auf ihrem Telefon und zeigte ihm ein Foto von ihm, wie er Sokratis umarmte.

»Aufgenommen bei einer Ihrer griechischen Wohltätigkeitsveranstaltungen hier in Bristol. Sokratis hat an diesem Abend fünfhunderttausend Pfund gespendet. Eine halbe Million. Kommt dergleichen so oft vor, dass es Ihnen einfach entfallen ist?«, fragte sie.

»Okay, schön; warum kommen Sie nicht zum Punkt und fragen, was immer Sie wirklich fragen wollen«, forderte Tony sie auf.

»Weil das sinnlos wäre, da Sie unsere Fragen entweder nicht

beantworten oder nicht die Wahrheit erzählen würden. Wir würden gern ›zum Punkt kommen‹, wie Sie gesagt haben, wenn Sie bereit wären, das ebenfalls zu tun.«

»Ich schätze, man könnte sagen, dass ich als Berater für sie fungiere, das dürfte der Sache am nächsten kommen«, sagte er.

»Könnten Sie das näher ausführen?«

»Sie wollen ihre Geschäfte über die Grenzen von Griechenland hinaus ausdehnen. Ich meine, wer würde das nicht wollen bei der Wirtschaftslage?«

»Sie haben meine Frage nicht beantwortet«, sagte Cross.

»Ich halte Augen und Ohren offen. Sehe mich nach Geschäftszweigen oder Märkten um, an denen sie interessiert sein könnten.«

»Wie beispielsweise in der Gastronomie?«, hakte Ottey nach.

»Nun ja, man könnte sagen, das ist mein Spezialgebiet. Ich habe in der Lebensmittelsparte im ganzen Land viele Kontakte. Sie sind an allem interessiert, was schlecht läuft und besser laufen könnte, und sogar an Geschäften, die gut laufen, bei denen sie aber ein Verbesserungspotenzial sehen.«

»Wodurch sie auch auf Alex aufmerksam geworden sind.«

»Richtig.«

»Und wie hat der Plan ausgesehen?«, fragte Ottey.

»Ganz einfach. Alex wollte, wie Sie vermutlich wissen, expandieren, und Angelo wollte investieren. Die perfekte Kombination.«

»Aber etwas ist schiefgelaufen«, mutmaßte Cross.

»Alex bekam kalte Füße.«

»Warum?«

»Ich weiß es nicht. Das müssten Sie ihn fragen«, entgegnete Tony eiskalt. Cross musterte ihn und versuchte herauszufinden, ob seine Worte lediglich ein Ausdruck des Ärgers waren oder eher eine verkappte Drohung – was andeuten würde, dass er etwas mit dem Mord zu tun hatte und sie ihm nichts anhaben konnten. Cross kam jedoch zu dem Schluss, dass der Mann nichts zu verbergen hatte und lediglich über die Befragung verärgert war. Also sagte er nichts, und Ottey folgte seinem Beispiel. Nach einer Weile war Franopoulos derjenige, der das Schweigen zuerst brach.

»Hören Sie, Angelo ist einer der ganz Großen in Griechenland und wird das vielleicht auch hier werden. Aber was er mehr schätzt als alles andere, ist Diskretion. Er könnte für mich sehr nützlich sein, obgleich ich das jetzt noch nicht genau einschätzen kann. Aber er ist definitiv jemand, der mir hier und zu Hause Türen öffnen könnte. Darum bin ich Ihnen gegenüber so zurückhaltend. Ich will ihn nicht gegen mich aufbringen, so einfach ist das.«

»Vielleicht können Sie mir dann sagen, worum es bei Ihrem Treffen mit ihm am Achten dieses Monats ging?«, sagte Cross.

»Daran erinnere ich mich nicht.«

»Wie oft treffen Sie sich mit ihm, was meinen Sie?«

»Alle paar Monate, manchmal auch jeden Monat.«

»Wo?«

»Wenn er in London ist, in seinem Hotel. Er nimmt sich immer eine Suite im Connaught.«

»Und in Bristol?«

»Normalerweise hat er es sehr eilig, also findet das gewöhnlich in einem Hotel in der Nähe des Flughafens statt. The Hamptons by Hilton heißt es, glaube ich.«

»Wo waren Sie am Achten dieses Monats?«

»Das wissen Sie doch.«

»Nun ja, selbstverständlich wissen wir, wo Sie am frühen Abend waren. Da haben Sie sich mit Angelo und seinem Anwalt Theo in diesem Hotel getroffen. Worum ging es bei diesem Treffen.«

»Das ist vertraulich.«

»Wir wissen bereits, dass es um Alex ging, denn der ist gegangen, kurz bevor Sie eingetroffen sind. Das sind die letzten Bilder, die Alex lebend zeigen.« Ottey zeigte ihm die Überwachungsaufnahme auf ihrem Telefon.

»Ich werde Ihnen nicht mehr über dieses Treffen erzählen, tut mir leid. Das ist vertraulich, aber ich kann Ihnen versichern, es würde Ihnen bei der Aufklärung des Mordes an dem armen Alex nicht weiterhelfen«, konstatierte Tony. Cross drehte sich mit einem Gesichtsausdruck zu Ottey um, der ihr sagte, dass sie die Sache zu Ende bringen sollte, damit sie von hier verschwinden konnten.

»Mr Franopoulos, wohin sind Sie nach dem Treffen mit Hellenic gegangen?«

»Das ist einfach. Danach habe ich mit meiner Frau zu Abend gegessen.«

»Wo?«

»Im Paco Tapas.«

»Netter Laden.«

»Hat einen Michelin-Stern.«

»Ich weiß. Wie haben Sie dort einen Tisch ergattert?«

»Was meinen Sie wohl? Ich beliefere sie mit Obst und Gemüse.«

»Natürlich. Warum können Sie sich daran so prompt erinnern, ohne in Ihren Kalender zu schauen, ohne im Telefon nachzusehen?«

»Hochzeitstag.«

»Es macht Ihnen doch nichts aus, wenn wir das überprüfen.«

»Natürlich nicht. Der Tisch wurde auf den Namen meiner Frau reserviert und wir haben anschließend noch dem Koch guten Abend gesagt.«

Cross sah auf sein Handy, nachdem ein Summton den Eingang einer Nachricht gemeldet hatte. Dann stand er abrupt auf und ging.

»Wo will er hin?«, fragte Franopoulos.

»Das sollte Sie freuen; gewöhnlich bedeutet das, dass er kein Interesse mehr an seinem derzeitigen Gesprächspartner hat, was für Sie nur von Vorteil wäre, das kann ich Ihnen versichern«, sagte sie, erhob sich ebenfalls und folgte ihrem Partner nach draußen.

Sie öffnete die Zentralverriegelung und sie stiegen in ihren Wagen.

»Ist was passiert? Oder hatten Sie nur genug davon?«

»Beides. Ich glaube nicht, dass Franopoulos etwas damit zu tun hat. Ich glaube nicht, dass Hellenic etwas damit zu tun hat. Ich glaube, das ist eine Sackgasse, und je schneller wir uns anderen Dingen zuwenden, desto mehr Zeit werden wir sparen«, sagte er.

»Welchen anderen Dingen?«, fragte sie.

Cross dachte einen Moment nach. »Ich habe keine Ahnung«, entgegnete er dann.

»Toll, ich kann es kaum erwarten, Carsons Gesicht zu sehen, wenn er das hört«, kommentierte sie.

»Ich nehme an, er wird nicht sehr erfreut sein.«

»Exakt.«

»Oh, ich verstehe. Ich hätte angenommen, dass Sie unter den gegebenen Bedingungen wichtigere Überlegungen anstellen. Gerade in Anbetracht dessen, dass wir derzeit nichts haben, was uns der Lösung dieses Mordfalls näherbringen würde«, sagte er.

Ottey ging nicht darauf ein. Noch vor ein paar Monaten hätte sie diese Art von Bemerkung, mit der sie zugegebenermaßen inzwischen nicht mehr ganz so häufig konfrontiert wurde, als herablassend und rüpelhaft eingestuft. Mittlerweile aber wusste sie, dass das nur seine Art war, auszudrücken, was er dachte. Im Wortsinne. Da gab es keine Nebenbedeutung und auch keine Kränkungsabsicht. Das war einfach seine Art. Folglich kümmerte sie sich nicht weiter darum.

»Also, was ist passiert?«, fragte sie.

»Alison …«

»Die Sozialarbeiterin?«

»Ja. Sie hat geschrieben, Debbie sei im Krankenhaus. Im Bristol Royal Infirmary. Fehlgeburt.«

»Oh … Mist. Wir sollten hinfahren.«

»Allerdings.«

Als sie im Krankenhaus eingetroffen waren, sollte Debbie gerade zur Ausschabung in den OP gebracht werden. Cross blieb zurück und überließ es Ottey, zu Debbie zu gehen und mit ihr zu sprechen. Cross kannte sich mit Schwangerschaften oder den Gründen für Fehlgeburten nicht aus, nahm aber an, dass in diesem Fall der Mord an ihrem Freund und all der Stress und die Aufregung, die damit verbunden waren, eine große Rolle gespielt hatten. Sie waren hier, um Debbie zu trösten und zu unterstützen, hatte Ottey gesagt. Und sie waren beide der Ansicht, dass es besser war, wenn sie sich dieser Aufgabe allein widmete. Vor allem weil sie eine Frau und Mutter war, aber auch weil Cross sich in solchen Situationen nicht gerade gut schlug. Manchmal hatten die Leute sogar den Eindruck, er sei kaltschnäuzig. Daher wartete Cross nun geduldig vor dem Zimmer, bis einige OP-Helfer mit einem fahrbaren Krankenbett kamen, um Debbie in den OP zu bringen.

Debbies ruhige Akzeptanz überraschte Ottey. Sie fragte sich, ob es für die junge Frau angesichts ihrer Lage – mit den eigenen Eltern zerstritten, lebte sie nun bei der Familie ihres verstorbenen Freundes – womöglich in gewisser Weise eine Erleichterung war, dass sie das Baby verloren hatte. Dann jedoch tadelte sie sich selbst für diesen lieblosen Gedanken, während sie auf der Bettkante saß und Debbies Hand hielt. Helena, Alex' Mutter, war ebenfalls da. Sie hatte geweint und sah mitgenommener aus als die Patientin. Aber dies wäre, wie Ottey dachte, nicht nur ihr erstes Enkelkind gewesen, sondern auch alles, was ihr von ihrem toten Sohn geblieben wäre. Für sie waren das gleich zwei schwere Schicksalsschläge.

Als die OP-Helfer in ihren grünen Kitteln und den Duschhauben Debbie weggebracht hatten, kam auch Ottey zusammen mit Helena heraus. Cross erhob sich.

»Mrs Paphides möchte mit uns sprechen«, sagte Ottey.

Interessant, dachte Cross, vor allem weil er dem Fehlschluss unterlegen war, dass sie des Englischen nicht allzu mächtig war. Wenngleich er selbst Zeuge gewesen war, wie sie Philippos an jenem Abend zusammengestaucht hatte, an dem sie erfahren hatte, dass er Alex sein Testosteron überlassen hatte. Cross ärgerte sich über sich selbst, weil er solch ein Urteil basierend auf ihrer äußeren Erscheinung gefällt hatte. Er war ziemlich sicher, dass er sich damit rassistisch verhalten hatte.

Nur weil sie ganz in Schwarz gekleidet mit einem Kopftuch im Restaurant Gemüse geputzt hatte, war er davon ausgegangen, dass sie kein Englisch sprach. Wie falsch er doch gelegen hatte. Sie gingen mit ihr ins Krankenhauscafé und hörten sich an, was sie zu sagen hatte.

Nicht nur dass sie über Alex' Pläne für London und eine landesweite Expansion im Bilde war, sie hatte sie sogar unterstützt.

»Wer, denken Sie, hat die Moodboards gemacht, die er den Designern gezeigt hat?«, fragte sie. »Alex hat alles mit mir besprochen. Ich liebe meine beiden Jungs gleichermaßen. Welche Mutter täte das nicht? Aber sie waren sehr verschieden. Alex war viel ehrgeiziger. Er hat alles mit mir besprochen, was er mit seinem Vater oder seinem Bruder nicht besprechen konnte. Die beiden ähneln sich sehr. Alex war mehr wie ich. Ich habe dieses Restaurant gegründet. Alle denken, das wäre Phil gewesen, allerdings war er nur der Koch. Ein verdammt guter Koch, doch ich war das Gehirn dahinter. Sie denken bestimmt, Phil wäre derjenige gewesen, der Alexander Mut gemacht hat, aber Sie irren sich. Das war ich. Als Alexander die Finanzierung nicht hinbekommen hat und Kostas nichts mehr mit der Sache zu tun haben wollte, hat Alex angefangen, sich anderswo umzusehen, und da hat Tony F ihn mit Hellenic und Angelo bekanntgemacht. Ich war nicht glücklich darüber. Daheim hat er einen schlechten Ruf. Einen sehr schlechten. Er vermischt gute Geschäfte mit anderen, die weniger gut sind. Alexander hat mich aber überzeugt, dass Angelo in England auf der Suche nach einem legalen Geschäft war. Er war sehr dankbar für das Angebot, das, so viel muss ich zugeben, wirklich gut war. Vernünftige Zielsetzung. Gut organisierte Markteinführung, sobald sicher gewesen wäre, dass das Konzept funktionierte.«

Ottey war vollends verblüfft über die Art, wie diese Frau mit ihnen redete. Das war ganz und gar nicht das, womit sie gerechnet hatte. Ähnlich wie Cross schalt auch sie sich im Stillen dafür, bereits ein Urteil über sie gefällt zu haben, ehe sie mit ihr gesprochen hatte.

»Also lief alles gut?«, hakte Ottey nach.

»Hat Kostas gewusst, dass Alexander die Sache immer noch verfolgt hat?«, fragte Cross.

»Natürlich. Die zwei haben über alles geredet. Sie hatten keine Geheimnisse. Der Einzige, der es nicht gewusst hat, war Phil. Weil es ihm das Herz gebrochen hätte. Er ist ein sentimentaler alter Narr. Anfangs hat er so getan, als würde er Alexander unterstützen, doch er hat sich so gefreut, als das Projekt geplatzt ist und er geglaubt hat, Alex hätte die Idee aufgegeben. Aber wären die Jungs damit zufrieden gewesen, lediglich unser Restaurant weiterzuführen? Das habe ich mich immer gefragt. Das war unser Lebenswerk, nicht ihres. Ich hatte großen Respekt vor dem Ehrgeiz, den sie gezeigt haben. Das war viel besser, als einfach das zu nehmen, was ihnen in den Schoß fiel. Was wäre das schon für ein Leben? Wo bleibt dabei die Selbstachtung? Aber Kostas wollte in Bristol bleiben. Das gefiel ihm besser. Alexander hat ihm gesagt, seine Tür stehe immer offen. Das war lieb von ihm.« Für eine Sekunde verlor sie die Beherrschung, als sie so liebevoll von ihrem toten Sohn sprach. »Aber kürzlich ist bei Angelo etwas vorgefallen, und Alexander wollte aussteigen.«

»Und was?«, fragte Ottey, auch um der Frau Zeit zum Luftholen zu verschaffen.

»Alexander hat herausgefunden, dass Angelo ihm gegenüber nicht ganz ehrlich war. Was für eine Überraschung. Einer der größten Verbrecher Athens erweist sich als ein Mann, dessen Wort man nicht trauen kann. Er ist ein Krimineller, Detectives. All dieser Unsinn über ein legales Geschäft in England war nur eine Lüge. Er ist ein Gangster. Er wollte sauberes Geld. Er wollte mit dem neuen Restaurant Geld waschen. Als Alexander das herausgefunden hat, hat Angelo ihm tatsächlich einen Handel schmackhaft machen wollen – einen kleinen Prozentsatz des gewaschenen Geldes hat er ihm angeboten. Alexander hat Nein gesagt. Das hat er an dem Abend gemacht, an dem er gestorben ist. Er hat alles abgeblasen. Angelo wollte, dass er noch einmal darüber nachdenkt, aber Alexander hat Nein gesagt.«

»Sind Sie sicher?«, hakte Cross nach.

»Ja. Er hat es mir und Tony erzählt.«

»Wie hat der reagiert?«

»Tony? Ich glaube, die Wahrheit ist, dass er Angst hatte. Er fürchtet sich vor Angelo. Er hat ihm Alex vorgestellt, und Alex wollte nicht mehr mitspielen. Das würde für Tony nicht besonders gut aussehen. Im Fitnesscenter mag er ja beeindruckend wirken, aber er ist ein Maulheld. Er sollte sich auf seinen Obst-und-Gemüse-Handel konzentrieren, wenn Sie mich fragen.«

Ottey lächelte. Die Frau gefiel ihr.

»Und das ist das, was ich darüber denke«, schloss Helena.

»Was? Sie haben uns noch nicht verraten, was Sie denken.«

»Hellenic hat ihn umgebracht. Angelo hat ihn umgebracht.«

»Nein, die waren es nicht«, sagte Cross entschieden. Helena saß für einen Moment nur geschockt da. Sie war davon überzeugt gewesen. Für sie war das die Erklärung, die einen Sinn ergab, und sie hatte vermutlich angenommen, die Polizei wäre dankbar für diesen Hinweis.

»Doch, haben sie«, beharrte sie.

Cross und Ottey antworteten nicht. Die Stille schien angefüllt mit der Last der Zwangsläufigkeit, der Gewissheit, die sie mit dieser Vorstellung verband. Sie sah zu Boden, möglicherweise ein wenig verwirrt. Immerhin war sie vollkommen sicher gewesen. Sie hatte sich die Sache ganz genau überlegt.

»Sie sind beinahe umgehend nach dem Zusammentreffen mit Alex gegangen und direkt nach Athen zurückgeflogen. Und sie hatten eigentlich gar keinen Grund, Ihren Sohn zu töten. Das war lediglich ein Geschäft, das nicht zustande gekommen ist. Für die hat dabei nicht viel auf dem Spiel gestanden, also konnten sie es genauso gut dabei belassen«, erklärte Ottey.

»Aber die Bestätigung für diese Theorie hat uns die Person geliefert, die sich mit ihnen getroffen hat, nachdem Alex fort war«, fügte Cross hinzu. Die Frau dachte einen Moment nach und blickte auf.

»Kostas«, sagte sie leise.

»Wussten Sie davon?«, fragte Cross.

»Nein, aber es ist logisch. Kostas hatte immer das Gefühl, er würde im Schatten seines größeren Bruders stehen. Das würde gut zu ihm passen. Damit er uns allen zeigen kann, dass er der Klügere ist. Dummer Junge. Ich werde mit ihm reden.«

»Das wird nicht nötig sein«, erwiderte Cross. »Kaum dass Alex tot war, dürfte Hellenic das Interesse verloren haben. Das hätte zu viel Aufmerksamkeit erregt. Es ist kein verheißungsvoller Anfang für eine Kooperation, wenn einer der Partner ermordet wird.« Die Frau nickte schwach, und Ottey warf ihm einen bedeutsamen Blick zu, also konzentrierte er sich erneut auf Helena. »Ich wollte nicht respektlos erscheinen«, sagte er.

Die trauernde Frau lächelte ihm zu, als könnte sie ihn ein wenig verstehen, wie Ottey dachte. Helena besaß anscheinend eine gute Menschenkenntnis.

22

Cross beschloss, sich an diesem Abend ein wenig im Orgelspiel zu üben. Manchmal ging er nur wegen Ruhe in die Kirche. Heute war so ein Tag. Er wollte all die Dinge aus seinem Kopf vertreiben, die er inzwischen als eindeutig irrelevant für die Aufklärung des Falls einstufte. Noch einmal neu anfangen. Er wollte Hellenic aus seinem Geist tilgen, Tony Franopoulos und Alex' Nebengewerbe mit den leistungssteigernden Drogen. Wenn er an so einem Punkt war, kam er gern her, setzte sich für zehn Minuten oder so auf eine Kirchenbank und genoss den Frieden und die Stille. In der Kirche war es immer kühl, im Winter bisweilen bitterkalt, weil die Gemeinde es sich nicht leisten konnte, sie außerhalb der Gottesdienste zu heizen. Zu seinem Schrecken hatte der Pfarrer angefangen, die Heizung auch an den Mittwochabenden anzustellen, wenn er herkam, um das Orgelspiel zu üben. Er hatte Stephen Vorhaltungen gemacht, doch der hatte nur gesagt, er könne nicht zulassen, dass George mit kalten Fingern üben musste, denn schließlich könne er ihn nebenan in seiner Pfarrwohnung hören. Folglich sei das von seiner Seite eine selbstsüchtige und absolut eigennützige Geste. Das war eine Auseinandersetzung, die George auf keinen Fall für sich würde entscheiden können. Dann, eines Abends, als er bei Tee und Kuchen mit Stephen zusammensaß, kam ihm eine Idee.

Der Pfarrer war ein guter Bäcker, für Cross buk er stets Cupcakes, weil er wusste, dass ihm das entgegenkam. Gelegentlich half Cross Stephen bei der Kirchenbuchhaltung. Er war genauso kompetent wie der eigentliche Buchhalter, wie Stephen festgestellt hatte. Außerdem war er schneller, und natürlich berechnete er nichts für seine Bemühungen. An diesem speziellen Abend, nicht lange nachdem Cross herausgefunden hatte, dass die Kirche für seine Orgelübungen beheizt wurde, fragte er Stephen, ob er rasch die aktuellen Rechnungen durchgehen könnte.

»Aber Sie haben die Bücher doch erst vor zwei Wochen geprüft, George.«

»Ich bin nur gern auf dem aktuellen Stand.«

Also gab ihm Stephen, wonach er verlangte, und Cross fand schnell, was er suchte: Gas- und Stromversorger der Kirche nebst den Tarifen, in die sie eingeordnet war – heutzutage gab es verblüffend viele, allein dazu gedacht, neue Kunden anzulocken. In Cross' Augen war etwas grundlegend falsch an einem Konzept, das beinhaltete, dass manche Leute mehr für das Gas und den Strom bezahlten als andere, die den Vorteil eines neuen Angebots hatten nutzen können. Wie sollte man rechtfertigen, dass sich die Kosten von Nachbarn, die Tür an Tür lebten, bei identischem Verbrauch im Jahr um Hunderte von Pfund unterschieden? Und natürlich hatten vorwiegend ältere Menschen unter diesem System zu leiden, Leute, die mit dem Überfluss an verschiedenen Anbietern und Angeboten – bei festem oder variablem Preis – nicht zurechtkamen. Wie auch immer, an diesem Abend entdeckte Cross zwei Energierechnungen, sah sich die Tarife an, analysierte die Kosten für Kilowatt und Kubikmeter und die Rechnungssummen. Als er dann nach Hause kam, rechnete er die Zusatzkosten durch, die für das Heizen der Kirche an seinen Übungsabenden anfielen, und von da an hinterließ er die exakte Summe regelmäßig im Klingelbeutel, jedes Mal wenn er zum Üben dort war. Stephen wusste, was er tat – das war nicht so schwer zu erkennen, denn plötzlich lag an jedem Mittwochabend Geld im Klingelbeutel, aber seine Proteste stießen auf taube Ohren.

Cross dachte höchst ungern über Fälle nach, wenn er nichts vor sich hatte. Nichts Beweiserhebliches, um genau zu sein. Clare hatte ein MRT durchgeführt und bestätigt, was sie schon vermutet hatten. Alex hatte keine Oberschenkelverletzung erlitten. Während Cross an jenem Abend die Orgel spielte, erkannte er, dass er angefangen hatte zu spekulieren, etwas, das er bei anderen verabscheute – seiner Ansicht nach kam das viel zu oft vor, weil es einfacher war als echte Polizeiarbeit. Aber während sie Fälle »diskutierten«, konnten sie sich vormachen, sie würden tatsächlich arbeiten. Dennoch gestattete er sich dieses eine Mal, selbst zu spekulieren. Die Möglichkeiten durchzuspielen, die er auf zwei eingegrenzt hatte. Eine lautete, dass Alex von einem Fremden ermordet worden war. Doch die verwarf er gleich wieder, denn woher hätte ein Fremder von der Teneriffareise wissen sollen, auf die der Täter sich in der Textbotschaft an Matthew bezogen hatte, um seine Spuren zu verwischen? Oder um dafür zu sorgen, dass Alex' Verschwinden erst mit Verspätung auffallen konnte?

Er war überzeugt, der Mord hatte nichts mit dem Fahrradclub zu tun. Der Name, den Danny ihnen gegeben hatte, als er ins Revier gekommen war, gehörte zu einem Dealer, der im Drogendezernat bekannt war. Er war im Fitnesscenter gewesen, um leistungssteigernde Drogen für seinen Bruder zu beschaffen, einen Amateurbodybuilder, nicht weil er Streit mit Alex gehabt hätte. Damit blieb nach Cross' Überlegungen nur noch eine Option, die allerdings derzeit keinen Sinn ergab, und das war, sich die beiden Familien genauer anzusehen, Alex' und Debbies. Aber Kostas hatte ein Alibi. Er hatte begriffen, wie wichtig es war, dass sie ihn so schnell wie möglich ausschließen konnten und keine kostbare Zeit mit seiner Überprüfung vergeuden mussten. Folglich hatte er ihnen gleich zu Beginn der Ermittlungen gesagt, dass er am späten Abend bei einem Treffen gewesen und danach ins Restaurant zurückgekehrt war. Dutzende von Zeugen und die Überwachungsaufnahmen des Hotels bestätigten seine Geschichte. Dennoch war Cross neugierig, was das Ganze wohl zu bedeuten hatte.

Als er die Orgelübungen an diesem Abend beendete, war er zu dem Schluss gekommen, dass Debbies Eltern weitere Ermittlungen erforderlich machten. Auf dem Weg hinaus sah er den Pfarrer im Kirchengestühl sitzen, wo er, wie so oft, seinem Spiel gelauscht hatte.

»Ich kann nicht behaupten, dass ich das erkannt hätte, George«, sagte er und stand von der Bank auf.

»Johann Kuhnaus Die Biblischen Historien. Ein deutscher Komponist, der Ende des 17., Anfang des 18. Jahrhunderts gewirkt hat. Er wurde schon mit 24 Jahren zum Organisten der Thomaskirche in Leipzig bestellt. So jung«, sinnierte Cross.

»Donnerwetter! Da wir gerade dabei sind, ich hörte, Sie haben die Einladung, die Orgel von St. Mary's Redcliffe zu spielen, bisher nicht angenommen.«

»Nein«, sagte er.

»Nun gut, ich habe Ihr Spiel sehr genossen. Eine erfreuliche Überraschung, schließlich ist das nicht Ihr üblicher Abend.«

»Nein, das war eine spontane Entscheidung. Aber von jetzt an werde ich an den Donnerstagabenden nicht mehr mit meinem Vater essen können, wie wir es über zwanzig Jahre lang getan haben, darum muss ich den Wochentag wechseln.«

»Ist mit Raymond alles in Ordnung?«, fragte der Pfarrer besorgt.

»Ja. Er will ehrenamtlich bei Aerospace Bristol arbeiten. Donnerstag ist offenbar der einzige Abend, der infrage kommt.«

»Das ist ja wunderbar.«

»Ja, aber nicht sehr praktisch. Ich werde nun donnerstags herkommen, nicht mehr mittwochs. Ich nehme an, das ist in Ordnung, da die Kirche anscheinend nie benutzt wird«, sagte Cross unbeabsichtigt taktlos.

»Ja, natürlich. Das ist unser Bridge-Abend, aber wir spielen im Gemeindesaal, also ist das kein Problem. Spielen Sie Bridge, George?«

»Nein.«

»Zu schade. Eine unserer regelmäßigen Mitspielerinnen ist gestorben. Nächste Woche wird sie beerdigt. Sie hat, sozusagen, die letzte Hand gespielt.«

»Wenn Sie es für nötig halten, ein Klischee zu bemühen, dann können Sie das natürlich so sagen«, entgegnete Cross und zog los, um sich sein Fahrrad zu holen. Stephen lächelte, nicht nur, weil er Cross' exzentrische Art irgendwie rührend fand, sondern auch, weil er annahm, die Übungsstunden am Donnerstag könnten sich als nützlich erweisen für seine »George Cross' Orgelkonzert«-Kampagne.

Cross fuhr zurück zu seiner Wohnung, nun mit klarem und erfrischtem Geist und bereit, am Morgen noch einmal von vorn zu beginnen mit den Ermittlungen. Auch seine Fähigkeit, eine Untersuchung in einzelne Abschnitte aufzugliedern, war ihm in die Wiege gelegt worden. Sie sorgte dafür, dass die Dinge, die sich als irrelevant erwiesen, sehr schnell und unwiderruflich den Weg in seinen mentalen Abfalleimer fanden.

Bei der MCU war eine Besprechung anberaumt worden, dieses Mal von Ottey. Sie wollte alle so schnell wie möglich über den Richtungswechsel informieren, den sie nach den gestrigen Ereignissen und der Durchsicht der Überwachungsaufnahmen des Hotels vornehmen wollten. Cross legte größten Wert darauf, dass alle stets auf dem neuesten Stand waren und niemand Zeit damit vergeudete, alten Spuren nachzugehen, die sie inzwischen fallen gelassen hatten. Carson war weniger beeindruckt. So sehr er Cross' Instinkte schätzte – das war eigentlich der falsche Begriff; was er bewunderte, waren Cross' Bewertung der Fakten an jedem beliebigen Punkt einer Ermittlung und seine exakte Analyse dessen, was sachdienlich und relevant war –, so problematisch fand er Cross' Bereitschaft, tagelange, manchmal wochenlange Arbeit vollständig zu verwerfen. Ebenso erging es vielen der Kollegen, die diese Arbeit geleistet hatten. Aber er wusste auch, dass Cross eben nicht auf Instinkt vertraute. Er verließ sich auf Fakten, die er als schlüssig einstufte. Carsons Problem war, dass er diese Änderungen, bisweilen Kehrtwenden, in einer Morduntersuchung vor höheren Stellen rechtfertigen musste. Besonders, wenn er diesen gerade ein paar Tage zuvor in bester Verkäufermanier erzählt hatte, wie gut die Ermittlungen in einer bereits gewählten Richtung vorankamen. Dieser Mann lernte niemals aus seinen Fehlern. Er war immer viel zu erpicht darauf, den hohen Tieren zu erzählen, wie effizient das Department arbeitete – unter seiner fachmännischen Leitung, natürlich. Er legte ihnen auch dar, welche enormen Fortschritte sie bei einem beliebigen Fall erzielten, damit er in ihrem kurzzeitigen Lob und ihrer Anerkennung baden konnte. Und dann musste er allzu oft wenige Tage später wieder vor ihnen erscheinen, um ihnen zu erklären, dass diese beachtlichen Fortschritte komplett verworfen worden waren, weil sie sich als vollends nutzlos erwiesen hatten. Und bei diesen Gesprächen mit den hohen Tieren schien als verantwortlich für derlei Kehrtwenden stets ein und dieselbe Person genannt zu werden: DS George Cross. Seinem Ruf auf der mittleren Führungsebene kam das ganz sicher nicht zugute.

Wie Carson hegte auch Ottey gewisse Bedenken wegen der grundlegenden Änderungen in dieser Untersuchung. Als sie herausgefunden hatten, dass Alex mit Drogen gehandelt hatte, auch wenn es lediglich leistungssteigernde gewesen waren, schien es nur logisch zu sein, dass die Antwort irgendwo in diesem Bereich zu finden war. Aber das war, wie sie nun erkannte, ein Anfängerfehler. Die Dinge waren häufig nicht so, wie sie auf den ersten Blick zu sein schienen. Dennoch war sie der Ansicht, dass Cross ihr zumindest ein wenig Bestärkung schuldete.

Als die Besprechung beendet war, machten sich Ottey und Cross auf den Weg zu Jean und Andy.

»George …«, setzte sie an, und weiter kam sie nicht, weil er instinktiv wusste, was sie fragen würde. Nicht zum ersten Mal.

»Ja, bin ich«, sagte er.

»Was?«, fragte sie.

»Sicher, dass wir umdenken müssen. Sie müssen alles, was wir vorher hatten, beiseiteschieben. Ich glaube nicht, dass irgendetwas davon relevant ist. Es wäre einfacher, wenn Sie das alles vergessen würden. Vollständig.«

»Aber finden Sie es nicht auch ein wenig seltsam, dass wir Hinweisen folgen, überzeugt, wir hätten eine heiße Spur, und dann einfach so alles fallen lassen?«

»Nein.«

»Warum nicht?«

»Weil ich nie überzeugt war.«

»Ach ja, ich hatte vergessen, dass Sie perfekt sind.« Er antwortete nicht gleich, sondern nahm sich einen Moment Zeit. Schließlich kam er zu dem Schluss, dass sie es nicht ernst meinte. Das war Ironie, also war es auch nicht notwendig, sie darauf hinzuweisen, dass er keineswegs perfekt war.

»Es ist immer ein Fehler, allzu früh in einer Untersuchung ›überzeugt‹ zu sein, denn das verengt den Blickwinkel, was bedeutet, dass man zwangsläufig etwas übersehen wird.«

»Aber Sie folgen auch frühen Hinweisen mit Überzeugung.«

»In der Tat, doch es gibt da einen deutlichen Unterschied – der ist bis zu einem gewissen Grad semantisch, zugegeben. Aber von etwas in einer Untersuchung überzeugt zu sein, ist nicht dasselbe, wie etwas mit Überzeugung zu verfolgen. Was man stets tun sollte, um dieser Aufgabe adäquat nachzukommen. Doch von etwas überzeugt zu sein, ehe man ausreichende Beweise hat – Beweise, die Ihnen Ihre Überzeugung liefert oder nicht –, kann ausgesprochen irreführend sein«, schloss er. Ottey dachte, dass er wohl nicht ganz unrecht hatte, als sie den Wagen vor dem Haus von Debbies Eltern parkte. Sie war nur nicht so recht sicher, ob sie auch wirklich wusste, inwiefern.

Ihr erster Besuch bei Debbies Eltern hatte lediglich dazu gedient, sie über Alex' Tod zu informieren und sich einen ersten Eindruck von ihnen zu verschaffen. Nun jedoch lag die Sache anders. Für Cross waren Jean und Andy jetzt Verdächtige. Das lag nicht allein daran, dass sie sonst niemanden hatten, den sie sich näher ansehen wollten; sie hatten bereits überall nachgesehen, ohne dass etwas dabei herausgekommen wäre. Aber, wie Cross Mackenzie erklärt hatte, es war für die Ermittlung genauso wichtig, Dinge auszuschließen, wie zu inkludieren. Statistisch ereigneten sich die meisten Morde im Vereinigten Königreich, wie jeder wusste, innerhalb der Familie. Hätten Alex' vage abenteuerliche Geschäftsangelegenheiten – die ganz sicher abenteuerlicher waren, als sie erwartet hatten – sie nicht für eine Weile abgelenkt, dann wären sie vielleicht schon eine Woche früher hier in Eastville gelandet.

»Meinen Sie, die wissen von Debbies Fehlgeburt?«, fragte Ottey, als sie ausstiegen.

»Irgendwie bezweifle ich das«, antwortete Cross.

»Sollen wir es ihnen sagen?«

»Das scheint nicht so ganz unsere Sache zu sein. Andererseits, wenn Sie glauben, das könnte uns etwas verraten, dann sollten wir es vielleicht tun.«

»Also möchten Sie, dass ich es tue.«

»Ich glaube, das wäre das Beste, ja.«

Andy öffnete ihnen die Tür und machte Kaffee, während sie alle auf Jean warteten. Endlich kam sie herunter, das Haar zerzaust und offensichtlich ungewaschen. Sie war nicht erfreut, sie zu sehen. Eine Wolke aus schalen Alkoholausdünstungen wehte über die Detectives hinweg, als sie in die Küche ging und ihre Zigaretten holte.

»Wir hatten uns gefragt, ob Ihnen noch etwas eingefallen ist, seit wir das letzte Mal hier waren? Manchmal kehren Erinnerungen überraschend zurück«, setzte Ottey an.

»Nein, tut mir leid«, antwortete Andy.

»Kein Problem; wir waren sowieso gerade in der Gegend«, versicherte ihm Ottey.

»Ja, klar«, murmelte Jean und nahm einen tiefen Zug von ihrer Zigarette.

»Jean …«, mahnte Andy.

»Haben Sie Debbie seit unserer letzten Begegnung gesehen?«, erkundigte sich Ottey, ohne auf Jean einzugehen.

»Nein.«

An diesem Punkt fiel Cross auf, dass das Puzzlespiel auf dem Tisch nicht fertiggestellt worden war.

»Sie scheinen nicht sehr weit gekommen zu sein«, bemerkte er.

»Nein«, stimmte Andy zu. »Wie Sie gesagt haben, der Himmel ist schwer.«

Cross dachte einen Moment nach. »Macht es Ihnen etwas aus, wenn ich es mal versuche?«

»Äh, nein«, sagte Andy ein wenig verdattert. »Nur zu.« Ottey achtete nicht weiter auf ihren Partner, als der an den Tisch trat, seinen Mantel auszog, sich setzte und intensiv das Puzzle beäugte.

»Eines nach dem anderen, Andy«, sagte Cross.

»So?«, fragte Andy, der glaubte, es ginge um den Fall.

»Sie müssen die Teile erst richtig ordnen und voneinander trennen. Erst nach Inhalt, dann natürlich nach den Seiten; aber Sie sollten sie auf eine Weise ordnen, die grob mit dem Bild korrespondiert«, dozierte Cross.

»Brauchen Sie den Deckel? Damit Sie sich das Bild ansehen können?«, fragte Andy höflich und konnte offenbar nicht so recht glauben, dass dieses Gespräch überhaupt stattfand.

»Nein, nicht nötig«, antwortete Cross und ordnete die übrigen Puzzleteile flink verschiedenen Gruppen auf dem Tisch zu. Andy sah wieder Ottey an, unverkennbar irritiert über Cross' Verhalten. Sie jedoch fuhr fort, als wäre das alles völlig normal – was es für sie in der Tat war.

»Sie hat sich nicht gemeldet? Debbie?«, fragte sie.

»Was geht Sie das an?«, gab Jean zurück, immer noch wütend über ihr Eindringen.

»Jean, sie versuchen doch nur zu helfen«, wollte Andy sie besänftigen.

»Nein, das tun sie nicht. Ich habe dir gesagt, dass das passieren würde«, konterte sie.

»Sie haben ihm gesagt, dass was passieren würde?«, fragte Ottey.

»Dass ihr Leute herkommen und herumschnüffeln würdet«, sagte sie.

»Das ist sozusagen unser Job, wenn jemand ermordet wurde, Jean«, entgegnete Ottey.

Jean antwortete nicht, sondern nippte an ihrem Kaffee, der sich als viel zu heiß erwies.

»Scheiße! Hast du gar kein kaltes Wasser reingetan?«, herrschte sie Andy an.

»Warum hat sie sich nicht gemeldet?«, fragte Ottey.

»Was weiß ich. Ich weiß überhaupt nichts darüber, wie das Gehirn dieses Kindes arbeitet«, sagte Jean.

»Ihr Freund wurde gerade ermordet. So etwas zu verarbeiten, ist nicht leicht, umso weniger für eine Sechzehnjährige.

Ich hätte angenommen, dass sie sich in so einer Lage an ihre Mutter wendet«, beharrte Ottey.

»Tja, das zeigt ja nur, wie gut Sie sie kennen. Oder auch nicht. Habe ich recht?«

Ottey sah sich zu Cross um und fragte sich im Stillen, ob er sich an dem Gespräch zu beteiligen gedachte, aber er war völlig in das Puzzlespiel vertieft.

»Dann stehen die Dinge zwischen Ihnen also ziemlich schlecht«, schlussfolgerte Ottey.

»Das haben Sie gut erkannt. Darum hat sie sich ja verpisst.«

»Okay«, sagte Ottey und stellte ihnen noch einige weitere Fragen zu ihrer Beziehung zu Debbie. Wie es schien, war das Verhältnis zu ihrer Mutter irreparabel beschädigt. Aber etwas an Andys Verhalten deutete auf ein Element des Bedauerns hin. Darauf, dass er bedauerte, dass es so gekommen war. Ottey rechnete kurz im Kopf nach. Ihrer Ansicht nach sah Jean für eine Mutter einer Sechzehnjährigen ziemlich jung aus. Sie wirkte ein bisschen verlottert, wie jemand, der nicht gut auf sich achtet. Aber sie war trotzdem noch recht jung.

»Wie alt waren Sie, als Sie Debbie bekommen haben?«, erkundigte sie sich.

»Was hat das mit irgendwas zu tun?«, giftete Jean.

»Es war nur eine Frage«, beschwichtigte Andy.

»Und? Das geht die nichts an. Ich denke, es wird Zeit, dass Sie gehen. Ich muss pissen.« Sie stand auf und verließ den Raum.

»Tut mir leid. Sie verdrängt die ganze Geschichte, seit Sie uns von Alex erzählt haben. Eigentlich verdrängt sie sie schon, seit Debbie gegangen ist. Und morgens ist sie sowieso immer ein bisschen unwirsch. Vielleicht kommen Sie das nächste Mal einfach am Nachmittag«, schlug er hilfreich vor und fügte dann hinzu: »Falls Sie überhaupt noch mal herkommen müssen.«

»George, wir gehen«, sagte Ottey.

»Nur eine Minute«, bat er. Andy und Ottey fiel erst jetzt auf, wie weit er bei dem Puzzle vorangekommen war. Nun beeilte er sich fertigzuwerden, griff zum letzten Puzzleteil und wollte es an seinen Platz legen, riss sich dann aber zusammen, stand auf und schlüpfte wieder in seinen Mantel. Dabei betrachtete er mit äußerst zufriedener Miene das Puzzlespiel.

»Erstaunlich. Wollen Sie es nicht fertigmachen?«, fragte Andy.

»Oh nein, das überlasse ich Ihnen«, antwortete Cross.

»Es ist nur noch ein Teil übrig«, wandte Andy ein.

»Das ist wahr, aber das Puzzlespiel eines anderen zu beenden, ist gar kein gutes Benehmen«, konstatierte Cross und sah sich zu Ottey um, als wäre es ihm nur darum gegangen, ihr seine guten Manieren zu demonstrieren.

»Das hätten Sie schon machen können«, entgegnete Andy lachend.

Cross sah Ottey an. Die verzog keine Miene, was er als mahnendes Schweigen einstufte.

»Das konnte ich wirklich nicht tun«, sagte Cross.

»Ich bestehe darauf«, konterte Andy.

»Oh, na gut«, antwortete Cross entschieden zu schnell und legte das letzte Puzzleteil an seinen Platz. Dabei sah er auf geradezu kindliche Weise selbstzufrieden aus. Er schaute sich erneut zu Ottey um, als würde er auf eine Gratulation warten, doch ihre Mimik hatte sich nicht verändert.

»Er hat darauf bestanden«, verteidigte er sich prophylaktisch.

»Das ist wahr, das habe ich. Außerdem wollte ich es sowieso gerade wegpacken. Ich hatte genug davon«, sagte Andy, ehe sie das Haus verließen. Kaum waren sie draußen, rief er ihnen hinterher: »Sechzehn. Sie war sechzehn, als Debbie zur Welt gekommen ist. Jean, meine ich.«

Sie gingen die Straße hinunter zu Otteys Wagen. Als sie eingestiegen waren, drehte Cross sich zu ihr um.

»Sie haben eine Gartenhütte hinter dem Haus.«

»Was ist damit?«, fragte sie.

»Es ist eine alte Hütte. Steht da bestimmt schon gute zehn Jahre, hat aber ein nagelneues Vorhängeschloss. Ein sehr großes, nagelneues Vorhängeschloss.«

»Und …?«, hakte sie nach.

»So eines haben wir schon mal gesehen«, antwortete er. »Warum haben Sie die Fehlgeburt nicht zur Sprache gebracht?«

»Sie hat sich nach oben verzogen, ehe ich die Gelegenheit dazu hatte, und es kam mir falsch vor, dem Stiefvater vor der Mutter davon zu erzählen. Außerdem, wie Sie schon sagten, das ist eigentlich Debbies Sache.«

23

Zwei Dinge ergaben sich in rascher Folge. Zunächst war da eine Benachrichtigung von einer uniformierten Einheit, die zu einem Tumult im Adelphi Palace gerufen worden war. Cross und Ottey wurden von den Uniformierten informiert, weil die wussten, dass einer der Eigentümer Opfer eines Mordes geworden war, den die Detectives untersuchten. Als Cross und Ottey eintrafen, sahen sie vor dem Restaurant einen Streifenwagen und einen Gefangenentransporter. Die äußere Hecktür des Transporters stand offen. Hinter den Gitterstäben der inneren Tür konnten sie Jean erkennen. Sie war in einem furchtbaren Zustand, das Gesicht gerötet, das Haar ungewaschen und zerzaust. Die beiden Detectives achteten nicht weiter auf sie, um sich nicht in eine unnötige Auseinandersetzung verwickeln zu lassen. Das vordere Fenster des Restaurants war eingeworfen worden. In dem Lokal sprachen zwei Uniformierte mit Kostas und seinem Vater. Im hinteren Teil weinte Debbie, während Helena versuchte, sie zu trösten.

Offenbar war Jean während des Mittagstischs aufgetaucht und wollte ihre Tochter sehen, die sich oben in der Wohnung aufgehalten hatte. Natürlich waren alle sehr beschäftigt gewesen, also hatte Kostas sie beschwatzt, ein bisschen später wiederzukommen. Das tat sie gegen vier Uhr nachmittags. Da sie die Wartezeit in einem Pub um die Ecke verbracht hatte, war sie zu der Zeit in einem noch schlechteren Zustand als zuvor. Debbie wollte ihre Mutter nicht sehen, aber Jean war nicht bereit, das zu glauben. Sie wurde rasch ausfallend, worauf Kostas sie bat zu gehen und sie schließlich hinauswarf.

»Ich war nicht aggressiv, das schwöre ich. Es war auch gar nicht so schwer, sie rauszubekommen. Sie ist ziemlich voll«, erklärte er.

»Warum ist sie so wütend?«, fragte Ottey.

»Weil Debbie sie nicht sehen will. Aber warum sollte sie das auch plötzlich? Sie hat sich ja nicht mal die Mühe gemacht, sich nach Alex' Tod zu melden.«

»Und warum jetzt?«, hakte Ottey nach.

»Wegen der Fehlgeburt. Ein bisschen spät, um endlich anzufangen, sich wie eine Mutter zu benehmen, wenn Sie mich fragen. Ich weiß, dass Debs Ihnen erzählt hat, sie wäre ausgezogen, weil es zu Hause nicht gut gelaufen ist, aber das stimmt nicht. Jean hat sie regelrecht vergrault.«

»Das wusste ich tatsächlich nicht. Wir dachten, sie hätte einfach genug gehabt.«

»Tja, so einfach war's doch nicht. Die taugt nicht zur Mutter, diese Frau.«

»Wie hat sie von der Fehlgeburt erfahren?«, fragte Cross.

»Debbie hat es wohl ihrem Stiefvater gesagt«, berichtete Kostas. »Deswegen hat sie auch einen Aufstand gemacht. Hat gemeint, eine Tochter sollte ihre Mutter rufen, nicht den Stiefvater. Ich habe ihm Bescheid gegeben.«

»Wem?«, fragte Ottey.

»Andy. Er ist unterwegs.«

»Darüber dürfte er nicht sehr erfreut sein«, konstatierte Cross und zeigte auf Jean.

»Wir erstatten keine Anzeige«, sagte Kostas.

»Warum nicht?«, fragte Ottey.

»Wegen meiner Mum. Sie lässt uns nicht. Mein Dad und ich wollten die Frau anzeigen, aber sie hat Nein gesagt. Sie meint, die Frau hätte auch so genug zu bewältigen. Andererseits könnte ihr ein bisschen Zeit im Knast durchaus guttun, finden Sie nicht? Zumindest wäre sie da trocken.«

Ottey ging in den hinteren Teil des Restaurants, um mit Helena und Debbie zu reden. Einer der Constables bat Kostas, seine Aussage zu vervollständigen, auch wenn sie nichts unternehmen wollten. Cross registrierte wohlwollend, dass der junge Constable sich an die übliche Verfahrensweise hielt, und merkte sich seinen Namen. Dann setzte er sich und wartete darauf, dass Ottey ihr Gespräch mit Debbie beendete. Philippos brachte ihm einen Kaffee.

»Danke. Sie machen sehr guten Kaffee. Den besten griechischen Kaffee, den ich in Bristol je getrunken habe«, lobte er.

»Gern geschehen«, sagte Philippos.

»Allerdings ist das, wie ich glaube, der einzige griechische Kaffee, den ich bisher in Bristol getrunken habe, um ehrlich zu sein. Aber das tut der herausragenden Qualität keinen Abbruch.« Der alte Koch wusste nicht recht, wie er darauf reagieren sollte, also zog er sich respektvoll zurück.

Fünfzehn Minuten später tauchte Andy auf. Er sah gestresst und nicht gerade erfreut aus. Durch das Gitter im Heck des Transporters wechselte er ein paar sehr kurze Worte mit Jean, überließ sie aber sofort sich selbst, als sie anfing, ihn lautstark zu beschimpfen und aufzufordern, er solle etwas tun und sie da rausholen. Er betrat das Restaurant und sagte überaus höflich Hallo zu Cross. Kaum hatte Debbie ihn entdeckt, lief sie quer durch das Lokal zu ihm, schlang die Arme um ihn und brach in Tränen aus. Einige Minuten lang hielt er sie einfach fest, streichelte ihr Haar und küsste ihren Scheitel. Was für Probleme sie auch mit ihrer Mutter hatte, mit ihrem Stiefvater hatte sie die allem Anschein nach nicht. Helena und Philippos gegenüber zeigte er sich extrem besorgt und zurückhaltend. Kostas erzählte er, dass er bereits einen befreundeten Glaser angerufen habe, der am Abend noch herkommen, das Fenster ausmessen und so schnell wie möglich ersetzen werde. Und natürlich komme Andy für die Kosten auf. Die ganze Familie schien angesichts seines Auftretens völlig entwaffnet zu sein. Als Kostas ihm vorschlug, Jean aus dem Transporter zu holen und nach Hause zu bringen, lautete seine Antwort, sie könne warten. Debbie kochte ihrem Stiefvater eine Tasse Tee, die er dankbar annahm. Cross und Ottey wurden Zeugen von etwas, das man im Grunde nur als einen Familienrat bezeichnen konnte, der darüber diskutierte, wie man idealerweise in nächster Zukunft mit Debbie und ihrem Verlust umgehen sollte. Nun ja, ihrem zweifachen Verlust.

Als Andy sich zum Gehen aufmachte, sagte Ottey, sie würden ihn anrufen, um ein weiteres Treffen zu vereinbaren. Es wäre von Vorteil, wenn er dabei wäre. Sie sahen zu, als er Jean warnte, er würde sie, sollte sie Theater machen, einfach lassen, wo sie war, dann könne sie ihren Rausch in der Zelle ausschlafen. Nach einer ersten wütenden Reaktion gab sie sich tränenreich geschlagen und wurde freigelassen. Andy brachte sie zu seinem Van, einem schwarzen Transit, wie Cross auffiel, und sie verabschiedeten sich von der Familie.

Cross war daran gelegen, selbst mit Debbie zu sprechen. Er sagte ihr, sie solle sich bei ihnen melden, wenn sie ihnen noch irgendetwas erzählen könne. Seinem Eindruck zufolge wirkte sie ein wenig verängstigt, und er fragte sich, wie es wohl sein musste, Angst vor der eigenen Mutter zu haben. Aber das bestätigte seiner Ansicht nach auch seinen Verdacht, dass sie immer noch etwas vor ihnen zurückhielt. Er beschloss, das Thema anzusprechen.

»Debbie, Sie haben uns nicht alles gesagt«, verkündete er.

»Nein«, erwiderte sie. Cross brauchte eine Sekunde, um sich zu überlegen, ob sie ihm zustimmen oder widersprechen wollte.

»Doch, und es wäre das Beste, wenn Sie uns jetzt sagen würden, was Sie verschwiegen haben. Das würde uns eine Menge Zeit ersparen und am Ende finden wir es sowieso heraus«, sagte er.

»Das ist unvermeidlich«, bekräftigte Ottey.

»Also, was ist es?«, drängelte Cross.

»Nichts«, beharrte Debbie. Cross sah sie nur unverwandt an und versuchte zu erfassen, was sie wohl verschweigen könnte. So, wie die Dinge sich entwickelt hatten, konnte es nur in eine Richtung gehen.

»Sie wissen, wo Alex an dem Abend hingegangen ist. Ist es das?«, fragte er.

»Er wollte zu einem Treffen am Flughafen. Aber das wissen Sie bereits«, sagte sie.

»Aber Sie wissen auch, wo er danach hinwollte«, konstatierte Cross.

»Nein, weiß ich nicht.«

»Dann haben Sie zumindest eine ziemlich gute Vorstellung«, entgegnete Cross. Sie antwortete nicht, sondern sah Helena und Kostas an, die beide gespannt zu warten schienen.

Schließlich senkte sie den Blick und fing an, an ihren Fingernägeln herumzuspielen.

Daraufhin sah Helena auf. »Vielleicht will sie es uns erzählen und wir können Sie später anrufen«, erbot sie sich hilfsbereit.

»Dafür haben wir wirklich keine Zeit, Mrs Paphides. Muss ich Sie daran erinnern, dass wir den Mörder Ihres Sohnes suchen? Und falls Debbie etwas weiß oder vielleicht auch nur zu wissen glaubt …«

»Ich glaube, er wollte zu meiner Mutter. Ich weiß, dass er zu ihr wollte«, sagte Debbie hastig.

»Wie kommen Sie darauf?«

»Weil er das gesagt hat. Wir haben uns deswegen gestritten«, berichtete sie und brach erneut in Tränen aus. »Als wir uns das letzte Mal gesehen haben, haben wir gestritten, und jetzt kann ich ihm nicht mal sagen, dass es mir leidtut.« Helena tröstete sie und sah sich zu Cross um, als wollte sie andeuten, dass er habe, weshalb er gekommen sei, und nun wieder gehen solle.

»Nur noch eine Frage, Debbie. Warum? Warum wollte er zu ihr?«, fragte Cross.

»Um ihr von dem Baby zu erzählen«, sagte sie. Die Erwähnung des Babys, das sie verloren hatte, brachte sie nur noch mehr aus dem Gleichgewicht. Cross machte auf dem Absatz kehrt und ging.

»Danke, Debbie, das könnte wirklich hilfreich sein«, sagte Ottey und sah dann Helena an. »Rufen Sie uns an, wenn noch irgendetwas ist oder wir Ihnen irgendwie helfen können.« Helena nickte schweigend und Ottey verließ ebenfalls das Restaurant.

»Ganz wie ich es vermutet hatte«, sagte Cross, als er und Ottey wieder ins Auto stiegen. »Das beantwortet eine offene Frage: Wer hat Jean und Andy von der Schwangerschaft erzählt. Das war Alex. Er war an jenem Abend dort.«

Die zweite neue Entwicklung ereignete sich am folgenden Tag, als Catherine aus dem CCTV-Department mit ihrem iPad in der Hand an seine Tür klopfte.

»Wir hatten ein bisschen Erfolg mit dem Logo des Vans.«

»Endlich«, sagte Ottey, nur um sogleich zurückzurudern. »Tut mir leid, das sollte keine Kritik sein, nur ein Ausdruck der Erleichterung, Cat.«

»Kein Problem. Jedenfalls gehört der Wagen zu einer Flotte der South West Plumbers. Das ist ihre Website.«

Sie zeigte sie ihnen auf dem iPad. Auf der Firmenwebsite der Sanitärfirma stand der Boss mit weit ausgebreiteten Armen vor einer Reihe von Transportern. Er sah aus wie einer dieser amerikanischen Autoverkäufer, die am Rand amerikanischer Highways riesige Werbetafeln zierten. Aber er war ein bisschen besser gekleidet. Sein Lächeln hatte mehr mit blasierter Selbstgefälligkeit zu tun als mit einem warmen, freundlichen Willkommensgruß, wie Cross fand.

»Der Blauton, in dem die Wagen lackiert sind, ist der gleiche wie der an der Garage, nicht wahr?«, fragte Ottey.

»Es sieht so aus«, sagte er leise, beinahe, als spräche er mit sich selbst.

Später an diesem Nachmittag fuhren sie zum Haus von Andy und Jean, wie sie es zuvor verabredet hatten. Es war ein trüber Nachmittag. Das, was Cross als »nassen« Regen bezeichnete, fiel in Strömen. Es war, als stürzte er einfach vom Himmel, weil jeder einzelne Tropfen zu schwer war, um oben zu bleiben. Sie wurden auf dem Weg vom Auto zum Haus furchtbar nass. Nach ihrem Klopfen erschien Jean am Fenster, um nachzusehen, wer da war. Sie konnten sie trotz des rauschenden Regens beinahe durch die Scheibe seufzen hören. Auch dann dauerte es noch eine ganze Weile, bis sie endlich die Tür öffnete, und als sie es tat, waren die beiden Detectives bis auf die Knochen durchnässt. Ottey nahm an, dass Jean sich mit Absicht Zeit gelassen hatte, nachdem sie am Vortag einige Zeit in einem Gefangenentransporter hatte zubringen müssen. Cross vermutete, es lag daran, dass sie erst noch ein Glas Wein hinunterkippen und das Glas in der Küche verstecken musste.

»Schon wieder?«, fragte sie, als sie die Tür öffnete.

»Oh ja«, antwortete der tropfnasse Cross, als Andy hinter ihr auftauchte.

»Du hast gesagt, du öffnest die Tür, Jean!«, rief er aus.

»Habe ich doch«, murrte sie.

»Sieh dir nur mal an, wie die beiden aussehen; kommen Sie rein«, sagte er und scheuchte sie ins Haus, nicht ohne seiner Frau noch ein herzhaftes »Scheiße noch mal!« an den Kopf zu werfen. Sie nahmen Platz, während Jean widerwillig Tee kochte und Andy loszog, um ein paar Handtücher für sie zu holen. Cross schnüffelte dankbar an dem Handtuch, ehe er sich abrubbelte. Das tat er immer, er schnüffelte an Dingen. Sein Geruchssinn war extrem wichtig für ihn. Gerüche interessierten ihn. In seiner Jugend war er besessen davon gewesen, sowohl Herren- als auch Damenparfüms am Geruch zu identifizieren. Jedenfalls, bis eine Frau sich darüber beklagt hatte, dass er ihr bei seinem Geschnüffel zu nahe kam, als er 17 gewesen war. Er hatte es nie wieder getan, aber Ottey hatte ihn gelegentlich kaum hörbar Penhaligon's Blenheim oder Opium vor sich hin murmeln hören. In seinen ersten Teenagerjahren hatte er eine Phase durchlebt, in der er die winzigen kostenlosen Proben am Parfümstand bei Maggs & Co in Clifton gesammelt hatte. Nach einer Weile kannte ihn dort jeder und die Frauen hatten ihn lieb gewonnen. Manchmal baten sie ihn für ihre Kunden um eine Kostprobe seines Talents, Parfüm blind zu identifizieren.

Cross tupfte sich den Kopf ab, faltete das Handtuch säuberlich zusammen und legte es in seinen Schoß. Dann sah er Ottey an. Sie würde das Gespräch beginnen, denn sie wollten eine entspannte Atmosphäre schaffen. Damit sich sowohl Andy als auch Jean sicher fühlten und sich keine Sorgen machten. Das war etwas, das in ihre Expertise fiel.

»Zunächst einmal danke, dass Sie uns wieder empfangen haben. Das mit Debbie tut mir leid – das muss sehr schlimm für Sie sein.«

»Das wäre nicht passiert, wenn sie hier gewesen wäre«, antwortete Jean.

»Wie bist du nur darauf gekommen?«, fragte Andy. Cross fiel eine deutliche Veränderung in Hinblick auf Andys Auftreten gegenüber seiner Frau auf. Er wirkte gereizt, ungehalten. Vielleicht war er immer noch verärgert über die Szene, die Jean am Vortag beim Restaurant hingelegt hatte. Er war nicht mehr der Beschützer im Hintergrund, als der er sich bei ihrem ersten Treffen gezeigt hatte. Allerdings, überlegte Cross, konnte es auch nicht leicht sein, mit einer Alkoholikerin zusammenzuleben. Umso weniger mit einer, die schon so früh am Tag anfing zu trinken. Er nahm an, dass sie jeden Abend, wenn Andy von der Arbeit nach Hause kam, in einem ziemlich berauschten Zustand war.

»Weil sie dann gar nicht erst schwanger geworden wäre.«

»Das kannst du nicht wissen. Stell dich nicht dümmer, als du bist.«

»Nenn mich nicht dumm!«, geiferte sie, und es schien, als wiederholte sie etwas, das sie schon viele Male zuvor gesagt hatte.

»Hatten Sie Probleme, sich bei der Arbeit freizunehmen?«, fragte Ottey.

»Nein, mein Boss versteht das. Er ist über die Situation im Bilde«, sagte er und sah dabei instinktiv Jean an.

»Und was soll das jetzt heißen?«, fragte die prompt.

»Was meinst du? Ich rede natürlich von der Fehlgeburt.« Er konzentrierte sich wieder auf Ottey. »Ich werde ein paar Nachtschichten einlegen, um es wiedergutzumachen. Wir sind vierundzwanzig Stunden im Einsatz, sieben Tage die Woche.«

»Du hörst dich an wie eine Scheißreklame. Warum gibst du ihr nicht gleich deine Karte, wenn du schon dabei bist?«, kommentierte Jean.

»Ach, halt doch den Mund, Jean. Wenn du nichts Besseres beizutragen hast, warum machst du dann nicht einfach die Wäsche?«

»Es wäre uns lieber, wenn sie bliebe«, wandte Cross ein.

»Was machen Sie beruflich, Andy?«, erkundigte sich Ottey.

»Ich bin Klempner.«

»Und für wen arbeiten Sie?«, fragte Ottey.

»South West Plumbing.« Die beiden Detectives stutzten kaum merklich, als sie diese Neuigkeit verdauten.

»Ach, die kenne ich«, sagte Ottey dann. »Die Wagen sieht man in der ganzen Stadt.«

»Ja, wir haben einen ziemlich großen Fuhrpark.«

»Hellblau, mit einem riesigen Bild des Eigentümers. Das muss ja eine Nummer sein, dass er sein Gesicht überall in der Stadt zur Schau stellt«, fuhr Ottey fort.

»Ja, er ist ein bisschen selbstverliebt«, stimmte Andy lachend zu.

»Ich habe draußen gar keinen von den Transportern gesehen. Lassen Sie den Wagen bei der Arbeit zurück?«

»Nein, nein; wir nehmen sie mit nach Hause. Es ist der schwarze Transit«, sagte er.

»Wie kommt es, dass Sie einen schwarzen Wagen haben?«

»Mein normaler Wagen ist zur Inspektion in der Werkstatt.«

»Nur eine Inspektion?«, hakte sie nach.

»Jepp.«

»Keine Reparaturen?«

»Na ja, sie werden alles in Ordnung bringen, was nötig ist«, sagte Andy.

»Ist denn etwas nötig?«

Andy dachte einen Moment nach, und als ihm nichts in den Sinn kam, schürzte er die Lippen und schüttelte den Kopf, nur um gleich darauf zu sagen: »Ach, was rede ich denn da? Die Hintertür. Der Wagen ist aufgebrochen worden.«

»Kürzlich?«, fragte sie.

»Ja, letzte Woche.«

»Letzte Woche, und das haben Sie einfach vergessen?«

»Nein, war mir nur gerade vorübergehend entfallen, das ist alles«, erklärte er.

»Okay, Andy, wo waren Sie am Abend des Achten?«, erkundigte sich Ottey.

»Am Achten? Wann war der?«, fragte er.

»Dienstag vor zwei Wochen«, antwortete sie.

Andy zog sein Telefon hervor und sah im Terminkalender nach.

»Normaler Arbeitstag, dann war ich mit Jean hier. Dem Kalender zufolge muss ich gegen achtzehn dreißig zu Hause gewesen sein. Ich mache alles nach der Vierundzwanzig-Stunden-Zählung. Wir müssen unsere Stunden für die Zeiterfassung festhalten.«

»Ist das heutzutage nicht alles computerisiert?«, wollte Ottey wissen.

»Richtig, deswegen halten wir ja alles fest. Der Computer hat nicht immer recht; das WLAN fällt alle naselang aus, und die Fahrtzeiten werden ständig falsch berechnet. Ist wie bei diesen Navis. Das Ding protokolliert die Fahrten basierend darauf, wie lange sie seiner Ansicht nach dauern sollten, und wie es aussieht, nutzt es zur Berechnung der Strecke gern mal die Luftlinie. Das Ding hat keine Ahnung von echtem Verkehr und Verzögerungen. Darum müssen wir alles genau überprüfen«, sagte er. Cross hatte das Gefühl, dass der Mann sich bemühte, ihnen nach Kräften zu helfen. Oder zumindest diesen Anschein zu erwecken.

Ottey sah Jean an. »Können Sie das bestätigen, Jean?«

»Ja«, sagte sie.

»Was haben Sie an dem Abend gemacht?«

»Weiß ich nicht mehr so genau. Wir haben zu Abend gegessen und wahrscheinlich eine DVD geguckt«, antwortete sie.

»Im Fernsehen kommt heutzutage nichts mehr, was sich anzuschauen lohnt«, kommentierte Andy.

»Komisch, das ist genau das, was DS Ottey immer sagt,

richtig?«, beteiligte sich Cross erstmals seit ihrer Ankunft an dem Gespräch.

»Jepp«, pflichtete sie ihm bei.

»Ich selbst sehe nicht fern, daher weiß ich so etwas nicht«, fuhr Cross fort. »Ich höre aber Radio. Nun ja, wenn ich ›Radio‹ sage, meine ich eigentlich nur Radio 4, obwohl ich auch Jazz FM mag wegen des, na ja, Jazz natürlich. Und nichts schlägt Radio 3, wenn es um Klassik geht – sie spielen die Symphonien vollständig. Die Sender, die nur Bachs beste Stücke oder Mozarts Greatest Hits bringen, kann ich nicht ertragen. Haben Sie Alex an jenem Abend gesehen?« Er erhielt keine Antwort. »Mrs Swinton?«, fragte er sie direkt.

»Was? Nein, wie ich gesagt habe, wir haben ihn seit Monaten nicht gesehen«, antwortete sie.

»Okay …«, erwiderte er und nahm sich übertrieben viel Zeit, um etwas in seinem Notizbuch festzuhalten. Schließlich blickte er auf und sah die beiden an, als erwartete er, dass sie noch etwas dazu sagten. Aber das taten sie nicht. Sie schauten erst einander und dann ihn an. Ja, er starrte sie immer noch an. Dann, nach einer scheinbaren Ewigkeit, fragte er: »Mrs Swinton, wie haben Sie Debbies Schwangerschaft aufgenommen?«

»Was? Na ja …«, stammelte sie, offensichtlich auf der Suche nach einer passenden Antwort.

»Erst sechzehn«, fuhr er fort.

»Was wollen Sie damit sagen?«, fragte sie.

»Nichts. Ich möchte nur wissen, wie Sie das empfunden haben«, entgegnete er.

»Wir waren enttäuscht, wenn ich ehrlich bin«, sagte Andy, und Jean machte sich nicht die Mühe, ihm zu widersprechen.

»Waren Sie wütend? Als sie es Ihnen erzählt hat?«

»Nein«, sagte Andy.

»Eher … traurig«, fügte Jean hinzu.

»Wann hat sie es Ihnen erzählt?«

»Vor ein paar Wochen.«

»Als Sie sie das letzte Mal gesehen haben?«, hakte Cross nach.

»Nein, ich glaube, sie hat angerufen«, widersprach Jean.

»Tatsächlich? Nicht gerade die Art von Neuigkeit, die man am Telefon zu hören erwartet«, kommentierte er.

»Warum nicht?«

»Na ja, Sie wissen ja, dass die Situation in letzter Zeit ein bisschen angespannt war«, kam Andy ihr zu Hilfe und sah sich zu Ottey um, die ihm ein besänftigendes Lächeln schenkte. Das tat sie häufig, um die Lücke zu füllen, die Cross in diesem Punkt offen ließ.

»Natürlich. Nun ja, das ist alles ziemlich logisch«, sagte Cross. »Ich denke, wir haben alles, was wir brauchen. Sie waren hier. Zusammen. Haben Alex nicht gesehen.« Wer ihn nicht kannte, hätte glauben können, dass Cross ein wenig schwerfällig war, dumm sogar.

»Richtig«, bestätigte Andy.

»Noch einmal danke, dass Sie uns Ihre Zeit gewidmet haben«, sagte Ottey.

Als sie in Richtung Haustür gingen, blieb Cross plötzlich stehen, drehte sich um und sah zum Fenster hinaus in den Garten hinter dem Haus.

»Was haben Sie in der Hütte?«

Die Frage schien Andy zu überraschen wie ein Blitz aus heiterem Himmel. »Äh, Rasenmäher, Gartengeräte und, na ja, einen ganzen Haufen Schrott. Sie wissen ja, wie sich so etwas ansammelt.«

»Großes Schloss für einen ›Haufen Schrott‹ und ziemlich neu dazu, so wie es aussieht.«

»Ich lasse mein Werkzeug über Nacht da drin. Im Transporter ist es nicht sicher. Wie ich schon sagte, letzte Woche wurde er aufgebrochen«, erklärte Andy.

»Aber Sie können doch bestimmt nicht jeden Abend den ganzen Inhalt ihres Transporters umladen, oder?«

»Nein, nein, da würde ich ja die ganze Nacht brauchen«, erwiderte er lachend. »Nein, nur die Elektrowerkzeuge, Dinge, die gern geklaut werden. Ich meine, eigentlich ist der Rest auch so ziemlich gut gesichert. Wie letzte Woche – sie sind nicht reingekommen, aber sie haben bei dem Versuch, den Wagen aufzubrechen, eine Menge Schaden angerichtet.«

»Im Haus wären die Sachen doch noch sicherer, oder? Andererseits, wenn ich mir die Hütte so ansehe, wären sie im Transporter vermutlich auch sicherer«, bemerkte Cross.

»Jean will die Sachen nicht im Haus haben.«

»Natürlich«, sagte Cross, als wäre das ein sehr wichtiger Aspekt, den er nicht bedacht hatte. »Und das ist ein ziemlich gewaltiges Schloss.«

»Jepp.«

»Haben Sie es kürzlich erneuert?«

»Das habe ich tatsächlich. Vor ein paar Monaten wollte jemand einbrechen. Hab den Kerl verscheucht, aber das Schloss war hinüber. Jetzt haben wir einen Bewegungsmelder auf der Rückseite des Hauses. Taucht den Garten in Flutlicht, wenn sich irgendwas rührt, und schickt mir eine Nachricht auf das Telefon.«

»Ach was!«, gab Cross sich beeindruckt von dieser Technik. Er drehte sich zu Ottey um. »Wussten Sie, dass es Lampen gibt, die Textnachrichten an Leute schicken?«, fragte er sie.

»Das wusste ich nicht«, antwortete sie.

»Das ist wirklich faszinierend. Können Sie mir zeigen, wie das funktioniert?«, bat Cross.

»George, ich glaube wirklich, wir haben keine Zeit für eine Demonstration«, ging Ottey dazwischen.

Sie wandten sich erneut zum Gehen, doch dann blieb Cross wieder stehen. Beinahe beschämt, fast so, als wüsste er, dass das, was er wollte, vermutlich außer Frage stand, sagte er zu Andy: »Wäre es in Ordnung, wenn ich einen kurzen Blick riskiere?«

»Worauf?«

»In die Hütte?«

»Nein«, antwortete Andy.

»Nein?«, fragte Cross und klang ehrlich überrascht, dass solch eine unschuldige Bitte so eine Reaktion hatte heraufbeschwören können.

»Ich denke, wir haben Ihnen alles gesagt, was Sie wissen müssen«, konstatierte Andy.

»Tatsächlich? Ich glaube, das ist realistisch betrachtet kaum möglich. Ich meine, woher wollen Sie wissen, was und wie viel wir wissen müssen, wenn Sie doch gar nicht wissen, wie viel wir bereits wissen? Was für uns im Zuge unserer Ermittlungen von Nutzen sein könnte?« Andy antwortete nicht, also beharrte Cross auf seiner Bitte: »Ich würde wirklich gern einen Blick in die Hütte werfen.«

»Brauchen Sie dafür nicht einen Durchsuchungsbefehl?«, fragte Jean.

»Einen Durchsuchungsbeschluss?«, fragte Cross, als könnte er sich beim besten Willen nicht vorstellen, warum sie so eine Frage stellte. »Warum sollten Sie uns denn so viel Mühe bereiten wollen?«

»Weil wir unsere Rechte kennen«, sagte Andy, dessen Tonfall sich deutlich verändert hatte. Er war nicht mehr der Mann, der sich freute, wenn er ihnen helfen konnte, der so nett war, ihnen Handtücher zu holen, als sie vom Regen durchnässt waren. Nun war er abwehrend und die Detectives plötzlich gar nicht mehr willkommen.

»Natürlich tun Sie das. Aber warum bringen Sie das nun so überraschend zur Sprache?«, fragte Cross scheinbar verwirrt. Doch niemand zeigte eine Reaktion. »Ich wäre Ihnen dankbar, wenn Sie mir diese Frage beantworten könnten, damit ich keinen falschen Eindruck bekomme. Sehen Sie, ich denke, es liegt daran, dass Sie mich hindern wollen, in Ihre Hütte zu schauen. Aber warum sollten Sie das tun, wenn Sie da drin doch nur einen ›Haufen Schrott‹ aufbewahren? Dafür muss es einen anderen Grund geben, würden Sie das nicht auch denken? Wenn Sie an meiner Stelle wären? Einen anderen Grund, warum Sie nicht wollen, dass ich sehe, was in der Hütte ist.« Forschend musterte er Andy, doch der hielt stand.

»Wir finden selbst hinaus. Oh, und herzliches Beileid.«

»Bitte?«, fragte Andy verwirrt.

»Zu Debbies Fehlgeburt.« Verunsichert sah er Ottey an. »Sollte man das nicht sagen?«

Andy und Jean sahen zu, wie sie durch den Regen zurück zu ihrem Wagen liefen.

»Der Mann ist ein verdammter Idiot«, kommentierte Jean, als sie in die Küche ging, um sich ein Glas Wein einzuschenken. Andy beobachtete die beiden Detectives, die sich im Auto unterhielten, ehe der Wagen endlich losfuhr. Er war da nicht so sicher.

24

Die Ermittlungen waren inzwischen an einem Punkt, an dem die Unterschiede zwischen Cross' Vorgehensweise und der seiner Kollegen deutlich zutage traten. Carson und so ziemlich alle anderen wollten einen Durchsuchungsbeschluss für Haus und Hütte der Swintons beschaffen. Aber nicht Cross. Genau dieser Unterschied trug eine Menge zu Cross' überwältigender Verurteilungsrate bei. Das war eine Erfolgsquote, mit der kein anderer Detective der Region (und vermutlich des ganzen Landes, wie Carson einmal gedacht hatte, wenngleich er sich nicht die Mühe gemacht hatte, den Gedanken weiterzuverfolgen) auch nur ansatzweise mithalten konnte. Und das ging allein darauf zurück, dass Cross von dem Verlangen getrieben war, grundsätzlich alle Beweise in einem Fall mit absoluter Überzeugung und unerschütterlicher Gewissheit vorzulegen. Er wollte der Jury die Beweise auf dem Silbertablett servieren und den Geschworenen gar keine Wahl lassen, wenn er auch nur die geringste Chance dazu hatte. Er wollte, dass sie in Fällen, von denen er wusste, dass die Beweise ohne jede Frage auf die Schuld des Angeklagten verwiesen, keine andere Möglichkeit hatten, als diesen für schuldig zu befinden. Angesichts dessen fiel es Carson in dieser Situation nicht ganz leicht, zu verstehen, warum sein bester Detective das Angebot, einen Durchsuchungsbeschluss für die Hütte in Swintons Garten zu beschaffen, zurückwies. Zwei Dinge kamen erschwerend hinzu: Zunächst war da Cross selbst, der zu Beginn der Besprechung ein Foto von den Trümmern der Garage vorlegte, in denen Alex' in Polyethylenfolie gewickelte Leiche gefunden worden war, und auf ein großes, neu aussehendes Vorhängeschloss zeigte, das immer noch an der Tür hing.

»Das ist das gleiche Fabrikat wie das Vorhängeschloss an der Gartenhütte der Swintons«, erklärte er.

»Und nun werden Sie mir sagen, dass das ein ziemlich verbreitetes Fabrikat ist«, sagte Carson, der wusste, dass Cross sich dergleichen zur Gewohnheit gemacht hatte – er brachte etwas zur Sprache, das auf den ersten Blick wie ein unumstößlicher Beweis aussah, nur um es dann selbst für nichtig zu erklären, und zwar umgehend.

»Korrekt«, sagte Cross. »Darum müssen wir nach einer Quittung suchen, denn ich denke, da sie beide zur Vertuschung desselben Verbrechens genutzt wurden, dürfte Swinton im Besitz einer recht aktuellen Quittung für beide Schlösser sein.«

»Schön. Ich werde dafür sorgen, dass der Durchsuchungsbeschluss für Haus und Hütte gilt«, sagte Carson, griff zu seinem Festnetztelefon und fing an, eine Nummer zu tippen, als Cross auf eine Weise, die ihn selbst ebenso verblüffte wie Carson, auf ihn zusprang und den Anruf abbrach.

»Nein!«

»George«, rief Carson erschrocken, und sein Ton deutete an, dass Cross' Verhalten mehr als unangemessen war.

»Ich glaube, wir sollten das nicht tun«, sagte Cross und kam einer Entschuldigung damit so nahe, wie er eben konnte. »Noch nicht.«

»Was brauchen Sie denn noch?«, fragte Carson. In dem Moment kam Mackenzie wie aufs Stichwort zur Tür herein, gerüstet mit etwas, das Carson als ausreichende Begründung einstufte, damit sogar Cross gern bereit wäre, mit einem Durchsuchungsbeschluss zu den Carsons zurückzukehren.

»Wie Sie wissen, war der schwarze Transporter, den Swinton benutzt hat, ein Ersatzfahrzeug für seinen üblichen Wagen. Ich habe gerade mit dem Firmenchef gesprochen, dem Kerl auf den Transportern. Ich wusste nicht, dass es in Bristol immer noch Leute mit so einem starken Akzent gibt ...«, plapperte sie.

»Alice«, fiel Ottey ihr ins Wort, um sie zu ermahnen, beim Thema zu bleiben.

»Ach ja, tut mir leid. Wie auch immer, er war zur Reparatur, aber es ging nicht, wie Swinton behauptet hat, um die Hecktür. Der Wagen hatte einen ausgedehnten Schaden an einer Seite. Der Kerl hat gesagt, es habe ausgesehen wie ein tiefer Riss.«

»Schön, dann haben wir doch alles, George. Ich besorge den Durchsuchungsbeschluss.«

»Nein!«, widersprach Cross zum zweiten Mal.

»Um Himmels willen, George, was wollen Sie denn noch?«

Aber Cross war bereits an der Tür. Carson wandte sich an Ottey. »Können Sie da bitte etwas machen?«

»Klar«, sagte sie. »Was genau schwebt Ihnen vor?«

Cross wollte das Haus der Swintons über Nacht im Auge behalten, aber Ottey konnte ihm dabei nicht helfen. »Heute ist Elternabend; wie wäre es mit morgen?«, fragte sie.

»Morgen ist es zu spät«, antwortete Cross.

»Dann lassen Sie uns diesen Durchsuchungsbeschluss holen.«

»Nein. Meine Methode ist beweiskräftig.«

»Vielleicht könnten wir dann Carson um etwas Unterstützung bitten«, schlug sie vor.

»Ich kann nicht. Ich habe heute Elternabend«, sagte Ottey.

»Ernsthaft? Das ist ein Mordfall!«, ereiferte sich Carson.

»Es sind immer Mordfälle. Aber ich werde diesen Elternabend nicht ausfallen lassen. Nicht, nachdem mir der Rektor beim letzten Mal dermaßen den Arsch aufgerissen hat.«

»Also gut, in Ordnung, aber ich habe auch keine freien Mitarbeiter übrig«, sagte er.

»Was? Auf die Gefahr hin, Sie zu wiederholen – das ist ein Mordfall«, sagte Cross.

»Es ist gerade noch einer reingekommen. Ich musste ein paar Leute von Paphides abziehen, damit wir überhaupt mit den Ermittlungen anfangen konnten. Morgen wird es anders laufen.«

»Morgen ist es zu spät«, sagte Cross.

»Und deswegen werde ich den Durchsuchungsbeschluss beschaffen, dann können Sie das Haus noch heute Nachmittag auf den Kopf stellen und den Mann rechtzeitig festnehmen, dass Josie zu ihrem Elternabend gehen kann«, sagte Carson.

»Ich will keinen Durchsuchungsbeschluss.«

»Warum um alles in der Welt nicht? Sie haben zwei gleiche Vorhängeschlösser, eine Quittung, von der Sie überzeugt sind, dass Sie sie im Haus finden werden, und einen Transporter mit einem Schaden, der durch die Kollision mit der Garagenwand entstanden ist. Lackspuren werden nachweisen, dass er von dem Mann gefahren wurde, für dessen Haus ich Ihnen einen Durchsuchungsbeschluss verschaffen will.« Carson war mit seiner Geduld am Ende.

»Sie mögen überzeugt sein, aber eine Jury lässt sich vielleicht nicht so einfach überzeugen. Meine Methode ist beweiskräftig«, beharrte Cross.

»Was eine Durchsuchung auch wäre. Ich habe keine Leute, also fürchte ich, dass Sie dieses Mal den Kürzeren ziehen. Ich beschaffe die Anordnung«, sagte er und bot alle Autorität auf, die ihm gegeben war, ehe er aufblickte und feststellte, dass Cross sein Büro bereits verlassen hatte. Wieder einmal.

Cross rief nach Mackenzie, die ihrerseits einwenden wollte, dass sie bereits Pläne für den Abend habe, doch auch da war er schon wieder weg.

Einige Stunden später fanden sich Cross und Mackenzie in der Straße wieder, in der Debbies Eltern wohnten. Unterwegs hatten sie bei Greggs Halt gemacht, wo Cross beiden ein Sandwich gekauft hatte. Als Mackenzie ihn gefragt hatte, wie lange sie seiner Meinung nach würden warten müssen, bis diese Leute taten, was immer sie zu tun beabsichtigten – was das war, hatte er ihr immer noch nicht verraten –, sagte er, es würde vermutlich bis zum frühen Morgen dauern. Dann sah er interessiert zu, als sie einen Einkaufskorb mit allerlei Leckereien füllte: Wurstbrötchen, Chips, Sprudelwasser, Diätcola, Nüsse und etwas Obst. Als sie zur Kasse kamen und man ihr die Summe nannte, drehte sie sich zu ihm um und sah ihn erwartungsvoll an. Es dauerte volle zehn Sekunden, bis er zu seiner Brieftasche griff und zahlte.

»Kann ich Ihnen eine Frage stellen?«, erkundigte sie sich, als sie sich über den Inhalt der Einkaufstüte hermachten, die zwischen ihnen im Wagen stand.

»Ja«, antwortete er.

»Warum sind wir hier? Ich meine, ich weiß, es geht um eine Observierung und so, aber was genau observieren wir hier?«, fragte sie.

Er war im Begriff, es ihr zu erklären, doch dann fiel ihm wieder ein, dass es zu seinen Pflichten gehörte, sie auszubilden. Sie zum Denken anzuregen, statt ihr die Informationen in mundgerechten Bissen zu servieren.

»Was haben wir bisher nicht gefunden?«

»Den Mörder?«, witzelte sie.

Cross musterte sie, kannte sie aber nicht gut genug, um herauszufinden, ob sie gescherzt hatte, also ging er schlicht nicht darauf ein.

»Aus dem Besitz des Opfers«, sagte er.

»Sein Mobiltelefon«, überlegte sie laut.

»Richtig, aber da ist noch etwas.«

Sie dachte einen Moment nach. »Ich weiß es nicht«, gestand sie dann.

»Etwas, das groß genug ist, dass man einen Schuppen braucht, um es zu verstecken«, ergänzte er.

»Oh. Ja, richtig. Sein Fahrrad. Er war mit seinem Fahrrad unterwegs an dem Abend, an dem er umgebracht worden ist«, sagte sie.

»Exakt.«

»Und Sie denken, es ist in Andys Hütte«, fuhr sie fort.

»Das denke ich«, stimmte er zu.

Sie überlegte kurz, versuchte herauszufinden, ob ihr etwas Offensichtliches entgangen war, ehe sie etwas sagen konnte, das sie dumm dastehen ließe. Andererseits schaffte Cross es mühelos, dass sie sich dumm vorkam, wenn sie nur »Guten

Morgen« sagte. Dennoch ging sie nun alles noch einmal durch und stellte fest, dass sie eine vollkommen berechtigte Frage hatte, die zu stellen sie sich nicht fürchten sollte.

»Also, warum haben wir uns nicht einfach einen Durchsuchungsbeschluss für die Hütte beschafft, das Fahrrad rausgeholt und Swinton festgenommen?«, wollte sie wissen. Er seufzte. Langsam wurde er es müde, diesen Punkt immer wieder erklären zu müssen.

»Weil der Besitz des Fahrrads nicht ausreicht. Er könnte behaupten, Alex hätte es ihm gegeben, damit er darauf achtgibt.«

»Und sich einbilden, wir würden ihm das glauben?«

»Nein, aber es wäre eine weitere Hürde, die man vor Gericht bewältigen müsste. Eine, auf die wir verzichten können.«

»Aber da ist auch noch der Transporter und der Schaden an dem Fahrzeug. Ich meine, aller Wahrscheinlichkeit nach müsste das doch allein reichen, um eine Jury zu überzeugen.« Kaum ausgesprochen, bedauerte sie ihre Worte auch schon, denn genau so hatte sie sich schon früher ausgedrückt und war in der Luft zerrissen worden. Also fügte sie rasch hinzu, was er nun zweifellos sagen würde, sofern sie ihm die Chance dazu ließe. »Aber auf Wahrscheinlichkeiten können wir auch verzichten.«

»Exakt«, antwortete er, insgeheim erfreut, dass etwas von dem, was er sagte, tatsächlich auch ankam. »Außerdem öffnet das ein Tor zur Ableugnung, die uns Stunden unseres Zeitfensters kosten könnte.«

»Okay, jetzt komme ich nicht mehr mit«, entgegnete sie und bot ihm Chips an, die er ablehnte. Sie konnte nicht wissen, dass er sich niemals mit einem anderen Menschen Dinge wie Chips oder Nüsse aus einer Tüte teilte. Er brauchte immer seine eigene Packung.

»Das Fenster zwischen Festnahme und Anklage. Wie Sie wissen, haben wir nur vierundzwanzig Stunden, ehe wir eine Verlängerung beantragen müssen. Also zählt jede Stunde. Je besser wir vorbereitet sind, desto weniger Zeit können die Verdächtigen vergeuden. Wenn er argumentiert, dass Alex das Fahrrad dort abgestellt habe, dann kostet uns das wertvolle Zeit.«

Es war kurz nach zwei Uhr morgens, als Cross sie wachrüttelte.

»Alice, Alice, wachen Sie auf.« Sie wachte auf, wusste aber für einen Moment nicht, wo sie war.

»Was ist los?«, fragte sie.

»Da drüben. Sehen Sie«, sagte Cross. Das Licht im Hausflur der Swintons war eingeschaltet worden. Dann fiel ein Lichtschein auf den Weg auf der Seite des Gebäudes. Cross vermutete, dass Andys Sicherheitssystem aktiviert worden war. Das Tor wurde geöffnet, und Andy tauchte auf, beladen mit einem in Baufolie gewickelten Gegenstand. Das musste das Fahrrad sein. Er lud es in seinen Transporter und kletterte auf den Fahrersitz. Mackenzie sah Cross an, der sich die ganze Zeit nicht gerührt hatte.

»Wollen Sie ihn nicht festnehmen?«, fragte sie.

»Nein. Folgen Sie ihm.«

Sie startete den Wagen und fuhr hinter dem Transporter her.

»Kann ich Ihnen eine Frage stellen?«

»Ich möchte es sehen, wenn er das Fahrrad verschwinden lässt. Ich will alles beobachten. Nur deswegen sitze ich die halbe Nacht frierend in unbequemer Haltung in Ihrem Wagen.«

»Das wollte ich nicht fragen«, sagte sie.

»Oh. Okay.«

»Habe ich geschnarcht? Als ich geschlafen habe? Habe ich da geschnarcht?«, wollte sie wissen.

Er sah sie an, schien sich über etwas klarwerden zu wollen, aber er kannte sie immer noch nicht gut genug, um ein Urteil zu fällen, also sagte er: »Ist das eine Frage, auf die Sie eine ehrliche Antwort hören wollen, oder möchten Sie, dass ich Sie beruhige?«

»Also habe ich geschnarcht. Ich wusste es.«

»Wie ein Nebelhorn, um genau zu sein«, sagte er in nüchternem Tonfall.

Sie fuhren eine Weile hinter dem Transporter her, und dann passierte es: Der Wagen holperte plötzlich fürchterlich und sie musste anhalten. »Scheiße!«, fluchte Mackenzie, als der Transporter in der Ferne verschwand. »Scheiße.« Sie stieg aus und stellte fest, dass der Wagen hinten einen Platten hatte. »Es tut mir schrecklich leid«, sagte sie, aber Cross hörte nicht zu; er studierte eine Karte auf seinem Telefon. Dann notierte er die Zeit, stieg ebenfalls aus und inspizierte den Reifen.

»Haben Sie ein Ersatzrad?«

»Ich glaube schon«, sagte sie.

»Sie ›glauben schon‹?«, wiederholte er. »Ist das Ihr Wagen?«

»Ja, natürlich ist das meiner.«

Sie öffnete den Kofferraum und fand dort das Ersatzrad.

»Lassen Sie mich das machen«, sagte Cross und zog seine Jacke aus. Dann hob er Ersatzrad und Wagenheber aus dem Kofferraum.

»Ich dachte, Sie können nicht fahren.«

»Warum sollte eine mangelnde Fähigkeit, ein Auto zu fahren, mich hindern, zu wissen, wie man ein Rad wechselt?«, fragte er. »Außerdem kann ich fahren. Ich habe nur beschlossen, es nicht zu tun. Wissen Sie, wo der Schlüssel für das Felgenschloss ist?«, erkundigte er sich.

»Das Felgenschloss?«, wiederholte sie. Am Ende fanden sie den Schlüssel im Handschuhfach, versteckt zwischen diversem Schutt. Ein zerfleddertes Taschenbuch, Haarspangen und -bänder, ein paar Süßigkeiten, die an der Seite klebten, einige CDs und schließlich auch noch eine offene Packung Kondome. Beide sahen die Kondome und beschlossen unverzüglich, so zu tun, als hätten sie sie nicht gesehen. Cross machte sich daran, das Rad zu wechseln. Er wollte den Platten gerade herunternehmen, als der schwarze Transit die Straße wieder herunterkam. Er fuhr direkt auf sie zu und hielt an. Cross wandte sich ab, damit er nicht erkannt wurde. Mackenzie geriet für einen Sekundenbruchteil in Panik, bis ihr einfiel, dass Andy sie noch nie gesehen hatte. Er hatte keine Ahnung, wer sie war.

»Bei euch alles in Ordnung?«, fragte Andy.

»Ja, klar, ist nur ein Platter. Keine Sorge, mein Dad kriegt das hin«, sagte sie.

»Bestimmt?«

»Ja, aber danke, dass Sie angehalten haben«, antwortete sie.

»Gern geschehen«, sagte er, kurbelte die Seitenscheibe wieder hoch und fuhr weiter.

»Verdammt, hat der mich erschreckt«, sagte sie, als sie Cross das Rad mit dem kaputten Reifen abnahm. »Steht Ihnen aber gut.«

»Was?«, fragte Cross, als er zur Uhr sah und sich die Zeit notierte.

»Mein Undercover-Dad zu sein«, sagte sie.

Zehn Minuten später fuhren sie wieder los und Cross erteilte ihr anhand der Karte auf seinem Telefon Richtungsanweisungen. Er hatte sich auf Basis der geschätzten Geschwindigkeit des Transporters und der Zeit, die vergangen war, nachdem sie ihn verloren hatten, ausgerechnet, an welchem Ort der Verdächtige das Fahrrad mit hoher Wahrscheinlichkeit entsorgt hatte – auf der Rückseite eines einige Meilen entfernten Industriegeländes, das an einen Kanal grenzte. Mackenzie hielt an und sie stiegen aus. Sie untersuchten die Umgebung, aber alles war trocken. Soweit sie es sehen konnten, gab es keinen Hinweis darauf, wo genau der Transporter gewesen war, sofern er überhaupt dort gewesen war. Cross ging seine Berechnungen noch einmal durch, kam aber zu dem Schluss, dass dies der Ort sein musste. Er drehte sich zu Mackenzie um.

»Haben Sie eine Tauchtaschenlampe?«, fragte er.

»Was? Nein, warum?«

»Nun ja, Sie werden da reinmüssen«, sagte er und zeigte auf den Kanal. »Und die Sicht wird nicht sehr gut sein, besonders um diese Zeit«, erklärte er.

Fassungslos starrte sie ihn an. »Sie scherzen«, gab sie verunsichert, aber hoffnungsvoll zurück.

»So ist es«, antwortete er und spazierte ziemlich zufrieden mit sich von dannen.

Mackenzie jedoch war so daran gewöhnt, ihn immer wörtlich zu nehmen, dass seine Versuche, sich humorvoll zu zeigen, sie schlicht überforderten.

Später am Vormittag traf ein verärgerter DCI Carson vor Ort ein, den Cross bereits um fünf Uhr früh mit der Bitte um eine Tauchmannschaft geweckt hatte, die derzeit das Kanalbett absuchte. Wie um sie zu piesacken, hatten die Taucher schon zwei Fahrräder aus dem Wasser geholt, doch das richtige hatten sie noch nicht gefunden.

»Glück gehabt?«, fragte Carson beim Näherkommen.

»Wir brauchen kein Glück«, entgegnete Cross.

»Es wäre viel billiger gewesen, wenn wir uns einen Durchsuchungsbeschluss beschafft und das Ding aus seiner Hütte geholt hätten«, fuhr Carson ungerührt fort.

»Billiger schon, aber weniger beweiskräftig. Auf diese Weise kann er auf direktem Weg ins Gefängnis«, antwortete Cross.

»Haben Sie eine Ahnung, wie schwierig es war, so kurzfristig einen Tauchtrupp aufzutreiben?«, fragte Carson.

»Nein«, erwiderte Cross.

»Die mussten aus dem verdammten Wiltshire herkommen«, nörgelte Carson.

»Zweifellos wieder eine dieser kostensparenden Maßnahmen«, kommentierte Cross.

»Na ja, jetzt sind sie jedenfalls hier«, bemerkte Mackenzie, als wollte sie versuchen, das Beste aus der Situation zu machen.

»Sollten Sie nicht im Büro sein?«, fragte Carson.

»Sie war die ganze Nacht hier, da scheint es nur fair, dass sie bleibt und sieht, wie es ausgeht«, wandte Cross ein.

»Schön. Und warum zum Teufel sollte er ihn umgebracht haben?«, fragte Carson.

»Bisher wissen wir noch nicht, ob er das getan hat.«

»Mag sein, aber inzwischen deuten die Beweise doch sehr auf ihn«, gab Carson zurück.

»Was viel und gar nichts besagt«, entgegnete Cross.

Carson beschloss, diesen Punkt nicht weiterzuverfolgen.

In diesem Moment stellte Ottey ihren Wagen ab. Sie hatte einen Pappträger mit drei Bechern Kaffee dabei, einen bot sie Cross an, den nächsten Mackenzie und den dritten ließ sie auf dem Träger.

»Ich wusste nicht, dass Sie auch hier sein würden«, sagte sie zu Carson, als sie sah, wie begehrlich er ihren Kaffee musterte. Doch er starrte den Becher nur weiter flehentlich an. »Absolut keine Chance!« Dann marschierte sie zu einer Mülltonne neben dem Gebäude und warf den Pappträger hinein. Als sie sich wieder umwandte, hatten die Taucher gerade ein weiteres Fahrrad aus dem Kanal geholt. Dieses Mal war es das richtige.

»Gut, holen Sie ihn ab und schicken Sie die Jungs nach Hause«, sagte Carson und marschierte zu seinem Wagen wie ein Mann, dessen Arbeit getan war.

»Machen wir. Sobald sie das Telefon gefunden haben«, antwortete Cross.

»Was? Welches Telefon?«, fragte Carson.

»Alex' Mobiltelefon. Das, von dem die Textnachricht abgeschickt wurde«, erklärte Ottey.

»Ernsthaft? Wie kommen Sie darauf, dass es da drin ist? Es könnte auch im Haus sein.«

»Das wissen wir nicht, aber jetzt, wo die Taucher sowieso hier sind, können wir ebenso gut gleich nachsehen«, sagte sie.

»Okay, schön, sehen Sie zu, dass Sie fertig werden, und dann schaffen Sie den Mann aufs Revier«, wandte Carson ein und stieg ins Auto.

»Was bildet der sich wohl ein, was wir sonst vorhaben könnten? Schwadroniert über Dinge, die sowieso auf der Hand liegen, und weist uns dann auch noch an, zu tun, womit wir bereits angefangen haben. Als hätte er damit eine besonders bewunderungswürdige Demonstration seiner Führungsqualitäten abgeliefert«, schimpfte Ottey. Dann schickte sie Mackenzie mit der Anweisung, ein wenig zu schlafen, nach Hause und sagte ihr, sie wolle sie vor zwei Uhr nachmittags nicht im Revier sehen. Frühestens.

Die weitere Suche erwies sich als schwierig. Die Sicht unten am Kanalbett war, nachdem die Taucher den Schlamm bereits aufgewirbelt hatten, gleich null, weshalb sie den Boden mit den Händen abtasten mussten. Was durch die dicken Schutzhandschuhe nicht gerade leichter wurde. Aber einige Stunden später förderten sie ein Smartphone zutage, ein ganz neues Modell. Cross nahm gleich aus mehreren Gründen an, dass es sich Alex' Telefon handelte. Zunächst war da natürlich der Fundort. Dann die Tatsache, dass es so ein aktuelles Gerät war – Alex hatte ein Faible für Technik gehabt –, und schließlich, warum sollte irgendjemand ein teures, praktisch neues Telefon in den Kanal werfen, es sei denn, er wollte verhindern, dass es gefunden wurde?

Sie entschieden sich dagegen, Andy noch an diesem Nachmittag festzunehmen. Einerseits würde der kaum verschwinden, andererseits brauchte Cross ein wenig Schlaf. Er war ziemlich sicher, dass sie mit ihrem Verdacht nun die korrekte Richtung eingeschlagen hatten, trotzdem wollte er in Ruhe über seine Befragungsstrategie nachdenken und ausgeruht sein. Manche Polizisten dachten, mit so einer Festnahme wäre alles erledigt. Dass man die ganze Sache dann nur noch eintüten musste. Cross war anderer Ansicht. Für ihn war dies ein unverzichtbarer Teil der Untersuchung. Das Verhör war von entscheidender Bedeutung. In seinen Augen hatten sie gerade erst angefangen.

25

Am nächsten Morgen tauchten Cross und Ottey mit einem Durchsuchungsbeschluss für das Haus in Eastville auf, nachdem sie sich vergewissert hatten, dass Andy immer noch daheim war. Cross konnte Andy ansehen, dass der Durchsuchungsbeschluss ihn beunruhigte. Immerhin hatte er gestern einen ganzen Tag Zeit gehabt, um sich einzubilden, er käme davon und die Entsorgung des Fahrrads am frühen Morgen hätte das Problem gelöst. Aber die Tatsache, dass sie wieder da waren, erschreckte ihn sichtlich, jedenfalls, bis Cross fragte, ob sie sich die Hütte ansehen könnten. Die Erleichterung, die ihn augenblicklich überkam, konnte der Mann nicht verbergen.

»Sicher, natürlich«, sagte er, holte den Schlüssel und führte sie hinaus in den Garten hinter dem Haus. Mackenzie hatte sich zuvor erkundigt, warum sie die Hütte durchsuchen mussten, wenn sie das Fahrrad doch bereits hatten. Ottey erklärte ihr, dass das alles zu Cross' Strategie gehörte. Er wollte ein Narrativ aufbauen. Gerade ein paar Tage zuvor hatte Andy ihnen die Hütte nicht zeigen wollen. Davon würde Cross vor Gericht berichten. Es war nur eine Kleinigkeit, aber auch ein weiterer Aspekt, der die Jury von seiner Schuld überzeugen konnte. Noch wichtiger allerdings war, dass es Andys Abwehr schon vor der Befragung schwächen würde.

»Wie meinen Sie das?«, fragte Mackenzie.

»Er will Andy in dem Glauben lassen, dass wir das Fahrrad nicht haben. Er will ihm den Eindruck vermitteln, er hätte diese kleine Schlacht gewonnen. Sein Selbstvertrauen stärken, nur um es dann zu brechen, wenn er zu einem Zeitpunkt seiner Wahl die Wahrheit offenbart und ihm so den Boden unter den Füßen wegzieht. Im Moment ist Andy sicher, dass wir nichts gegen ihn in der Hand haben, und das ist genau das, was Cross will.«

Jean sah vom Haus aus zu, als sie durch den Garten gingen. Sie hatten sie unvorbereitet erwischt, wie Cross annahm, denn wie es aussah, war sie noch nicht bekleidet. Andy öffnete die Tür zum Schuppen und trat zur Seite, sodass sie hineinsehen konnten. Er wirkte sehr ordentlich. Werkzeuge hingen an Nägeln an den Wänden. Alles befand sich an seinem Platz. Cross drehte sich zu Andy um, als suchte er nach einer Erklärung.

»Wie ich gesagt habe. Mein Werkzeug«, erklärte Andy.

»Allerdings, das haben Sie uns gesagt«, stimmte Cross zu. »Eine Frage: Warum haben Sie uns dann überhaupt die Mühe gemacht, einen Durchsuchungsbeschluss zu beschaffen? Warum haben Sie uns nicht einfach einen Blick hineinwerfen lassen? Wie Sie gesagt haben. Hier sind nur Ihre Werkzeuge.«

»Das ist eine Frage des Prinzips«, erwiderte Andy und schloss die Hütte wieder ab. »Es gibt eine Grenze. Immerhin ist das meine Privatsphäre, nicht wahr?«

Cross dachte eine Minute darüber nach, ehe sie Andy zurück ins Haus folgten. Dort gab sich Cross erkennbar erschüttert. Als würde er verzweifelt um Verständnis ringen. »Mochten Sie Alex nicht?«, fragte er.

»Doch, natürlich. Er war in Ordnung. Warum fragen Sie?«, entgegnete Andy.

»Er wurde ermordet. Sein Leichnam wurde in Polyethylenfolie gewickelt und in einer nicht mehr genutzten Garagenreihe abgeladen.«

»Ich weiß. Das ist furchtbar.«

»Also, wo passen dann Privatsphäre und Prinzipien in so ein Szenario? Meinen Sie, diese Punkte sind genauso wichtig, wie seinen Mörder aufzuspüren?«

»Das habe ich nie gesagt.«

»Nein, aber Ihr Verhalten deutet ziemlich klar darauf hin, meinen Sie nicht auch?«

»Okay, schön. Ich hätte Ihnen den Schuppen zeigen sollen und es tut mir leid. Gibt es sonst noch etwas?«, fragte Andy.

»Ja. DS Ottey?«, sagte Cross und drehte sich zu seiner Partnerin um.

»Andy Swinton, ich verhafte Sie wegen des Verdachts des Mordes an Alex Paphides«, verkündete sie.

»Was?«, rief Andy, dessen Selbstvertrauen sich im Nu in Luft auflöste.

»Was ist hier los?«, fragte Jean.

»Sie müssen sich nicht äußern, aber es könnte Ihrer Verteidigung schaden, wenn Sie bei der Vernehmung etwas verschweigen, worauf Sie sich später vor Gericht berufen wollen. Alles, was Sie sagen, kann als Beweismittel verwendet werden. Würden Sie sich bitte umdrehen?« Er tat wie geheißen und Ottey legte ihm Handschellen an.

Cross sah Jean an. »Mrs Swinton, wir müssen Sie bitten, uns ebenfalls zum Revier zu begleiten.«

»Was, wollen Sie mich auch festnehmen?«, fragte sie, den Tränen nahe.

»Nein, wir möchten Ihnen nur ein paar Fragen stellen und

Ihre Aussage aufnehmen«, antwortete er. »Vielleicht möchten Sie sich erst anziehen.«

»Ich bin angezogen, Sie blöder Idiot!«, geiferte sie.

»Wenn Sie es sagen.«

Sie hatten sich von zwei Polizeieinheiten begleiten lassen, sodass sie Jean und Andy getrennt voneinander zum Revier bringen konnten. Die beiden Wagen vor dem Haus hatten bereits ein gewisses Interesse bei den Nachbarn geweckt, die sie aus ihren Fenstern beobachteten. Andere waren sogar so mutig gewesen herauszukommen. Als das Ehepaar nun zu den Fahrzeugen geführt wurde, fing Jean an herumzubrüllen, ohne jemanden speziell anzusprechen: »Was guckt ihr so?« Dann, als ein Kind auf der Straße anfing, die Szene mit seinem Telefon zu filmen: »Ey, du! Hör auf damit, du kleiner Scheißer!«

Cross und Ottey kletterten in Otteys Wagen. »Letzte Nacht habe ich Mackenzie gegenüber einen Scherz gemacht. Einen guten«, erzählte er ihr.

»Hat sie ihn verstanden?«, fragte Ottey.

»Ich bin nicht sicher. Ich glaube schon. Aber ich habe mich nicht vergewissert. Sie sollte ihn verstanden haben. Wie gesagt, er war gut.«

»Wie hat sie reagiert?«

»Sie sagte: ›Sie scherzen.‹«

»Und was haben Sie vorher gesagt?«

»Ich habe sie gefragt, ob sie eine Tauchtaschenlampe hat, weil die Sicht im Kanal um die Zeit nicht gut wäre«, erklärte er voller Zuversicht.

»Und da hat sie gesagt ›Sie scherzen‹?«

»Ja. Sie dachte, ich wollte, dass sie in den Kanal springt und das Fahrrad sucht.«

»Okay, daran müssen wir vielleicht noch ein bisschen arbeiten. Aber hundert Punkte für den Versuch«, sagte sie.

»Danke. Das dachte ich auch«, antwortete er.

»Was?«

»Hundert Punkte.«

Mackenzie musterte Andy, der im Vernehmungsraum saß, über den Monitor im Büro nebenan, als Ottey vorbeikam und zu ihr hereinschaute.

»Was ist?«, fragte sie.

»Er sieht so normal aus«, antwortete Mackenzie.

»Das tun sie alle«, sagte Ottey, »und zumeist sehen sie da drin auch ziemlich wehrlos aus. Nur die Berufsverbrecher nicht. Lassen Sie sich davon nicht zum Narren halten. Sehen Sie einfach eine Weile zu. Das ist der Teil, bei dem George am besten ist.«

»Inwiefern?«

»Häufig denken die Leute, ein Fall wäre in trockenen Tüchern, was oft auch stimmt, aber George reicht das nicht. Er sorgt dafür, dass das Ergebnis nicht mehr verhandelbar ist, macht den Fall wasserdicht, luftdicht, dichter als dicht. Die meisten Leute haben nicht die Geduld oder die Befähigung dazu. Jeder kennt seine Verurteilungsquote, aber wissen Sie, was ihm wirklich Freude bereitet?«

»Nein.«

»Das Tempo, mit dem eine Jury sich einig wird, das Tempo, mit dem das Urteil gefällt wird. Er ist dem Rest von uns Tage voraus.«

»Woher wissen Sie das?«

»Ach, George führt Statistiken dazu. Er liebt seine Statistiken. Seien Sie nett zu ihm, dann zeigt er Ihnen vielleicht seine Tabellen«, sagte Ottey und ging wieder. Mackenzie kam der Gedanke, dass Ottey ihrem Partner nicht nur einen gesunden Respekt entgegenbrachte, sondern ihn auch ziemlich gern hatte.

Obwohl Jean nicht unter Arrest stand, befragte Cross sie weitgehend genauso, wie er es getan hätte, wenn sie die Verdächtige gewesen wäre. Er wollte beide parallel befragen, da er annahm, Widersprüche zwischen den Aussagen der Eheleute könnten ihm helfen, die weiteren Ermittlungen in die richtige Richtung zu steuern, und vielleicht manches offenbaren, was sie lieber verschweigen würden. Wie so oft begann er mit einer zähen, monotonen Analyse der Mordnacht. Das frustrierte die Befragten und führte daher häufig dazu, dass sie unvorsichtig wurden. Zugleich versuchte Cross, sie dazu zu bringen, im Geist ein Bild des Detectives zu zeichnen, der vor ihnen saß. Er wollte, dass sie dachten, sie seien ihm haushoch überlegen und viel schlauer als er. Er wollte, dass sie ihn unterschätzten. Und er hatte grundsätzlich eine entscheidende Frage in petto, die, wenn er sie dann stellte, zuverlässig dafür sorgte, dass sich die Geschichte der Befragten in Wohlgefallen auflöste.

»Also, gehen wir die Ereignisse am achten Mai durch«, sagte Cross zu Andy, als hätte er das zuvor noch nie gesagt. Aber das hatte er. Einige Male.

»Haben wir das nicht längst getan?«

»Ich möchte nur sichergehen, dass ich alles richtig mitbekommen habe. Wo waren Sie?«

»Wie ich schon gesagt habe, zu Hause mit Jean.« Er seufzte.

»Sie waren also zu Hause. Wer war bei Ihnen?«, fragte

Cross. Andy sah erst ihn und dann seinen Anwalt an. Wollte der Kerl sich über ihn lustig machen? Er hatte ihm doch gerade vor nicht einmal fünf Sekunden gesagt, wer bei ihm war. Sein Anwalt kannte Cross und hatte Andy schon vor der Befragung geraten, vorsichtig zu sein und einfach nur die Fragen zu beantworten, die ihm gestellt wurden, wenn sie ihm gestellt wurden, ganz gleich, wie oft sie gestellt wurden.

»Beantworten Sie die Frage«, sagte der Anwalt leise.

»Jean«, sagte Andy und seufzte vernehmlich.

»Und was haben Sie gemacht?«, fragte Cross.

»Eine DVD geguckt«, antwortete Jean in der VA-Suite, wo sie mit Cross und Ottey bei Kaffee und Tee zusammensaß. Hier war die Atmosphäre entspannter als im Vernehmungsraum.

»Welchen Film?«

»Diesen einen mit Colin Firth«, sagte sie und versuchte, sich an den Titel zu erinnern.

»Kingsman«, sagte Andy.

»Der hat mir ziemlich gut gefallen«, bekundete Cross. »Ich habe ihn im Kino gesehen. Ich sehe mir Filme nur im Kino an. Ich habe kein Fernsehgerät.«

»Das haben Sie mir bereits erzählt«, sagte Andy müde. Für ihn war diese Befragung eine einzige Qual, dabei dauerte sie bisher erst eine Stunde.

»Habe ich?«, fragte Cross recht verwundert. Er dachte einen Moment nach, ging das Gespräch im Kopf durch, als müsste er sich vergewissern. »Ja, das habe ich. Ich habe es vergessen. Was haben Sie gegessen?«

»Etwas vom Chinesen.«

»Eigenartig. Darüber mussten Sie gar nicht nachdenken. Sie wussten es auf Anhieb«, sagte er.

»Gutes Gedächtnis.«

»Wo haben Sie es bestellt?«

»Deliveroo.«

»Welches Restaurant?«

»Das müssen Sie Jean fragen. Sie hat es bestellt.«

»Golden Wok«, sagte sie.

»Hat Andy das Haus an dem Abend irgendwann verlassen? Nachdem Sie gegessen hatten?«, fragte Cross.

Die Frau hatte mit diesen einfachen Fragen bereits zu kämpfen. Er nahm an, dass das zum Teil an den unausweichlichen Alkoholnachwirkungen liegen dürfte, die sie durchzustehen hatte. So etwas machte es schwer, sich an Ereignisse zu erinnern, die ein paar Abende her waren, von ein paar Wochen ganz zu schweigen. Aber Cross vermutete, dass da noch mehr dahintersteckte. Sie hatte Schwierigkeiten, sich an das Drehbuch zu erinnern. An die Version der Ereignisse jenes Abends, auf die sie sich geeinigt hatten. Oder, um genau zu sein, auf Andys Version der Ereignisse jenes Abends, denn zweifellos war er derjenige, der den Ablauf für sie beide zurechtgelegt hatte.

»Nein, er war den ganzen Abend zu Hause«, antwortete sie.

»Und ist er an dem Abend zur Arbeit gegangen?«, fragte Cross.

»Weiß ich nicht!«, platzte sie frustriert heraus. »Wahrscheinlich. Ja. Aber ich weiß es nicht, klar? Kann ich jetzt bitte gehen?«

»Möchten Sie vielleicht noch einen Kaffee? Oder Wasser?«, fragte Ottey.

»Das nennen Sie Kaffee?« Sie starrte die halb geleerte Tasse an, die vor ihr stand.

»Ich weiß. Ich könnte jemanden schicken, um uns welchen aus einem Café bringen zu lassen«, schlug sie vor.

»Das würden Sie tun?«, fragte Jean.

»Auf jeden Fall. Sie tun uns einen Gefallen, indem Sie hergekommen sind, um uns zu helfen. Warum sollte ich Ihnen dann nicht auch einen Gefallen tun?«

»Das tue ich, nicht wahr? Ich tue Ihnen einen Gefallen«, sagte Jean.

»Aber ja«, antwortete Ottey.

»Daran könnten Sie auch mal denken, Kumpel«, sagte sie zu Cross.

»DS Cross ist sich dessen absolut bewusst. Er ist nur nicht so gut darin, das zu zeigen. Ist das nicht richtig, George?«, wandte sich Ottey an ihn.

Cross ignorierte beides. »Wie haben Sie herausgefunden, dass Debbie schwanger war?«, fragte er.

»Cappuccino mit zwei Stück Zucker, bitte«, sagte Jean zu ihrer neuen Freundin im Raum. Ottey stand auf und ging hinaus, um Mackenzie loszuschicken. Die wiederum war ehrlicherweise ziemlich erleichtert, dass sie die Beobachtung von Cross' langweiliger Befragung vorübergehend unterbrechen konnte. Wäre sie an Jeans Stelle gewesen, sie hätte ihm einfach schon vor einer Ewigkeit die Wahrheit gesagt oder was immer er hören wollte, nur um so schnell wie möglich da rauszukommen. Als Ottey zurück in die VA-Suite kam, starrten Jean und Cross einander stumm an. Seine Frage hatte sie immer noch nicht beantwortet. Cross wartete, bis Ottey Platz genommen hatte, dann wiederholte er die Frage.

»Wie haben Sie herausgefunden, dass Debbie schwanger war?«

»Sie hat mich angerufen.«

»Aber Sie sagten bei unserem ersten Zusammentreffen, Sie hätten seit Monaten nichts von ihr gehört«, wandte Cross ein.

»Ich sagte, ich hätte sie nicht gesehen.«

Cross warf einen Blick auf seine Notizen. »Das sagten Sie«, antwortete er. »Wo waren Sie, als Sie den Anruf erhalten haben?«

»Zu Hause, nehme ich an.«

»Sie nehmen es an?«, hakte er nach.

»Also gut, dann war ich eben zu Hause.«

»Und wie haben Sie sich gefühlt?«

»Das habe ich Ihnen doch schon gesagt. Müssen wir wirklich darüber reden? Ich meine, ich muss doch gar nicht mit Ihnen reden, wenn ich nicht will, oder? Ich meine, ich kann einfach gehen, richtig?«

»Ja, wann immer Sie wollen«, bestätigte Ottey.

»Was, wenn ich jetzt einfach aufstehen und gehen würde?«

»Dann verpassen Sie den Kaffee«, antwortete Ottey.

»Gutes Argument«, sagte Jean und lächelte ihre einzige Verbündete im Raum an.

Als Mackenzie mit Jeans Kaffee zurückkam, beschloss Cross, dass dies ein guter Zeitpunkt für eine Pause war. Also gingen sie zurück in das Vernehmungszimmer, in dem sie Andy zurückgelassen hatten, statt ihn in eine Zelle zu stecken – und zwar aus dem ganz einfachen Grund, dass Cross ihn wissen lassen wollte, dass Jean zur gleichen Zeit befragt wurde. Damit er Gelegenheit bekam, sich den Kopf darüber zu zerbrechen, was sie wohl sagen mochte.

Cross setzte sich und ordnete seine Akten auf dem Tisch. Dann blickte er Andy an.

»Wo waren Sie, als Debbie Jean von der Schwangerschaft erzählt hat?«, fragte er. Die Frage traf Andy unvorbereitet. Das Verhör nahm damit eine neue Wendung. Cross überlegte, ob ihn das beunruhigte.

»Ich erinnere mich nicht«, antwortete er.

»Tatsächlich?«, sagte Cross und klang einigermaßen erstaunt.

»Ja, tatsächlich.«

»Sie müssen verstehen, dass mir das ein wenig sonderbar vorkommt. Sie können sich erinnern, was Sie an einem bestimmten Abend vor zwei Wochen gegessen haben. Welche DVD Sie sich angesehen haben. Alles ziemlich unbedeutend, meinen Sie nicht?«, fragte Cross.

»Schätze schon.«

»Und doch können Sie sich nicht an so etwas Wichtiges wie den Anruf Ihrer Stieftochter erinnern, bei dem sie Ihnen von ihrer Schwangerschaft erzählt hat.« Cross legte eine Pause ein, aber Andy sagte nichts. »Sie stimmen mir doch sicher zu, dass das etwas Wichtiges ist? Ein Lebensereignis. Ein neues Familienmitglied ist unterwegs. Sie beide werden zum ersten Mal Großeltern.«

»Natürlich.«

»Also versuchen wir es noch einmal. Wo waren Sie?«, fragte Cross.

»Auf der Arbeit, schätze ich«, antwortete er.

»Sie ›schätzen‹, Sie waren auf der Arbeit? Dann ist das offensichtlich nicht erinnerungswürdig für Sie.«

Andy dachte ein paar Sekunden darüber nach und erinnerte sich dann: »Ich war auf der Arbeit. Jetzt fällt es mir wieder ein. Da musste ich wegen eines Auftrags rüber nach Bath. Ich war auf der A4 und musste anhalten«, sagte er, während Cross methodisch die Frage in seiner Akte abhakte und sich Notizen machte.

»Und wie haben Sie sich gefühlt? Waren Sie glücklich?«

»Halb, halb, denke ich. Sie ist noch so jung, und natürlich wusste ich nicht, wie es ihr damit ging, darum habe ich mir Sorgen gemacht.«

»Und Sie haben sie nicht angerufen«, konstatierte Cross.

Andy überlegte einen Moment und blickte dann auf. »Das war die Sache nicht wert.«

»Wieso das?«

»Hätte zu viel Kummer verursacht«, sagte er.

»Bei Jean?«, fragte Cross, aber Andy antwortete nicht, und das war auch nicht nötig. »Allerdings kommen Sie gut mit Debbie aus. Probleme hat sie eigentlich mit ihrer Mutter, richtig?«

»Ja.«

»Vielleicht sind sie sich zu ähnlich.«

»Nein, gar nicht. Ganz im Gegenteil. Sie ist die Gescheiteste von uns dreien.«

»Warum ist sie dann gegangen?«

»Wegen der Trinkerei. Jeans Trinkerei. Das hat sie belastet, und sie hat angefangen, das Thema anzusprechen. Ihre Mum gebeten, damit aufzuhören. Das hat zu schlimmen Streitereien geführt und irgendwann ist sie dann gegangen.«

»Was hat das Fass zum Überlaufen gebracht? Gab es da eine bestimmte Auseinandersetzung?«

»Ja.«

»Und worum ging es dabei?«

»Anfangs eigentlich um nichts Ernstes. Das Problem war, wenn ich ehrlich bin, dass ich an dem Abend auch ein paar gehoben hatte. Es war ein Freitag, Sie wissen schon, Wochenende. Aber das ist, äh … ich neige jetzt eher dazu, nur noch mit meinen Kumpels zu trinken. Unten im Pub. Ein paar Gläser, nicht zu viel. Dann gehe ich nach Hause, und wenn sie immer noch wach ist, direkt ins Bett. Wir kommen nicht gut miteinander aus, wenn wir beide etwas getrunken haben«, sagte er.

»Also der Streit an diesem Freitagabend. Worum ging es im weiteren Verlauf? Was hat sie dazu gebracht, zu Hause auszuziehen. Ging es um Alex?«, fragte Cross.

Andy sah aus, als wüsste er nicht recht, was er sagen sollte.

»Es ging um Alex, nicht wahr?«, versuchte Ottey ihm auf die Sprünge zu helfen.

»Jepp. Am Ende hat sie ihn angerufen und er ist gekommen und hat sie abgeholt. Da hat Jean dann wirklich fiesen Scheiß von sich gegeben. Ich habe ihr gesagt, das wird sie bereuen. Das Mädchen ist sechzehn, um Gottes willen. Jean benimmt sich manchmal, als wäre sie ihre ältere Schwester, nicht ihre Mutter. Das ist nicht in Ordnung. Aber es ist nun mal, wie es ist.«

»Hätten Sie Debbie anrufen können, ohne es ihrer Mutter zu erzählen?«, fragte Cross.

»Äh, ja, schätze schon. Ich weiß es nicht. In letzter Zeit ist alles so schwierig geworden.«

»Und jetzt wurden Sie auch noch wegen Mordverdachts verhaftet«, stellte Cross fest und holte Andy so ruckartig in die Gegenwart zurück. So etwas tat er häufig. Mitten in einer Befragung, die recht freundlich verlief, erinnerte er Verdächtige unvermittelt daran, warum sie hier waren. »Viel schwieriger kann es nicht mehr werden«, bemerkte er. »Mit Debbie kommen Sie gut aus, nicht wahr?«

»Natürlich. Sie ist meine Tochter.«

»Stieftochter, um genau zu sein«, strich Cross heraus.

»Sie ist für mich wie eine Tochter und sie nennt mich Dad, jedenfalls meistens«, entgegnete Andy.

»Mir ist kürzlich im Restaurant aufgefallen, wie nahe Sie einander stehen. Sie war wirklich erfreut, Sie zu sehen. Sogar erleichtert. Sie hat den Eindruck gemacht, als hätte sie Sie vermisst und würde Ihre Anwesenheit als beruhigend empfinden«, stellte Cross fest.

»Danke. Sie ist ein tolles Mädchen.«

»Fühlen Sie sich schlecht, weil Sie sie nicht angerufen haben?«, fragte Cross.

»Okay, also, was hat das mit meiner Verhaftung zu tun?«, wollte Andy wissen.

Diese Art Fragen seitens Verdächtiger beantwortete Cross nie. Aber sie dienten ihm häufig als Hinweis darauf, dass dies ein guter Zeitpunkt war, die Befragung auf eine neue Ebene zu verlegen. Was er auch jetzt tat.

»Wie Sie wissen, ist Jean hier, um uns bei unseren Ermittlungen zu helfen«, sagte Cross. »Und wir gehen mit ihr im Wesentlichen die gleichen Punkte durch wie mit Ihnen. Aber die Sache ist die, sie erzählt, dass Sie dabei waren, als sie den Anruf von Debbie bekam.« Er blickte auf, um zu sehen, ob Andy irgendwie auf seine Worte reagierte, doch das tat er nicht. »Nicht auf der A4, sondern zu Hause bei ihr. Sie ist da ziemlich sicher. Vielleicht können Sie uns das erklären? Wer hat recht und wer nicht?«

»Sie verwechselt das mit dem Zeitpunkt, an dem wir später

darüber gesprochen haben. Sie war durcheinander. Sie kann nicht klar denken«, sagte Andy.

»Das ist vollkommen verständlich. Damals war sie durcheinander, jetzt steht sie unter Stress. Polizeireviere sind nicht die behaglichsten Orte, ganz gleich, wie sehr wir uns bemühen, den Aufenthalt angenehm zu gestalten.«

»Und seien wir ehrlich, Detective, sie ist meistens betrunken«, fuhr Andy fort. »Sie kann einen Tag nicht vom anderen unterscheiden, da ist es keine so welterschütternde Überraschung, wenn sie mal etwas verwechselt.«

»Sie hat gesagt, sie hätten sich ausgiebig unterhalten«, fuhr Cross fort.

»Am Telefon«, sagte Andy.

»Und dass Sie enttäuscht ausgesehen hätten. Dass Sie sie umarmt hätten.«

»Das war, als ich nach Hause gekommen bin. Da habe ich sie umarmt. Aber ich habe nicht enttäuscht ausgesehen. Da hat sie ihre Gedanken auf mich übertragen.«

»Was hat sie gedacht?«

»Dass die Geschichte sich wiederholt. Sie hat Debbie im gleichen Alter bekommen und das hat ihr nicht besonders gutgetan.«

»Wollen Sie damit sagen, sie macht Debbie für ihre derzeitige Situation verantwortlich?«, fragte Ottey.

»Ja. Sie hat viele Chancen verpasst, weil sie so jung schon Mutter geworden ist«, meinte Andy.

»Oder sie hat sie wegen des Alkohols verpasst«, warf Cross ein.

»Das gehört alles zusammen«, sagte Andy.

»Ach, dann gibt sie Debbie die Schuld an ihrer Trinkerei?«

»Nein.«

»Dann vielleicht Sie. Geben Sie Ihrer Tochter die Schuld an der Trinkerei Ihrer Frau?«, fragte Cross.

»Stieftochter«, korrigierte ihn Andy. »Und jetzt legen Sie mir Worte in den Mund. Außerdem, was hat das alles mit dem Mord an Alex zu tun?«

»Das versuchen wir ja herauszufinden. Aber das ist ziemlich schwierig, solange keiner von Ihnen uns die Wahrheit sagt.«

»Wovon reden Sie?«

»Sie liefern uns unterschiedliche Versionen der Ereignisse«, erklärte Cross.

»Wie ich schon sagte, ihre Erinnerung ist nicht verlässlich. Sie vergeuden Ihre Zeit mit ihr. Sie ist eine verdammte Säuferin. So, jetzt habe ich es gesagt. Macht Sie das jetzt glücklich?«, fragte Andy.

»Ich verstehe die Frage nicht. Warum sollte es mich glücklich machen oder irgendwelche anderen Gefühle bei mir auslösen, wenn Sie zugeben, dass Ihre Frau Alkoholikerin ist?«, hakte Cross nach. Ottey wusste, dass das eine echte Frage war, Andy nicht.

»Tun Sie nur dumm oder liegt Ihnen das im Blut?«, fragte Andy, was seinen Anwalt zum Einschreiten veranlasste.

»Ich denke, eine Pause wäre jetzt sinnvoll«, sagte er.

»Nein«, entgegnete Cross.

»Wie bitte?«, entgegnete der Anwalt, aber Cross war nicht in Stimmung, ihm eine Antwort zu liefern. Er war mehr daran interessiert, die Sache voranzutreiben.

»Können Sie mir erklären, warum Sie zwei verschiedene Versionen …«, fing Cross an, als er von dem zunehmend verärgerten Befragten unterbrochen wurde.

»Hören Sie denn überhaupt nicht zu? Ich habe Ihnen doch gerade gesagt, dass man sich auf sie nicht verlassen kann«, schimpfte Andy.

»Was die Staatsanwaltschaft, nachdem Sie das bereits mehrfach betont haben, zweifellos zur Sprache bringen wird, falls sie als Zeugin der Verteidigung aussagt«, entgegnete Cross, und der Anwalt schloss für einen Moment die Augen. »Zwei Versionen eines Geschehens, das tatsächlich gar nicht stattgefunden hat«, fuhr Cross fort und sah Andy direkt in die Augen, ohne jedoch eine nähere Erklärung zu liefern. Andy drehte sich hilfesuchend zu seinem Anwalt um, doch der starrte Cross an und wartete gespannt, was als Nächstes kommen würde.

»Es gab keinen Telefonanruf. Debbie hat nie angerufen, um Jean zu sagen, dass sie schwanger war«, konstatierte Cross.

»Doch, hat sie«, widersprach Andy mit einem nervösen Lachen.

»Hat sie nicht. Das hat sie uns selbst erzählt, nicht wahr, DS Ottey?«

»Das ist richtig«, stimmte Ottey zu.

»Dann hat sie es eben vergessen«, sagte Andy.

»Oh, nein, Mr Swinton«, erwiderte Cross und sprach ihn mit seinem Nachnamen an, um ihn unterschwellig wissen zu lassen, dass die Geschichte nun einen ernsteren Verlauf nehmen würde – nur für den Fall, dass er das selbst noch nicht erkannt hatte. »Sie hat uns relativ nachdrücklich erklärt, dass sie es Ihnen nicht erzählt hat. Und wenn man bedenkt, dass Ihre Erinnerungen und die Ihrer Frau hinsichtlich der Ereignisse in letzter Zeit ziemlich verschwommen zu sein scheinen, bin ich geneigt, ihr zu glauben.« Andy reagierte nicht, also fuhr Cross fort: »Debbie hat diesen Anruf nie getätigt. Warum also erzählen Sie und Jean von einem Telefonat, das nie stattgefunden hat?«

»Kein Kommentar.«

Auf Menschen, die sich mit polizeilichen Befragungen und den Methoden, die dabei zum Einsatz kamen – in diesem Fall Cross' spezielle Methoden –, nicht auskennen, wirken solche »Kein Kommentar«-Antworten oft wie ein frustrierendes Hindernis. Eine Sackgasse der Kooperationsverweigerung. Aber Cross sah darin eine willkommene Entwicklung. Die Tatsache, dass sie endlich das Kein-Kommentar-Territorium betreten hatten, zeigte ihm, dass es voranging. Dass sie die Wahrheit nun in immer engerem Radius umkreisten.

26

Wieder bei Jean in der VA-Suite, fragte Cross: »Also, wie haben Sie wirklich von der Schwangerschaft Ihrer Tochter erfahren?«

Das gab Jean zu denken. Sie überlegte offenbar, was Andy wohl gesagt haben konnte. Hatte er zugegeben, dass es nie einen Anruf gegeben hatte? Sie war verwirrt. Ihr Mund war trocken. Sie wollte nur nach Hause und sich mit einer Kippe und einem Glas Wein auf dem Sofa zusammenrollen.

»Ich will jetzt gehen. Ich fühle mich nicht gut«, sagte sie.

»Möchten Sie vielleicht etwas Wasser?«, fragte Ottey.

»Nein. Sie können mich hier doch nicht festhalten, oder? Also will ich jetzt gehen«, beharrte sie.

»Uns wäre lieber, Sie bleiben«, entgegnete Ottey.

»Tja, werde ich aber nicht. Sie haben gesagt, ich würde Ihnen einen Gefallen tun. Dass ich helfen würde. Dass ich gehen könnte, wann immer ich will«, begehrte sie auf.

»Das war, bevor Sie angefangen haben zu lügen«, warf Cross ein.

»Ich habe genug davon«, sagte sie und stand auf. Cross erhob sich ebenfalls.

»Setzen Sie sich, Mrs Swinton.«

»Nein. Das muss ich nicht. Das haben Sie selbst gesagt. Sie hat es gesagt. Ich muss nicht hier sein. Und wissen Sie was? Ich will auch nicht hier sein und darum nehme ich mein Recht wahr und gehe«, verkündete sie.

»In diesem Fall ... Jean Swinton, ich verhafte Sie wegen des Verdachts der Justizbehinderung«, sagte Cross.

»Was?«

Cross und Ottey hatten Andy in die Zelle zurückbringen lassen, auch wenn sie davon ausgingen, dass er dort nur kurze Zeit bleiben würde. Der Grund war, dass er von dort aus sehen würde, wenn der Justizwachtmeister Jean aufnahm. Was dann auch wunschgemäß geschah.

»Jean? Jean, was ist hier los?«, brüllte Andy den Korridor hinunter.

»Ich weiß es nicht!«, schrie sie unter Tränen. »Ich weiß nicht, was los ist. Ich will nur nach Hause. Sie wollen mich nicht nach Hause lassen, Babe.«

»Was tun die mit ihr?«, fragte Andy daraufhin den Officer, der ihn wieder zum Vernehmungsraum brachte.

»Ich habe keine Ahnung, Mann«, lautete die lapidare Antwort.

Normalerweise hätte entweder Cross oder Ottey ihn aus der Zelle geholt, aber sie fürchteten, er könnte Ärger machen. Das tat er jedoch nicht. Er war nicht dumm. Dennoch ziemlich aufgewühlt, als sie sich dann zu ihm in den Vernehmungsraum begaben. Es war, als hätten sich die Dinge eine Stufe weiterentwickelt. Unzählige Möglichkeiten schwirrten ihm durch den Kopf, und er hatte darum gebeten, Cross und Ottey zu sprechen, weshalb sie nun ohne seinen Anwalt beisammensaßen.

»Was passiert mit Jean?«, fragte er vage verzweifelt.

»Sie wird unter Anklage gestellt«, sagte Cross, während er seine Akten ordnete.

»Weshalb?«

»Ich fürchte, das kann ich nicht preisgeben.«

»Das hat nichts mit ihr zu tun«, sagte Andy.

»Was?«, fragte Cross. »Was hat nichts mit ihr zu tun?«

Sofort wurde Andy klar, dass er einen Fehler begangen hatte.

»Ich werde nichts mehr sagen, bis ich mit meinem Anwalt gesprochen habe«, erklärte er. Was ein Problem war, denn der zuständige Anwalt betreute noch zwei andere Fälle in den Zellen und war derzeit mit einem seiner anderen Klienten im Gespräch. Das war weniger Taktik als der gewöhnliche Alltag. Die Polizei verlor stets viele Stunden in diesem 24-Stunden-Fenster – also in der Zeit, in der sie Verdächtige befragen konnten, ehe entweder Anklage erhoben oder bei einem Richter eine Verlängerung beantragt werden musste. Das konnte wegen ärztlicher Untersuchungen sein, vor allem aber, weil die Anwälte mehr als nur einen Klienten in ihren Zellen sitzen hatten. Ein paar der verschlageneren Winkeladvokaten spielten die »Ich habe noch andere Klienten«-Karte, wenn ihnen eine endlose »Kein Kommentar«-Phase zu langweilig wurde oder wenn ihnen der Sinn danach stand, die Detectives zu ärgern.

Aber Cross war nicht besorgt, weil der Anwalt derzeit nicht verfügbar war, denn der Verdächtige schmorte im eigenen Saft, weshalb ein oder zwei Stunden mehr in der Zelle Cross' Chancen, die Wahrheit aus ihm herauszulocken, nur verbessern konnten. Als sie gerade gehen wollten, fiel Ottey eine Veränderung in Andys Atmung auf. Seine Schultern hoben sich bei jedem Luftholen. Er sah aus, als würde er sich bemühen, seine Atmung zu kontrollieren. Sie erkannte die Zeichen auf Anhieb. Auf den ersten Blick sah es nach Panik aus, aber das war es nicht. Eine ihrer Töchter litt unter Asthma und diese Art zu atmen kennzeichnete stets einen unmittelbar bevorstehenden Anfall.

»Alles in Ordnung, Andy?«, fragte sie.

»Mir geht es gut«, antwortete er.

»So sehen Sie aber nicht aus«, erwiderte sie.

»Das ist nur ein Asthmaanfall«, erklärte er.

»Wo ist Ihr Inhalator?«

»Zu Hause.«

»Sie sind Asthmatiker?«, erkundigte sich Cross. Andy machte sich nicht die Mühe, ihm zu antworten.

»Benötigen Sie medizinische Hilfe?«, fragte Ottey.

»Nein, schon gut. Das geht vorbei.«

»Benutzen Sie einen Blauen?«, wollte sie wissen, woraufhin er überrascht aufblickte.

»Ja.«

Ottey verschwand für einen Moment. Kurz darauf kehrte sie mit einem blauen Inhalator zurück und gab ihn Andy.

»Ich habe immer einen Ersatzinhalator für mein Mädchen in der Tasche. Nehmen Sie. Sie können ihn behalten. Ich habe noch welche zu Hause«, sagte sie.

»Danke.«

Während sie auf die Rückkehr des Anwalts warteten, bat Carson sie beide in sein Büro. Er hatte die ersten forensischen Ergebnisse von der Hausdurchsuchung erhalten. Mackenzie stand an der Tür. Sie war eigentlich nicht zu der Besprechung eingeladen worden. Also dachte sie sich, sollte sie weggeschickt werden, wäre es weniger demütigend, sich von dort zu entfernen, als den Raum selbst verlassen zu müssen.

»Die Küche ist voller Blut; sie wurde natürlich geputzt, aber es wurden Anhaftungen am Rand der Arbeitsplatte gefunden …«, fing Carson an.

»Da, wo er sich den Kopf angeschlagen hat?«, fragte Ottey.

»Jepp. Und es gibt Spuren einer Pfütze auf dem Boden, dort, wo er anschließend zum Liegen gekommen sein muss.«

»DNA?«

»Zu früh, aber ich würde darauf wetten, dass sie von Alex ist. Alles deutet auf Swinton hin.«

Alle sahen Cross an, doch der schien gar nicht zuzuhören, sondern war tief in Gedanken versunken.

»Es sieht jedenfalls so aus«, stimmte Ottey dann zu.

»Bringen wir die Anklage auf den Weg. Ich kontaktiere den CPS. Sind wir uns einig? George?«, fragte Carson.

Aber Cross ignorierte ihn, ging hinaus und sagte zu Mackenzie: »Alice, können Sie Debbie herholen? Bitten Sie sie, aufs Revier zu kommen. Ich bin sicher, sie erholt sich immer noch im Restaurant von dem Geschehen.« Dann hielt er inne, drehte sich um und sah Ottey an. »Oder sollen wir hinfahren? Wird sie bereitwillig herkommen? Wir haben nicht viel Zeit.«

»Alice könnte ja erst einmal anrufen und sie fragen, ob sie einverstanden ist.«

Eineinhalb Stunden später traf Debbie in Begleitung von Helena ein. Helenas Sohn war tot, ihren Enkel hatte sie durch eine Fehlgeburt verloren, doch ihre mütterlichen Instinkte hatten stets noch die Oberhand. Wann immer Cross im Zuge der Arbeit mit der Beziehung zwischen Müttern und Kindern konfrontiert wurde, dachte er unausweichlich an seine eigene Mutter und fragte sich, ob ihr dieser Instinkt irgendwie gefehlt haben mochte. Er hatte von Frauen gelesen, die keine Spur von Mutterinstinkt in sich trugen. War seine Mutter auch so? Tatsächlich hatte er in jüngster Zeit viel darüber nachgedacht und sogar seinen Vater danach gefragt. Raymond war darüber ziemlich verblüfft gewesen, also hatte er das Thema fallen gelassen. Aber ihm wurde mehr und mehr bewusst, dass es an ihm nagte und nicht aufhören würde, ehe er eine Antwort gefunden hatte. Dass Helena Debbie begleitete, gefiel ihm sehr. Insgeheim dachte er sich, dass diese ganze Tragödie Debbie vielleicht eine Familie beschert hatte, der wirklich etwas an ihr lag.

Sie beschlossen, sich in der kleinen Küche, in der sie Kaffee und Tee zubereiteten, zusammenzusetzen. Auf einer Seite stand ein Verkaufsautomat. Sie servierten den beiden Frauen Kaffee. Dann stand Cross auf, ging zu dem Automaten, suchte Kleingeld heraus und kaufte eine kleine Packung Shortbread. Helena lächelte angesichts der freundlichen Geste.

»DS Ottey?«, sagte Cross. Cross überließ ihr stets das Wort, wenn einer trauernden Familie heikle Informationen übermittelt werden mussten. In diesem Fall einer trauernden Familie, bei der die Eltern eines Familienmitglieds durchaus in die Ausübung des Verbrechens verstrickt sein mochten. Ganz egal, wie sehr er sich auch bemühte, seine Erklärung des Sachverhalts hätte immer kalt und taktlos gewirkt, was in den meisten Fällen äußerst kontraproduktiv gewesen wäre.

»Wir haben sowohl Ihre Mutter als auch Ihren Stiefvater in Gewahrsam.« Ottey ließ ihre Worte einen Moment wirken.

»Wegen dem, was im Restaurant passiert ist?«, fragte Debbie und drehte sich zu Helena um. »Ich dachte, wir erstatten keine Anzeige.«

»Das tun wir auch nicht«, antwortete Helena und begriff augenblicklich, was diese Information zu bedeuten hatte.

»Ihr Stiefvater wurde wegen des Verdachts des Mordes an Alex Paphides verhaftet. Ihre Mutter steht wegen Justizbehinderung unter Arrest, aber es ist durchaus möglich, dass sie Komplizin bei dem Mord war.«

»Was?«, rief Debbie. Zwar mochte ihr, als sie ihnen erzählt hatte, wohin Alex ihrer Meinung nach am Abend seines Todes gewollt hatte, in den Sinn gekommen sein, dass sie etwas damit zu tun haben könnten. Doch sie hatte den Gedanken nicht zu Ende gedacht – sie hatte die Möglichkeit nicht ernsthaft in Betracht gezogen. Helena starrte nur zu Boden, und Cross fragte sich, was ihr wohl in diesem Moment durch den Kopf ging und ob sie es gebilligt hatte, dass Alex eine Beziehung zu einem Mädchen gehabt hatte, das gerade halb so alt war wie er. Und wenn sie es nicht gebilligt oder auch nur Zweifel gehegt hatte, was musste sie dann jetzt denken?

»DS Cross hat ein paar Fragen, die er Ihnen gern stellen würde, wenn das in Ordnung ist.«

»Klar«, sagte Debbie.

»Erzählen Sie mir von Ihrem Stiefvater«, bat Cross.

»Was ist mit ihm?«

»Wie lange ist er schon mit Ihrer Mutter zusammen?«

»So lange ich mich erinnern kann.«

»Und Sie waren vier, als Ihr Vater Sie verlassen hat, ist das korrekt?« Cross las die Fragen von einem Bogen Papier ab und versah jede mit einem Häkchen, sobald sie sie beantwortet hatte.

»Jepp.«

»Wenn Sie damals noch so jung waren, können Sie sich wohl nicht besonders gut an ihn erinnern.«

»Nein, eigentlich nicht. Nur bruchstückhaft.«

»An welche Bruchstücke erinnern Sie sich?«

»Mum war furchtbar wütend. Ich weiß noch, dass sie Dads Klamotten im Garten verbrannt haben. Ich erinnere mich an den Gestank. Sie haben Benzin benutzt«, erzählte sie. Cross notierte etwas und blickte wieder auf.

»Also war Andy damals schon da?«, fragte er.

»Wie meinen Sie das?«

»Als Ihr Dad gegangen ist. War Andy da bereits mit Ihrer Mutter zusammen? Ist Ihr Dad deswegen gegangen?«

»Wovon reden Sie?«, fragte Debbie.

»Hat Ihr Vater Sie verlassen, weil Ihre Mutter eine Affäre mit Andy hatte?«

»Nein. So etwas hätte er nie getan. Sie sind erst zusammengekommen, als Dad fort war.«

»Aber er war da?«

»Na ja, natürlich war er da. Worauf wollen Sie hinaus?«

»Warum sagen Sie ›natürlich‹? Ich verstehe nicht«, bekundete Cross.

»Weil er mein Onkel ist«, sagte sie. Cross zeigte keinerlei Reaktion. Er schrieb nur mit.

»Er ist der Bruder Ihres Dads?«

»Na ja, der Bruder meiner Mum kann er ja schlecht sein, oder? Ja, ich dachte, das wüssten Sie«, sagte Debbie.

»Nein, absolut nicht. Wir hatten keine Ahnung.« Er dachte nach. Diese Tatsache musste von Bedeutung sein, er wusste nur nicht, in welcher Hinsicht. Ottey nahm sein Schweigen als Aufforderung, die Gesprächsführung zu übernehmen.

»Kommen Sie gut miteinander aus? Sie und Ihr Stiefvater?«, fragte sie.

»Wie war sein Name? Der Ihres Dads?«, unterbrach Cross.

»Robbie. Robbie Swinton«, antwortete sie.

»Also, Ihr Stiefvater«, nahm Ottey den Faden wieder auf. »Sie verstehen sich gut?«

»Ziemlich. Es gab auch mal Streit, aber er war immer gut zu mir. Und er ist der Einzige, der mit meiner Mum klarkommt«, sagte Debbie.

»Wie meinen Sie das?«

»Er ist sehr ruhig. Lässt sich von ihr alles gefallen.« In diesem Moment blickte Cross auf, was sie dazu ermutigte, weiterzureden, genauer zu erklären, worum es ihr ging.

»Sie hat Probleme. Ich meine, das kann jeder sehen. Es ist ziemlich offensichtlich, auch wenn sie es nie zugeben würde. Mentale Probleme. Ich glaube, deswegen ist mein Dad gegangen.«

»Okay«, sagte Ottey, um sie zum Weiterreden zu ermuntern.

»Und sie trinkt. Sie trinkt, sie streiten. Wenn sie nüchtern ist, tut es ihr wieder leid. Dann trinkt sie wochenlang nicht, bis sie alles wieder aufholt. Manchmal kann ich absolut nicht verstehen, warum er bei ihr bleibt. Noch schlimmer ist es, wenn er mit ihr trinkt und dann die Nerven verliert. Dann bekommen sie einen Riesenkrach und ich muss oben rumhocken und mir das alles anhören. Wenn ich versuche, sie zu beruhigen, gehen sie beide auf mich los. Also habe ich es aufgegeben. Darum bin ich abgehauen.« Ottey sah sich zu Cross um, der, wie sie wusste, diese Befragung hatte führen wollen – bisher hatte er ihr immer noch nicht verraten, warum er Debbie hergebeten hatte. Doch auch jetzt zeigte er keinerlei Interesse, irgendwelche Fragen zu stellen. Zugleich jedoch sagte ihr seine Mimik, dass er nicht wollte, dass irgendjemand eine Frage stellte. Er wollte, dass Debbie in ihrem eigenen Tempo weitersprach und erzählte, was immer ihr im Kopf herumging.

»Er ist natürlich auch kein Engel. Er kann schrecklich launisch sein. Das passiert nicht oft, aber wenn, verdammte Scheiße. Wie gesagt, wenn er auch gesoffen hat, haben sie furchtbar gestritten. Das hat sich jetzt schlimm angehört. Das wollte ich nicht. Doch es ist, wie es ist. Ich habe jedenfalls keine Angst, einen von ihnen in Schwierigkeiten zu bringen.«

»Warum sagen Sie das?«, hakte Cross nach.

»Na ja, wenn Sie sie verhaftet haben … Sie werden Ihre Gründe haben, und falls sie es getan haben, werde ich sie nicht beschützen. Alex ist tot und wir …« Sie sah sich zu Helena um. »Wir wollen wissen, wer es getan hat. Ganz gleich, wer es war.«

»Das wollen wir auch, Debbie«, sagte Ottey.

Plötzlich sprang Cross auf und drehte sich zur Tür um. »George?«, fragte Ottey, als er im Begriff war, den Raum zu verlassen. Sie wollte ihn nicht fragen, wo er hinwollte oder was er vorhatte, sie wollte ihn an etwas erinnern, was sie ihm beizubringen versuchte. Sein soziales Bewusstsein schärfen. Er hielt inne und wandte sich um. Ottey blickte von ihm zu Debbie.

»Oh, ja«, sagte er. »Auf Wiedersehen, Debbie. Und vielen Dank, dass Sie hergekommen sind. Ich weiß das sehr zu schätzen.« Dann machte er kehrt und ging. Ottey fand, er hatte sich angehört, als würde er einen vorgefertigten Text rezitieren. Aber sie war auch mit kleinen Schritten zufrieden.

27

Es war Mittwochabend, also stand Cross ein gemeinsames Essen mit seinem Vater bevor, nachdem sie sich auf diesen Tag als ihren neuen regelmäßigen Termin festgelegt hatten. Die Swintons ließ er gern über Nacht in ihren Zellen schmoren. Manchmal, abhängig von der jeweiligen Situation im Zuge einer Ermittlung und dem Charakter der beteiligten Personen, befragte er Verdächtige die ganze Nacht lang. Aber in diesem Fall hielt er das nicht für nötig. Außerdem war sogar ihm klar, dass er einen kleinen Aufruhr heraufbeschworen hätte, wenn er nach den vorangegangenen Problemen – seinen Problemen – diese Verabredung abgesagt hätte. Nicht seitens seines Vaters, der seinem Sohn gegenüber immer nachsichtig war, sondern seitens seiner Partnerin bei der Arbeit. Ottey würde ihn damit nicht davonkommen lassen. Und sie würde so viel dabei herausholen wie nur irgend möglich, was er um jeden Preis vermeiden wollte. Also legte er größten Wert darauf, ihr mitzuteilen, wohin er nach der Arbeit ging. Sie hatte die Entscheidung, die Swintons sich selbst zu überlassen, gar nicht hinterfragt. Dennoch hatte er sich beim Gehen an Mackenzie gewandt und auf eine höchst unglaubwürdige Art mit ihr geredet, die sie vollkommen ratlos zurückließ und zugleich dafür sorgte, dass Ottey von einem Ohr zum anderen grinste.

»Ich esse heute mit meinem Vater zu Abend. Es ist Mittwoch, ich weiß. Aber wir haben unseren üblichen Abend geändert, damit er seiner neuen Verpflichtung bei Aerospace Bristol nachkommen kann. Normalerweise würde ich dafür plädieren, die Swintons noch ein wenig länger bis in den Abend hinein zu befragen, aber ich möchte meinen Vater nicht enttäuschen. Er verlässt sich darauf, mich regelmäßig zum Abendessen zu sehen.« Damit ging er. Mission abgeschlossen. Mackenzie drehte sich zu Ottey um, die ihr daraufhin eine detaillierte Erklärung lieferte, womit sie sich bei Mackenzie sehr beliebt machte.

Xiao Bao, der Mann in dem chinesischen Restaurant, von dem sie ihre Mahlzeit bekamen, zeigte sich äußerst überrascht, als Cross mit seiner üblichen Bestellung auftauchte. Er warf sogar einen Blick auf seine Uhr, um sich zu vergewissern, dass er nicht einen Tag der Woche verloren hatte.

»Es ist Mittwoch«, sagte Xiao Bao, als er Cross seine Speisen gab.

»Ja«, sagte Cross, ohne ihm eine Erklärung zu liefern, und ging seiner Wege.

Raymond und er aßen schweigend wie immer, doch dieses Mal lief nicht einmal eine Aufzeichnung von Mastermind im Fernsehen. Das lag, wie Cross wusste, daran, dass sein Vater mit seinem Vortrag für den nächsten Abend beschäftigt war und den Text wieder und wieder in Gedanken durchging. Cross war damit zufrieden, doch nachdem er den Tisch abgeräumt hatte, hatte er eine Frage an seinen Vater.

»Als deine Frau gegangen ist, wie hast du dich da gefühlt?«, wollte er wissen.

»Deine Mutter, meinst du?«

»Hattest du denn mehr als eine Frau?«

»Nein, aber worauf genau willst du hinaus?«

»Als sie gegangen ist, wie hast du dich da gefühlt?«

Raymond dachte einen Moment nach. »Erbärmlich. Unglücklich. Verraten.«

»Wütend?«, hakte Cross nach.

»Natürlich«, sagte Raymond.

»Wie wütend?«

»Wie beurteilt man so etwas? Ich war wütend, aufgebracht. Sie hat uns einfach sitzen lassen. Noch schlimmer, sie hat dich im Stich gelassen.«

»Warum ist sie gegangen?«

»Weil sie der Meinung war, es würde nicht funktionieren. Sie würde mich nicht mehr lieben.«

»Hat sie mich auch nicht mehr geliebt?«

»Was? Natürlich hat sie dich geliebt. Du bist ihr Sohn«, sagte Raymond.

»Warum habe ich dann seither nichts mehr von ihr gehört oder gesehen?«

»Sie dachte, ein klarer Bruch wäre das Beste für alle, wenn ich mich recht erinnere.«

»›Wenn ich mich recht erinnere‹ klingt nicht sehr überzeugend. Und warum wurde ich nicht gefragt?«

»Du warst vier«, sagte Raymond.

»Ich war ein sehr weit entwickelter Vierjähriger. Gab es da jemand anderes?«, bohrte Cross nach.

Raymond schien darüber nachdenken zu müssen. »Warum fragst du das jetzt plötzlich? Hat das etwas mit deiner Arbeit zu tun?«, wollte er dann wissen.

»Hat es, ja.« Cross fiel auf, dass sich sein Vater augenblicklich entspannte, was er interessant genug fand, es sich zu merken.

»Da war niemand. Ich denke oft, es wäre vielleicht leichter gewesen, hätte es jemanden gegeben.«

»Warum?«, fragte Cross.

»Weil sie mich dann wenigstens für jemand anderen verlassen hätte. Für etwas anderes. Für eine Alternative, die sie für besser hielt. Aber in diesem Fall hat es keine Alternative gegeben. Nichts zu haben, war besser, als mich zu haben. Das hat wehgetan.«

Seine Worte wirkten zwar ziemlich überzeugend, aber da war etwas, das für Cross nicht ganz glaubwürdig klang. Er beschloss, sich das für einen anderen Zeitpunkt aufzusparen und weiter seinem derzeitigen Gedankengang zu folgen. »Hat sie all ihre Sachen mitgenommen, als sie gegangen ist?«, fragte er.

»Nein, sie hat etwas zurückgelassen. Bücher, Kochsachen, ein paar Klamotten.«

»Was hast du damit gemacht?«

»Nichts«, sagte Raymond. »Ich habe es einfach gelassen, wo es war.«

»Du hast ihre Kleidung nicht verbrannt?«

»Was? Nein! Natürlich nicht! Warum hätte ich das tun sollen?«

»Wut. Vergeltung. Ich weiß es nicht. Darum frage ich.«

»Was hätte das genützt? Was hätte ich damit erreichen können? Sie wäre nicht zurückgekommen, welchen Zweck hätte das also gehabt?«

Cross dachte einen Moment darüber nach.

»Das ist eine wirklich gute Frage«, sagte er und machte sich auf den Weg. Das war das, was ihn bei dem Zusammentreffen mit Debbie irritiert hatte. Die Vorstellung, wie Andy und Jean die Kleidung ihres Mannes im Garten verbrannten, hatte ihm zu schaffen gemacht. Es wäre etwas anderes gewesen, hätte Jean das allein getan. Aber so? Hätte Andy keine Einwände erheben müssen? Sie hatte die Sachen seines Bruders verbrannt. Hätte er sie nicht hindern müssen, nur für den Fall, dass er zurückkäme? Es sei denn, natürlich, sie wussten beide, dass das unmöglich war.

»Geht es Ihnen heute etwas besser, Mr Swinton?«, fragte Ottey.

»Ja. Noch einmal danke für das Salbutamol«, antwortete er.

»Gern geschehen.«

Andy sah aus wie so viele Leute nach einer Nacht in der Arrestzelle. Die meisten schliefen dort natürlich nicht besonders gut. Aber Cross hatte den Eindruck, dass vielen – wenn sie denn dessen, wofür sie verhaftet wurden, schuldig waren – am Morgen in den Sinn kam, sie könnten womöglich für eine sehr lange Zeit hinter Gittern erwachen. Das hatte eine – bisweilen im Wortsinne – ernüchternde Wirkung auf sie. Cross gab sich zunächst seinem Aktenritual hin. Anschließend blickte er auf.

»Wie haben Sie von der Schwangerschaft Ihrer Stieftochter erfahren, Mr Swinton?«, fragte er.

»Kein Kommentar.«

»Aber Sie wussten von ihrer Schwangerschaft?«

»Kein Kommentar.«

»Nun gut, Sie wussten es, wie Sie beide uns erzählt haben. Also, wie haben Sie es herausgefunden?«

»Kein Kommentar.«

»Sie begreifen, wie das aussieht, nicht wahr?«, fragte Ottey. »Auf uns wirkt das, als hätten Sie Angst, wir könnten erfahren, wie Sie es herausgefunden haben. Tatsache ist, dass wir bereits feststellen konnten, dass der Anruf, bei dem Sie informiert worden sein wollen, nie erfolgt ist, und doch wussten Sie von der Schwangerschaft.« Andy reagierte nicht.

Sie hatten an diesem Morgen mit Jean begonnen, die ziemlich fahrig und übellaunig war. Es war, wie Cross dachte, durchaus wahrscheinlich, dass sie unter Alkoholentzug litt. Auch sie war auf Anraten ihrer Anwältin in die »Kein Kommentar«-Phase eingetreten. Für sie war das eine Erleichterung, denn nun musste sie über nichts mehr nachdenken. Sie murmelte einfach ganz automatisch »Kein Kommentar«, sobald die Person, die mit ihr sprach, verstummte. Einmal sagte sie das sogar, als sie gefragt wurde, ob sie ein Glas Wasser wollte. Cross hatte das Gefühl, dass sie die Sache erfolgreicher vorantreiben konnten, wenn sie erst mit Andy sprachen und ihr anschließend offenbarten, was sie von ihm erfahren hatten. Zugleich jedoch befürchtete er, dass selbst das nichts ändern und sie einfach weiter »Kein Kommentar« vor sich hin murmeln würde.

»War Ihnen bewusst, dass am Abend des Mordes nur Alex und Debbie von der Schwangerschaft wussten?«, fragte Cross. In diesem Moment blickte der Anwalt von seinen Notizen auf.

»Kein Kommentar.«

»Und da wir nun wissen, dass Debbie es Ihnen nicht erzählt hat, bleibt nur noch eine andere Möglichkeit. Die lautet, dass Alex vorbeigekommen ist, um es Ihnen zu sagen. Ist es so gewesen?«, fragte Cross. Der Anwalt beugte sich vor und flüsterte Andy etwas ins Ohr. Andy sah die beiden Detectives an.

»Alex hat es uns gesagt.«

»Wann?«

Andy sah aus, als wüsste er nicht recht, was er tun sollte.

»Können wir uns kurz besprechen?«, fragte der Anwalt.

»Natürlich«, sagte Cross. »Auf lange Sicht ist uns damit vielleicht geholfen.«

Carson rief sie in sein Büro. Er wollte den Fall abschließen und zur Anklage bringen, statt eine Haftverlängerung zu beantragen.

»Wir sind derzeit nicht einmal sicher, dass wir sie der richtigen Sache beschuldigen. Wir sind bei beiden nicht sicher, wessen wir sie anklagen sollen«, wandte Cross ein.

»Kommen Sie schon, George. Wir haben Alex' Blut in ihrem Haus. Swinton, der das Fahrrad entsorgt hat. Sein Transporter war am Mordabend bei der Garage. Ein Zeuge hat ihn dort gesehen. Er hat das Fahrzeug beschädigt, der Schaden passt zu den Beweisen und hat eine Reparatur nötig gemacht. Jetzt stellt sich auch noch heraus, dass Jean Swintons Vater die Garage, in der Alex' Leichnam abgeladen wurde, jahrelang gemietet hatte. Das ist ziemlich schlüssig.«

»Wirklich?«, fragte Cross.

»Sehen Sie das nicht so?«

»Ich glaube, es geht ihm um die neue Information zu der Garage«, bemerkte Ottey.

»Oh, richtig. Ja, Mackenzie hat das herausgefunden. Sie haben dort eine Kfz-Werkstatt betrieben. Sie haben Kundendienst und die jährliche technische Überprüfung angeboten«, klärte Carson ihn auf.

»Warum hat mir das niemand erzählt?«, fragte Cross.

»Das weiß ich auch nicht, aber wie gesagt, es ist schlüssig«, antwortete Carson.

»Ich bin nicht sicher, ob ich so weit gehen würde. Wir wissen, dass Andy die Leiche entsorgt hat, doch haben wir auch einen Beweis, dass tatsächlich er Alex umgebracht hat? Jeder der beiden könnte die Tat begangen haben«, sagte Cross.

»Die Forensiker konnten nachweisen, dass die Plastikfolie von der Rolle in Swintons Transporter mit der übereinstimmt, in die der Leichnam gewickelt war. Ich habe den CPS angerufen, und ich bin der Ansicht, wir haben mehr als genug, um ihn des Mordes anzuklagen«, beharrte Carson und sah Cross an, doch der reagierte nicht.

»George?«, sagte Carson. Cross blickte auf und dann zu der Uhr an der Wand.

»Wir haben immer noch ein paar Stunden. Die können wir ebenso gut nutzen«, stellte er fest.

»Also schön«, gab sich Carson geschlagen. Gegen dieses Ansinnen konnte er schwerlich Einwände erheben, und er wusste, dass Cross an so einem Punkt in den Ermittlungen oft zu seiner besten Form auflief.

Andys Anwalt verlas eine Erklärung, derzufolge Alex an jenem Abend beim Haus der Swintons vorbeigeschaut hatte. Er war kurz nach acht Uhr eingetroffen. Er hatte ihnen von der Schwangerschaft berichten wollen, ehe er am nächsten Morgen zu seiner Trainingsreise nach Teneriffa aufbrechen würde. Er hatte es ihnen erzählt und war kurz darauf wieder gegangen. Jean und ihre Anwältin bestätigten diese Version der Ereignisse.

»Was haben Sie empfunden, als Sie erfahren haben, dass

Debbie schwanger war?«, fragte Cross Andy, der inzwischen etwas selbstsicherer und entspannter wirkte. Wenn die Polizei ihre Aussage – die sich häufig signifikant von der Story unterschied, die sie bis dahin vorgebracht hatten – nicht unmittelbar hinterfragte, dachten die Leute oft, die Ermittler würden ihre neue Version einfach irgendwie schlucken. Dadurch trat in einer Befragung manchmal eine kurze umgängliche Phase ein, bis die Polizei dann das nächste belastende Beweisstück präsentierte.

»Wie ich schon sagte …«, begann Andy seufzend.

»Als Sie uns nicht die Wahrheit erzählt haben?«, unterbrach Cross.

»Ich war überrascht, um ehrlich zu sein«, fuhr Andy fort, ohne auf Cross' Einwurf einzugehen. »Ein bisschen enttäuscht. Sie ist so jung. Aber er schien ein netter Kerl zu sein. Und es war nun mal geschehen.«

»Und wie hat Alex auf Sie gewirkt?«, wollte Cross wissen.

»Er schien wirklich glücklich zu sein. Als würde er sich darüber freuen. Er hat uns gesagt, er wolle sie heiraten.«

»Warum sind Sie und Jean nicht verheiratet?«

»Was?«

»Sie sind nicht verheiratet, obwohl Sie sie als Ihre Frau bezeichnen. Warum?«, fragte Cross.

»Wir sind einfach nie dazu gekommen. Aber wir sind es so gut wie, oder nicht?«

»So gut wie was?«

»So gut wie verheiratet«, antwortete Andy. »Ich meine, das ist doch sowieso egal.«

»Nun, egal ist das eindeutig nicht. Wie ich schon sagte, Sie bezeichnen sie als Ihre Frau, und sie nennt sich Mrs Swinton.

Also, warum haben Sie nicht geheiratet? Ich meine, so schwer ist das ja nicht?«, bohrte Cross.

»Was hat das mit der ganzen Sache zu tun?«, wollte Andy wissen.

»Also, Alex ist, kurz nachdem er gekommen ist, schon wieder gegangen, gesund und munter und voller Vorfreude auf seine Trainingsreise nach Teneriffa?«, fragte Cross und ging mit voller Absicht nicht auf die Frage ein.

»Ja.«

Cross machte sich eine Notiz.

»Haben Sie und Jean seitdem Kontakt zu Debbie gehabt?«, fragte Cross.

»Abgesehen von dem einen Mal? Nein«, antwortete er.

»Das ist ein bisschen merkwürdig, finden Sie nicht? Sie erfahren, dass sie schwanger ist, und melden sich nicht bei ihr. Wie kommt das?«, fragte Cross, erhielt aber keine Antwort. »Lag es daran, dass Sie ihr nicht sagen konnten, dass Sie Bescheid wissen? Denn dann hätte sie gewusst, dass Alex an diesem Abend bei Ihnen war, und danach ist er gestorben. Sie konnten nicht riskieren, dass jemand davon erfuhr. Dass etwas auf Sie deutet. Schlimmer noch, Sie konnten sich nicht darauf verlassen, dass Jean den Mund hält, besonders, wenn sie getrunken hat«, sagte Cross abschließend, erhielt aber wieder keine Antwort. Cross musterte den Mann, der ihm auf der anderen Seite des Tisches gegenübersaß. Von der Zuversicht, die er noch vor wenigen Minuten ausgestrahlt hatte, war nichts mehr übrig.

»Also zurück zu dem besagten Abend. Wie ist Alex zu Ihnen gelangt?«, fragte Cross.

»Was meinen Sie?«

»Transportmittel. Auto, Taxi, Bus?«

Diese Frage sollte leicht zu beantworten sein, aber Andy schien sich genau zu überlegen, wie er antworten sollte. Schließlich sagte er: »Ich weiß es nicht. Ich habe keine Ahnung.«

»Vielleicht mit dem Fahrrad?«, fragte Cross.

»Vielleicht«, antwortete Andy.

»Ich meine, das würde doch Sinn ergeben, nicht wahr?«

»Wie gesagt, ich weiß es nicht.«

»Sie wissen es nicht? Also gut … schön, in diesem Punkt kann ich helfen«, sagte Cross. »Sehen Sie, wir haben Überwachungsaufnahmen, die zeigen, wie er nach einer Besprechung um sieben Uhr siebenunddreißig am Abend den Flughafen verlässt. Sie wohnen eine gute Stunde entfernt, das stimmt also beinahe mit Ihren Angaben überein. Dass er gegen acht eingetroffen sei. Auf dem Fahrrad. Nur dass es eher halb neun war.«

»Ich habe sein Fahrrad nicht gesehen«, sagte Andy.

»Tatsächlich? Ich finde es schwer, das zu glauben. Ich meine, er hat seine Fahrradkleidung getragen. Er ist gerade mit dem Fahrrad vom Bristol Airport gekommen. Ziemlich lange Strecke, aber ein Katzensprung für ihn, schätze ich. Gerade genug, um sich aufzuwärmen. Wahrscheinlich hat er seinen Radhelm getragen. Die Leute neigen dazu, die Helme nicht abzunehmen, wenn sie jemanden unangemeldet besuchen, nicht, bevor sie wissen, dass auch jemand daheim ist. Und er muss ein bisschen komisch gegangen sein, weil er Schuhe mit Klicksystem getragen hat, die man in das Pedal ›klicken‹ kann. Cleats nennt man diese Pedalplatten. Also alles in allem denke ich, Sie sollten imstande sein, sich zu erinnern, ob er das Fahrrad dabeihatte.«

»Tja, bin ich aber nicht«, entgegnete Andy kurz angebunden.

»Ich fahre Rad. Vorwiegend zur Arbeit und zurück«, fuhr Cross im Plauderton fort, »und früher habe ich mein nicht allzu teures, rein funktionelles Fahrrad mit ins Gebäude genommen. Bis ich den Bau eines Fahrradunterstands durchsetzen konnte. Sie sind vermutlich daran vorbeigekommen. Wenn man auf den Eingang zugeht, ist er auf der rechten Seite. Ich nehme mein Fahrrad auch mit in meine Wohnung. Ganz einfach, weil ich nicht will, dass es gestohlen wird. Denn man hat so viele Scherereien, wenn das passiert. Und Alex musste zudem bedenken, dass sein Fahrrad Tausende von Pfund wert war. Carbonrahmen. Das hätte er nicht einfach vor dem Haus stehen lassen; er hätte es mit hineingebracht. Es sei denn, er ist gar nicht reingekommen. Ist er draußen geblieben?« Andy antwortete nicht. Cross hoffte, dass er sich ein wenig in die Ecke gedrängt fühlte. »Würde es helfen, wenn ich Ihnen ein Bild von dem Fahrrad zeige?« Er zog ein Foto aus seinem Ordner. »Hier.«

Andy betrachtete das Foto. »Der Mann, der es hält, ist der Polizeitaucher, der es aus dem Kanal gezogen hat, da, wo Sie es hineingeworfen haben, meiner Berechnung zufolge um 2:32 Uhr gestern Morgen«, fuhr Cross fort.

»Und wie genau wollen Sie das beweisen?«, fragte Andy.

»Ich war dort. Nun ja, nicht ganz, weil ich einen Platten hatte. Klingelt da was? Ein platter Reifen? Denn Sie haben angehalten, um einem Fräulein in Not zu helfen, oder etwa nicht?« Andy sah ein wenig blass aus. »Mackenzie?«, rief Cross.

Die Tür ging auf und Mackenzie trat ein. Sie war ein wenig verärgert, weil ihr wegen der kleinen Rolle, die sie in Cross' arrangiertem Drama spielte, das Herz bis zum Hals schlug. Andererseits hatte sie auch noch nie den zeitweilig geheiligten Boden eines Vernehmungsraums betreten, der gerade genutzt wurde.

»Erinnern Sie sich an meine ›Tochter‹, Andy?«, fragte Cross.

Swinton sagte nichts.

»Das ist alles, Alice«, sagte Cross, während er einen Beweismittelbeutel aus der Tasche zog, in dem ein Mobiltelefon in trocknem Reis lag. »Das hier haben wir ebenfalls gefunden, ganz in der Nähe des Fahrrads im Kanalbett. Alex' Mobiltelefon. Das, das Sie benutzt haben, um Matthew eine Textnachricht zu schicken und ihm zu sagen, Alex würde es nicht schaffen, an der Reise teilzunehmen. Das war ein Fehler, denn das bedeutete, dass, wer immer ihn umgebracht hat, von Teneriffa gewusst hat. Ich dachte, das Telefon wäre ruiniert, aber es ist erstaunlich. Wussten Sie, dass ein nasses Mobiltelefon – sagen wir, Sie lassen es in die Toilette fallen oder in die Badewanne oder einen Swimmingpool, Sie verstehen sicher, was ich meine –, dass man so ein nasses Telefon einfach in einen Beutel Reis legen kann und …«

Aber der Anwalt hatte allmählich genug. »Ich denke, wir sollten die Gelegenheit nutzen …«

»Oh, ich denke auch, das sollten Sie«, fiel ihm Cross seinerseits ins Wort.

28

Andy und der Anwalt kamen kurze Zeit später zurück. Ottey war bereits dort. Dann tauchte auch Cross auf und ordnete seine Papiere so auf dem Tisch, dass sie alle im gleichen Abstand zu den Kanten lagen. Dieses Mal schien es länger zu dauern als sonst. Ottey beobachtete Andy, der unverkennbar genervt war, nachdem er diesen Vorgang schon mehrere Male hatte mit ansehen müssen. Als Cross endlich zufrieden war, nahm er Platz und blickte erwartungsvoll auf.

»Soll mich das nervös machen oder so was oder sind Sie einfach nur schräg?«, fragte Andy.

»Mr Swinton …«, ermahnte ihn der Anwalt. Cross starrte Andy nur weiter an, worauf der abwehrend schnaubte und sich wegdrehte. Daraufhin sah Cross den Anwalt an, der prompt begann, eine vorbereitete Erklärung vorzulesen.

»Ich war in der fraglichen Nacht in der Nähe des Kanals. Ich hatte 24 Stunden Bereitschaftsdienst und wurde zu einem …«

»Wenn ich darf, werde ich Sie an dieser Stelle unterbrechen. Tatsache ist, dass uns die Zeit ausgeht. Nun ja, mir. Darum möchte ich die Angelegenheit vorantreiben. Ein Rat für Sie, Andy: All diese Änderungen in Ihrer Aussage, sich an nichts erinnern können und dann plötzlich mit einer detaillierten Rückbesinnung an das Geschehen jener Nacht oder irgendeiner anderen Nacht aufwarten, helfen niemandem. Es ist so viel besser, die Wahrheit zu sagen. Denn, wissen Sie, unter diesen Umständen werde ich sie am Ende so oder so aufdecken. Tatsächlich glaube ich, das haben wir bereits.«

Andy sah seinen Anwalt an. »Lesen Sie jetzt weiter, oder was?«

»Warum hören Sie sich nicht an, was der Detective zu sagen hat?«, antwortete der.

»Also, Mr Swinton, von Folgendem wissen Sie, dass wir es wissen: Wir können Alex in der Mordnacht bei Ihrem Haus platzieren. Wir wissen, dass Sie das zuvor erwähnte Fahrrad und das Mobiltelefon vorletzte Nacht in den Kanal geworfen haben. Was Sie nicht wissen, was ich Ihnen jetzt jedoch verraten werde, ist, dass die Forensiker Blut gefunden haben. Blut des Opfers, in Ihrer Küche. Da, wo Sie versucht haben, sauber zu machen.« Nun blickte er auf und musterte Andy, der keinerlei Reaktion zeigte.

»Wir haben einen Zeugen, der am frühen Morgen des Neunten einen Transporter von South West Plumbing gesehen hat, als der rückwärts in die Garage gefahren ist, in der Alex' Leichnam abgelegt wurde, und zwar so schnell, dass die Seite des Vans beschädigt wurde. Ihres Vans. Der am nächsten Tag zur Reparatur gebracht worden ist. Die Farbe, die der Wagen am Torrahmen der Garage zurückgelassen hat, passt exakt zu dem speziellen Lack der South-West-Transporter. Ihr Boss ist ziemlich eigen im Hinblick auf das Erscheinungsbild, aber ich nehme an, das wissen Sie selbst. Bei genauerer Betrachtung erkennt man, dass der blaue Lack metallische Elemente enthält, die leicht glitzern, so würden Sie das vermutlich nennen.« Auf der Suche nach Bestätigung sah er sich zu Ottey um. Die nickte.

»Dadurch ist der Lack ziemlich einfach zu identifizieren«, fuhr er fort. »Außerdem haben wir die Rolle mit Plastikfolie aus diesem Van. Der Folie, in die Sie Alex' Leiche eingewickelt haben, ehe Sie sie in der Garage abgelegt haben. Das wissen wir, weil ... nun, sehen Sie, immer wenn man ein Stück von derartiger Folie abschneidet, sei es mit einem Messer oder einer Schere, was auch immer, hinterlässt man charakteristische Merkmale an der Schnittkante. Die Folie, in die der Leichnam gewickelt war, stammt von dieser Rolle. Sie passt perfekt. Also, alles in allem haben wir da einen ziemlich überzeugenden Fall aufgebaut, meinen Sie nicht? Oh, ich vergaß zu erwähnen, dass die Garage, die Sie benutzt haben, jahrelang im Besitz von Jeans Familie war. Sie wussten, dass sie leer gestanden hat und sie folglich die Leiche dort lassen konnten, bis Sie sich überlegt haben, was Sie mit ihr machen sollen. Was Sie jedoch nicht wussten, war, dass die Abrissarbeiten weitergehen würden, ehe Sie eine Gelegenheit bekamen, sie wieder fortzuschaffen.«

»Ich möchte mit meinem Klienten reden«, sagte der Anwalt.

»Um die Wahrheit zu sagen, ich denke, über diesen Punkt sind wir hinaus. Meinen Sie nicht auch, Andy?«, fragte Cross. Andy sah ihn an. Die Beweislast war erdrückend und er hatte die Nase voll von Cross. Eine lange Pause trat ein, ehe er sich äußerte.

»Es war ein Unfall«, sagte er.

»Andy Swinton, haben Sie Alex Paphides am Abend des achten Mai getötet?«, fragte Cross.

»Nicht absichtlich«, antwortete er.

»Möchten Sie jetzt eine Aussage machen?«

Andy sah seinen Anwalt an und der nickte.

»Ja.«

»Würden Sie mich dann bitte entschuldigen? Ein Officer wird Ihre Aussage aufnehmen. Gibt es sonst noch etwas, ehe ich gehe?«

»Nein.«

»Nun gut.« Cross stand auf und ging, direkt gefolgt von Ottey.

»Warum haben Sie ihn nicht gefragt, was passiert ist?«, fragte sie.

»Das wird Teil seiner Aussage sein«, antwortete er vage abgelenkt. Sofort wusste sie, dass irgendetwas im Busch war. Normalerweise gingen sie ein Geständnis immer durch, nachdem es abgelegt worden war. Besonders Cross, der sich stets vergewissern wollte, dass die Schilderung der Ereignisse folgerichtig war. Aber ehe sie nachhaken konnte, kam Carson auf sie zu und streckte die Hand aus. Cross ergriff sie nicht. Ganz gleich, wie oft das geschah, Carson tat es immer wieder. Ottey fragte sich, ob das daran lag, dass er sich einfach nicht konzentrierte und nicht darauf achtete, was um ihn herum vorging.

»Gut gemacht«, sagte er, aber Cross sah alles andere als zufrieden aus, stattdessen präsentierte er ihnen das, was in Otteys Augen sein Standardgesichtsausdruck war. Diesen Schluss hatte sie nach etlichen Befragungen gezogen, im Zuge derer sie ihn irgendwann gefragt hatte, ob alles in Ordnung war. Nur um als Antwort mit einer verwirrten Miene und der Erklärung, es gehe ihm gut und er sehe immer so aus, konfrontiert zu werden.

Trotzdem steckte dieses Mal vielleicht etwas anderes dahinter. Es schien, als wäre die Unzufriedenheit um einen Ausdruck intensiver Konzentration ergänzt worden. »Was ist los?«, fragte Carson. »Sie haben ein Ergebnis. Alles ist in trockenen Tüchern, George.«

»Er hat keine Zeichen der Erleichterung zu erkennen gegeben. Kein Zeichen von irgendetwas. Es ist, als hätte er uns nur eine weitere Geschichte vorgesetzt. Für ihn war die Frage nur, wann es passiert, nicht ob«, stellte Cross fest.

»Ach, George, kommen Sie. Tun Sie das nicht. Nicht schon wieder. Bitte«, klagte Carson.

»Wir sollten Jean befragen. Ihr erzählen, dass Andy angeklagt und Sie unter Auflagen entlassen wird.«

»Sie wissen einfach nicht, wann Sie aufhören müssen. Dieser Zeitpunkt ist jetzt. Lassen Sie es gut sein, George«, sagte Carson.

»Bis zu diesem Zeitpunkt haben die beiden sich gegenseitig ein Alibi gegeben. Diese Information haben wir überhaupt nicht überprüft. Wir sollten den Dienstplan von South West Plumbing für die betreffende Nacht kontrollieren und uns die Verbindungsdaten der Mobiltelefone von beiden, Andy und Jean, ansehen«, sagte Cross, als würde er laut denken. Carson war im Begriff, erneut zu protestieren, aber Cross war bereits auf dem Weg zu dem diensthabenden Sergeant des reviereigenen Zellenblocks und bat darum, dass Jean in den anderen Befragungsraum gebracht wurde.

»Josie! Tun Sie etwas«, wandte Carson sich geradezu flehentlich an Ottey.

»Sie sind der Boss«, entgegnete sie.

»Ein Konzept, das unserem Freund da drüben auch an seinen besten Tagen Schwierigkeiten zu bereiten scheint.«

Kaum hatten sie Jean erzählt, dass sie im Begriff waren, Andy anzuklagen, und sie unter Auflagen freikomme, bis der CPS darüber befunden hatte, was ihr zur Last gelegt werden sollte, brach sie in Tränen aus.

»Also kann ich gehen?«, fragte sie, und Cross nahm jenseits der Tränen Anzeichen ungläubigen Zweifels wahr.

»Vorerst«, sagte Ottey.

»Okay, dann kann ich davon ausgehen, dass wir hier fertig sind?«, fragte Jeans Anwältin.

»Noch nicht ganz«, erwiderte Cross. Dieses Mal war es die Anwältin und nicht die Verdächtige, die seufzend auf den Stuhl zurücksank. Wie ein Schulkind, das aufgefordert wurde zu bleiben, nachdem die Glocke zum Unterrichtsende geschellt hatte, weil der Lehrer noch mit ihm reden wollte.

»Ein Punkt macht mich neugierig. Wir wissen, dass Alex zu Ihnen gekommen ist, um Ihnen von der Schwangerschaft zu erzählen. Wie ging es ihm damit?«, fragte er.

»Wie meinen Sie das?«

»War er glücklich?«

»Das weiß ich nicht. Er hat es uns einfach erzählt«, sagte sie.

»Aber Sie müssen doch mitbekommen haben, wie er sich gefühlt hat«, drang Cross weiter in sie.

»Er hat nur gesagt, er würde das Richtige tun – was immer das bedeutet.«

»Vermutlich, sie zu heiraten«, schlug Cross vor.

»Schätze schon. Verheiratet mit sechzehn, Mutter mit siebzehn.« Sie schüttelte den Kopf.

»Klingt das vertraut?«, fragte Cross.

»Wollen Sie sich über mich lustig machen?«

»Wie empfinden Sie es, dass Sie mit sechzehn schwanger waren? Im Nachhinein? Wie hat sich das auf Sie ausgewirkt?«

»Es hat alles kaputt gemacht. Meine Eltern haben mich mehr oder weniger verstoßen. Das war so ein großer Fehler!«

»Was? Schwanger zu werden?«

»Was denken Sie denn?«, fragte sie.

»Ich weiß es nicht. Darum frage ich Sie.«

»Die ganze Geschichte war ziemlicher Mist. Es war kompliziert«, sagte sie.

»Aber am Ende haben Sie den Vater geheiratet?«, hakte er nach.

»Ja.« Sie lachte, doch es klang traurig. »Das war das Problem.«

»Wie meinen Sie das?«

»Wir haben einfach nicht zusammengepasst. Er war älter. Man sollte nicht heiraten, nur weil man dumm genug war, sich schwängern zu lassen. Das ist keine Lösung.«

»Was dann? Abtreibung?«

»Vielleicht. Oder Adoption. Komisch, nicht wahr? Ich kann mir für mich schon wegen Debbie keine Abtreibung vorstellen. Verstehen Sie? Sie mag von Zeit zu Zeit ein bisschen scheiße sein, aber ich liebe sie trotzdem. Ich meine, sie ist mein Kind. Darum wäre Abtreibung keine Lösung für mich.« Sie lachte leise. »Doch wenn ich so darüber nachdenke, dann kann ich auch nicht über Adoption reden, wenn es um sie geht. Jetzt, wo ich sie kenne.«

»Es ist viel einfacher, vorher über derartige Dinge zu sprechen«, bemerkte Cross.

»Wie meinen Sie das?«

»Es ist einfacher, über Abtreibung oder Adoption zu sprechen, ehe das Kind geboren wurde.«

»Schätze schon«, räumte sie ein. Ottey war klar, worauf er hinauswollte, was gut war, denn er bedachte sie mit diesem Blick, der besagte »Übernehmen Sie«. Offenbar hatte er den Eindruck, dieses Gespräch würde besser von Frau zu Frau geführt werden.

»Ist es das, was passiert ist, als Alex zu Ihnen gekommen ist?«, fragte Ottey.

»Was?«

»Er wollte das Baby gar nicht, oder?«, erklärte sie.

»Was? Nein, ich sagte doch, er wollte sie heiraten. Vater sein«, entgegnete Jean.

»Ich glaube, das ist nicht ganz wahr, richtig, Jean? Er wollte, dass sie abtreibt. Das ist der Grund, warum er nicht einmal seiner Mutter davon erzählt hat. Weil er sich das nicht ausreden lassen wollte«, sagte Ottey.

»Nein«, widersprach Jean. »Sie bringen alles durcheinander. Er war total dafür; es war …« Sie brach ab.

»Es war was? Jean?«

»Nichts. Kann ich jetzt gehen?«

»Sie sagt die Wahrheit«, bemerkte Cross.

»Danke«, sagte Jean.

»Bis zu einem gewissen Grad«, fuhr Cross fort. »Alex wollte das Baby. Er wollte sich um Debbie kümmern, auf eine Art, wie ihre eigene Familie es nicht getan hat.«

»Was soll das heißen?«

»Oder, um genau zu sein, auf eine Art, wie ihre Mutter es nicht getan hat. Debbie war diejenige, die das Baby nicht wollte, nicht wahr, Jean?« Aber er erhielt keine Antwort. »Wissen Sie, Josie, was mich an alldem verwirrt hat, ist, warum Alex überhaupt losgehen und Jean und Andy erzählen sollte, dass Debbie schwanger ist. Debbie war zu Hause ausgezogen, weil es dort nicht gut lief. Aber er hatte es nicht einmal seiner eigenen Familie anvertraut, die alles in allem viel fürsorglicher ist. Viel mehr zusammenhält. Also, warum geht er hin und erzählt es Debbies Eltern, wenn sie das Kind einfach austragen wollte. Es hätte doch keine Eile gehabt. Er hätte nicht zu diesem Zeitpunkt zu ihnen gehen müssen. Es sei denn, natürlich, Debbie hätte beschlossen, dass sie kein Baby wollte. Sie wollte es loswerden. Ich vermute, durch eine Abtreibung. Denn sie wusste, wenn ihre Schwangerschaft erst sichtbar wäre, würde Helena, eine stolze und wehrhafte Matriarchin, der die Familie über alles geht, niemals zulassen, dass sie das Kind zur Adoption freigibt. Abtreibung war die einzige Möglichkeit. Kommt das der Wahrheit näher, Jean?«

Sie dachte einen Moment nach, und schließlich redete sie, blickte aber keinen der beiden Polizisten dabei an.

»Er hat mir die Schuld gegeben. Er hat gesagt, sie würde das Kind meinetwegen nicht wollen. Wegen dem, was mir passiert ist. Weil ich auch so früh Mutter geworden bin. Sie wollte nicht, dass es ihr so geht wie mir.«

»Hatten Sie getrunken, als er zu Ihnen kam?«

»Was denken Sie denn?«, fragte sie.

»Sie hatten Krach«, konstatierte er.

»Er hat gesagt, es wäre meine Schuld. Und dass Debbie das Baby meinetwegen umbringen will. Er ist immer wütender und wütender geworden. Es wäre meine Schuld, weil ich so eine Scheißmutter gewesen bin. Weil ich überhaupt keine Mutter gewesen wäre.«

Es klopfte an der Tür, und Mackenzie trat mit einem Bogen Papier ein, den sie Cross überreichte.

»Fürs Protokoll: Police Staff Officer Alice Mackenzie hat den Raum betreten und ist wieder gegangen«, sagte Ottey. Cross betrachtete das Dokument, doch ob es relevant oder auch nur in irgendeiner Weise interessant in Bezug auf den Fall war, ließ sich an seiner Mimik nicht ablesen.

»Was ist dann passiert?«, fragte Cross.

Sie dachte einen Moment nach. »Andy ist dazwischengegangen. Er hat gesagt, Alex hätte kein Recht, in unser Haus zu kommen und so mit mir zu reden.«

»Wie ist es Ihnen mit dem gegangen, was Alex gesagt hat? Über das Baby?«

»Ich fand, er lag falsch. Ich fand, Debbie hatte recht damit, dass sie das Baby abtreiben wollte«, sagte sie. »Ich habe ihm gesagt, dass er das jetzt noch nicht begreifen würde, dass es am Ende aber das Beste wäre. Debbie hatte recht. Sie wollte sich nicht das Leben kaputt machen lassen, so wie sie meins kaputt gemacht hat.«

An dieser Stelle konnte Ottey nicht mehr an sich halten. »Sie sagen also allen Ernstes, dass Debbie Ihrer Ansicht nach Ihr Leben kaputt gemacht hat?«

»Sehen Sie mich doch an! Ich hatte nie eine Chance. Alle Hoffnungen, die ich mal hatte, sind mir genommen worden.«

»Ist das wirklich Ihr Ernst?«, fragte Ottey.

»Josie …«, sagte Cross. Beinahe, als hätten sich ihre Rollen in ihr Gegenteil verkehrt, versuchte er, ihr zu vermitteln, dass sie ihre Gefühle für sich behalten sollte.

»Es ist doch so!«, erwiderte Jean trotzig.

»Wie hat Alex darauf reagiert?«

»Er hat gesagt, das wäre scheiße.« Sie fing an zu weinen. »Er hat gesagt, ich wäre als hoffnungslose Säuferin geendet, ob ich nun ein Kind hatte oder nicht, und das hätte er auch Debbie gesagt. Aber sie hat ihm nicht geglaubt und darum wollte sie das Baby loswerden.«

»Und warum war er nun bei Ihnen? Er ist doch nicht einfach gekommen, um das mit Ihnen und Andy auszudiskutieren, oder?«

»Er wollte, dass ich mit ihr rede und ihr sage, sie soll es nicht tun. Ich habe ihm gesagt, ich glaube nicht, dass sie auf mich hören würde. Aber dann habe ich gemeint, ich würde nicht mit ihr reden, weil ich finde, dass sie das Richtige tut. Ich dachte, sie sollte es wegmachen. Und da ist es richtig losgegangen. Andy hat sich eingemischt. Es ging alles so schnell. Die beiden sind aufeinander los und haben angefangen, sich zu prügeln, und dann sind beide umgefallen und Andy ist auf ihm gelandet. Er hat sich den Schädel an der Kante der Arbeitsplatte aufgeschlagen. Das war ein furchtbares Geräusch. Überall war Blut. Ich bin losgegangen, um die Küchenrolle zu holen, und als ich zurückgekommen bin, hat Andy gesagt, er ist tot.« Sie brach ab und sah Cross an. Dergleichen hatte er schon früher erlebt. Sie versuchte herauszufinden, ob er ihr glaubte. Doch er sah sie nur ausdruckslos an. »So war es«, sagte sie. Er hatte jedoch den Eindruck, dass ihre Worte nicht untermauerten, sich klar und deutlich an den Abend zu erinnern. Das Gesagte sprach vielmehr dafür, dass sie sich ihren Text gut eingeprägt hatte. »Das muss er Ihnen auch erzählt haben.«

»Er macht gerade eine Aussage«, sagte Cross.

»Tja, dann wird er es Ihnen dabei erzählen, genau wie ich gesagt habe.«

»Oh, ich bin sicher, das wird er. Immer vorausgesetzt, er erinnert sich genauso gut an die Geschichte wie Sie und lässt nichts aus«, entgegnete Cross.

»Was soll das wieder heißen?«, fragte Jean.

»Ich denke, da steckt ein Körnchen Wahrheit drin. Vorwiegend in Bezug auf den Kampf und den tödlichen Zusammenprall des Schädels mit der Arbeitsplatte«, antwortete er.

»Ja, hab ich doch gesagt«, sagte sie.

»Aber nicht hinsichtlich der Rolle, die Andy bei alldem gespielt hat«, konstatierte er und griff zu dem Stück Papier, das Mackenzie hereingebracht hatte. Er betrachtete es einige Augenblicke lang, als sähe er es gerade zum ersten Mal. Dann reichte er es Ottey, die nach ein paar Sekunden ein wenig überrascht aufblickte. Sie legte das Dokument zurück auf den Tisch und sah Jean an.

»Was?«, fragte Jean.

»Ich habe hier eine Kopie der Telefondaten von Ihnen und Andy. Außerdem haben wir eine Aufstellung der Arbeitsstunden, die Andy im letzten Monat bei South West Plumbing geleistet hat.«

»Und?«

»Andy war an diesem Abend nicht bei Ihnen.«

»Doch, war er. Das habe ich Ihnen gerade gesagt und er sagt das auch«, beharrte sie.

»Lassen Sie mich das neu formulieren: Er war da, aber erst später. Viel später. Er hatte Nachtschicht.«

»Wovon reden Sie?«

»Ihre Telefondaten zeigen, dass Sie mehrfach versucht haben, ihn von Ihrem Mobiltelefon aus anzurufen. Von 20:49 Uhr bis 22:53 Uhr, als er endlich abgenommen hat.« Er musterte sie, wollte ihre Reaktion sehen, aber da war nichts. »Er war nicht da, als Alex gestorben ist. Ihr Streit mit Alex ist eskaliert. Er war wütend, weil Sie gesagt haben, dass Debbie die Abtreibung vornehmen lassen soll. Und er hat Sie verantwortlich gemacht. Darum ist er in erster Linie zu Ihnen gekommen – um Ihnen zu sagen, dass sie abtreiben will, und Sie um Hilfe zu bitten. Sie haben sich geweigert. Was ist dann passiert? Warum haben Sie ihn geschlagen?«

»Das war Selbstverteidigung«, sagte sie.

»Inwiefern?«

»Er hat mich angegriffen. Er hat sich auf mich gestürzt. Es war Selbstverteidigung«, wiederholte sie.

»Ich glaube nicht, dass er Sie angegriffen hat. Ich denke, Sie könnten das vielleicht geglaubt haben«, sagte Cross.

»Wovon reden Sie? Er hat sich auf mich gestürzt«, behauptete sie erneut.

»Ich denke, wir wissen beide, was passiert ist. Und das ist Ihnen auch klar, nun, da Sie Zeit zum Nachdenken hatten. Sie haben mit ihm gestritten; er kam auf Sie zu – vielleicht, um ein Argument vorzubringen, vielleicht, um an Ihre Vernunft zu appellieren, und er hat das Gleichgewicht verloren. Er hat Fahrradcleats getragen. Damit verliert man leicht die Balance. Ich weiß es, denn ich habe sie einmal ausprobiert, erfolglos, wie ich zugeben muss. Außerdem bin ich zu dem Schluss gekommen, dass ernsthafter Fahrradsport nichts für mich ist. Er hat seinen Reiz, aber ich konnte den Sinn nicht erkennen. Ich bin vor allem ein Von-A-nach-B-Radfahrer. Der Weg muss zu einem Ziel führen. Gebrauchsfahrer, könnte man das nennen.« Er unterbrach sich. Jean starrte ihn an, als wäre er verrückt geworden. Er beschuldigte sie, jemanden getötet zu haben, und schwafelte vom Fahrradfahren. »Sie mögen gedacht haben, dass er auf Sie losgehen will, oder auch nicht, aber auf jeden Fall haben Sie ihn mit, sagen wir, einem Aschenbecher geschlagen, und er ist gefallen und hat sich dabei eine tödliche Kopfverletzung zugezogen. Letzteres ist meiner Ansicht nach das Einzige, was an Ihrer Version der Ereignisse der Wahrheit entspricht.«

Er legte eine Pause ein, um ihr Gelegenheit zu einer Entgegnung oder auch zu einem Widerspruch zu geben. Hilfesuchend drehte sie sich zu ihrer Anwältin um, doch vergebens.

»Es muss schrecklich gewesen sein. Sie sind in Panik geraten. Konnten Andy nicht erreichen. Sie mussten mit der Leiche im Haus darauf warten, dass er nach Hause kommt. Aber dann hat er die Dinge geregelt, nicht wahr? So wie er es immer tut.«

29

Auf Anweisung des CPS wurde Jean schließlich wegen Totschlags angeklagt. Andy wurde wegen Justizbehinderung und der Verhinderung der rechtmäßigen und angemessenen Bestattung von Alex zur Verantwortung gezogen. Das Team ging zum Feiern in den Pub. Cross schloss sich ihnen natürlich nicht an. Carson kam mit Ottey und drei Gläsern Single-Malt-Whisky in sein Büro. Eines gab er Ottey, ein anderes Cross, der es wie üblich unberührt auf seinem Schreibtisch stehen ließ. Ottey wusste nicht, warum Carson dieses neue Ritual abhielt, schrieb aber auch das dem Umstand zu, dass er sich zu viele amerikanische Polizeiserien im Fernsehen anschaute. Sie redete sich sogar ein, dass er vermutlich gar keinen Whisky mochte, allerdings vorwiegend, weil der Gedanke sie amüsierte. Schließlich hatte sie schon gesehen, wie er in seinem Büro eine Schublade geöffnet und eine Flasche Scotch mit der einen und zwei Gläser mit der anderen hervorgeholt hatte – es mussten zwei Gläser in einer Hand sein –, um dann mit der Fingerfertigkeit eines Revolverhelden genau einen Daumen breit für sich und wen auch immer er gerade beeindrucken wollte, einzuschenken. Wenn er besonders cool wirken wollte, dann verzichtete er auf die Gläser und schnappte sich einfach die nächsten beiden Kaffeebecher – um noch draufgängerischer zu wirken, so dachte sie. Je nachdem, ob er gerade in einer Episode von *Inspector Barnaby* schwelgte oder in einer von *The Shield – Gesetz der Gewalt.*

Tatsache war, dass Carson, wann immer Cross in einem Fall solch eine Kehrtwende herbeiführte, eine Einsatznachbesprechung haben wollte. Auch wenn er das George gegenüber niemals zugeben würde, glaubte er doch mitunter ernsthaft, dass ihm das die Chance gäbe, von einem wahren Meister zu lernen. Einem sonderbaren, exzentrischen Meister, der ihn oft an den Rand des Wahnsinns trieb, aber nichtsdestoweniger ein Meister auf dem Gebiet der Ermittlungsarbeit war.

»Also raus damit. Was war der entscheidende Hinweis? Was hat Sie veranlasst, diese Richtung einzuschlagen?«, fragte er wie eine Art ergebener Fan.

»Er hat keinerlei Anzeichen von Angst gezeigt, wenn es um ihn ging, wohl aber, wenn Jean erwähnt wurde. Er hat Jahre damit verbracht, Ausreden für sie zu finden. Wie an dem Tag im Restaurant. Er liebt sie trotz allem. Er könnte es trotzdem gewesen sein, doch wir sind von der Hypothese ausgegangen, dass sie sich gegenseitig ein Alibi geben. Wenn wir uns die Telefondaten früher angesehen hätten, dann wäre uns auch der Dienstplan eher aufgefallen, allerdings haben wir das aufgrund dieser Hypothese nicht getan. Eine Überprüfung war das also wert. Aber der wichtigste Punkt war der Grund, warum Alex überhaupt zu ihnen gegangen ist. Wozu? Es musste daran liegen, dass Debbie das Kind nicht wollte und er entweder gedacht hat, Jean als ihre Mutter könnte sie eines Besseren belehren …«

»Offensichtlich kannte er sie nicht besonders gut«, warf Ottey ein.

»Das ist richtig«, stimmte Cross zu. »Oder er wollte Jean gegenüber seinen Zorn zum Ausdruck bringen.«

»Tja, das Ergebnis Ihrer Ermittlungen ist jedenfalls gewohnt gut. Prost«, sagte Carson und erhob sein Glas vor Cross. Dann, als ihm sein Fehler bewusst wurde, drehte er sich mit dem Glas zu Ottey um, leerte es in einem Zug und stand auf. »Gute Arbeit; mañana«, sagte er und ging. Ottey erhob sich ebenfalls und schüttete Cross' Whisky in ihr Glas. Er musterte sie forschend.

»Ich werde den runterkippen. Aber keine Sorge. Zweifache Mutter, mein Lieber. Hausarbeit und Abendessen wollen gemacht werden. Probleme wollen angehört und gelöst oder Streitereien ausgefochten und beigelegt werden«, versicherte sie ihm.

»Sind die Verhörprotokolle schon fertig?«

»Vermutlich nicht alle. Warum?«

»Ich möchte nur ein paar Dinge noch einmal durchgehen.«

»Kann das nicht warten?«

»Nein.«

»Tja, falls sie nicht fertig sind, dann können Sie ja immer noch mit den Bandaufnahmen arbeiten, wenn es so dringend ist.«

Sie ließ ihn allein und traf auf Mackenzie, die ihre Sachen zusammenpackte, um Feierabend zu machen.

»Was macht er?«, fragte Mackenzie.

»Jedem i-Tüpfelchen noch den letzten Schliff verleihen«, sagte Ottey.

»Haben wir etwas übersehen?«

»Davon können Sie mit Sicherheit ausgehen«, entgegnete Ottey lächelnd.

Das Lächeln verging ihr ein wenig, als sie um 6:35 Uhr am nächsten Morgen einen Anruf von Cross erhielt.

»Ich brauche einen Bautrupp«, sagte er.

»Was?«, fragte sie.

»Ich brauche einen Bautrupp.«

»Wo sind Sie?«

»Im Büro«, antwortete er.

»Waren Sie die ganze Nacht dort?«, fragte sie.

»Ja. Können Sie Carson für mich verständigen?«

»Warum können Sie ihn nicht anrufen?«

»Weil zum Ersten die Chancen, dass er eine forensische Ausgrabung bewilligt, obwohl er denkt, der Fall ist abgeschlossen, was er übrigens auch ist …«

»Wozu brauchen Sie den Bautrupp dann?«, fiel sie ihm ins Wort.

»Und zum Zweiten«, fuhr er fort, ohne auf ihren Einwurf einzugehen, »hat er mir immer noch nicht verziehen, dass ich ihn kürzlich um fünf Uhr morgens angerufen habe.«

Sie erklärte sich bereit, den Anruf zu übernehmen und sich bei den Garagen mit Cross zu treffen. Sie hatte kein Problem damit, Carson zu benachrichtigen. Das Einzige, was sie bedauerte, war, dass sie sein Gesicht dabei nicht sehen konnte. Zu hören, dass Cross, obwohl der Fall abgeschlossen war, jetzt einen Bautrupp verlangte, würde ihn ausreichend zur Verzweiflung treiben, dass seine Blutgefäße in Gefahr gerieten zu platzen. Als sie ihm dann das Anliegen vorgetragen hatte, herrschte am anderen Ende der Leitung dermaßen lange Schweigen, dass sie schon fürchtete, er hätte einfach aufgelegt oder wäre wieder eingeschlafen.

Ottey brachte die Mädchen zur Schule und fuhr dann

direkt zu den Garagen. Die erste Person, die sie sah, war Morgan, der Bauunternehmer. »Guten Morgen«, sagte sie.

»Das war es, bis Sie aufgetaucht sind«, gab er zurück.

Über den Trümmern der Garage, in der Alex' Leiche gefunden worden war, hatte man ein großes weißes Zelt aufgebaut. Cross stand davor und beobachtete das Geschehen, während etliche Leute auf den Balkonen der Wohnungen auf dieser Seite des Gebäudes standen, darunter Cross' Zeugin, die wie üblich rauchte und ihre Pflanzen wässerte.

»Wie war es gestern Abend?«, erkundigte sich Ottey.

»Was meinen Sie?«, fragte er verwirrt.

»Es war Donnerstag; Ihr Vater hat seinen ersten Vortrag gehalten. Waren Sie nicht dort?«

»Natürlich nicht«, antwortete er.

»Warum?«, fragte sie verdattert.

»Weil ich ihn schon etliche Male gehört habe. Ich muss ihn nicht noch einmal hören, und außerdem habe ich gearbeitet.«

»Ich kann nicht fassen, dass Sie nicht hingegangen sind.«

»Auf die Gefahr hin, mich zu wiederholen, ich habe diesen Vortrag schon etliche Male gehört.«

»Darum geht es nicht. Sie hätten ihn unterstützen sollen. Das hätte er wirklich zu schätzen gewusst.«

»Hätte er gewollt, dass ich hingehe, dann hätte er mich darum gebeten. Aber das hat er nicht.«

Sie wollte gerade antworten, als Carson auftauchte.

»Würde es Ihnen etwas ausmachen, mir zu erklären, warum wir hier sind, am Tatort, nein, nicht einmal am Tatort, am Ablageort eines Verbrechens, das wir bereits aufgeklärt haben?«

»Weil ich denke, wir werden feststellen, dass es sich auch um einen Tatort handelt«, antwortete Cross.

»Was?«

»Warum haben sie Robbies Kleidung verbrannt?«, fragte Cross.

»Keine Ahnung. Wer zum Teufel ist Robbie?«

»Jeans Ehemann. Debbie hat gesagt, dass Andy und ihre Mutter die Kleidung ihres Vaters verbrannt hätten, nachdem er gegangen war. Sie erinnert sich an Benzingeruch. Sie erinnert sich, dass ihre Mutter sehr wütend war, und sie hat immer gedacht, ihre Mutter wäre wütend gewesen, weil ihr Vater sie verlassen hatte. Aber warum hat er dann seine Kleidung dort gelassen? Warum hat er nicht alles mitgenommen?«

»Vielleicht hatte er vor zurückzukommen und sie hat das getan, um ihn zu ärgern. Oder er hatte es eilig zu verschwinden«, meinte Carson.

»Beides möglich, beides gleichermaßen unwahrscheinlich«, informierte ihn Cross. »Etwas an der Sache hat mir nicht behagt …«

»Sie meinen, Ihr Bauchgefühl hat sich gemeldet?«, fragte Ottey schelmisch, wohl wissend, wie ablehnend er derartigen Dingen gegenüberstand.

»Nein, das meine ich nicht. Ich meine, dass mir etwas nicht behagt hat, basierend auf der Erkenntnis, dass Andy und Robert …« Er drehte sich zu Carson um, als ginge er davon aus, dass er seinem Boss alles erklären müsste, und zwar mehrfach. »… Jeans Ehemann, Brüder waren und dass Andy die Tochter seines Bruders aufgezogen hat wie sein eigenes Kind. Ich habe mir die Krankenhausakten angesehen und festgestellt, dass Jean in der Zeit vor Roberts Verschwinden mehrfach mit blauen Flecken im Gesicht und anderen Verletzungen, die typisch sind für häusliche Gewalt, in der Notaufnahme war. Dann habe ich mich gefragt, warum sie nicht geheiratet hatten, obwohl Andy Jean als seine Frau bezeichnet. Aber man kann nicht heiraten, wenn man schon verheiratet ist. Außerdem würde sowieso niemandem etwas auffallen, denn sie trug ja bereits den passenden Namen. Sie war und blieb Mrs Swinton.«

In diesem Moment kam einer der forensischen Mitarbeiter aus dem Zelt und zeigte ihnen auf seiner Kamera ein Foto. Ganz unten in der Grube, die sie ausgehoben hatten, waren Teile eines Skeletts zu erkennen – ein Arm und eine Hand.

»Ist das eine Leiche?«, fragte Carson.

»Wenn ich richtig liege, dann ist das Robbie Swinton«, sagte Cross.

»Scheiße!«, fluchte Carson.

»Sie können niemanden für tot erklären lassen, ohne die Behörden über sein Verschwinden in Kenntnis zu setzen. Was haufenweise Fragen provozieren würde, denen man sich unter bestimmten Umständen lieber nicht stellen würde«, fuhr Cross fort.

»Also …?«, fragte Carson auf eine Weise, als gäbe er sich Mühe, Cross zu folgen, obwohl er vollkommen ahnungslos war.

»Robbie wurde von seinem Bruder Andy umgebracht, der Jean und ihr Baby beschützen wollte«, konstatierte Cross. »Ihr gemeinsames Baby, um genau zu sein«, schloss er.

»Was?«, fragte Carson, der sich allmählich wünschte, er hätte einfach einen Kaffee getrunken und wäre anschließend geradewegs ins Büro gefahren.

»Ich nehme an, wir werden herausfinden, dass Andy Swinton Debbies Vater ist. Darum ist er so um sie besorgt und behandelt sie wie sein eigenes Kind. Weil sie sein eigenes Kind ist. Ich hatte vorher schon eine Ahnung, aber erst als er im Gewahrsam einen Asthmaanfall erlitten hat, habe ich das als ernst zu nehmende Möglichkeit in Betracht gezogen.« Er legte eine Pause ein, als würde er glauben, Ottey und Carson bräuchten einen Moment, um das alles zu verarbeiten. »Alles in allem nehme ich an, dass sie Robbie vermutlich die Wahrheit darüber gesagt haben, wer der Vater des Kindes ist. Eines Kindes, das er vier Jahre lang großgezogen und für sein Fleisch und Blut gehalten hatte, und das war zu viel für ihn. Die ganze Ehe war ein einziger großer Schwindel. Hätten sie ihm von Anfang an die Wahrheit gesagt, dann wäre es vielleicht nie so weit gekommen. Ich glaube, es kam zum Streit, und Andy hat ihn getötet. Jean hat ihn zwölf Jahre lang gedeckt, und nun war er an der Reihe, sie zu decken. Ich nehme an, das kann man verstehen. Er hatte schließlich den Preis für den Tod seines Bruders nicht bezahlt. Darum war er entschlossen, den für Alex zu bezahlen, sollte die Geschichte auffliegen, obwohl er in diesem Fall nicht der Täter war.«

»Okay«, sagte Ottey. »Bis hierhin komme ich mit. Aber wie sind Sie darauf gekommen, dass er hier ist? Robbie, meine ich.«

»Weil die Zeugin auf dem Balkon …« Sie alle blickten hinauf, und da war sie, beobachtete sie und winkte ihnen zu. »… mir die Geschichte der Garagen erzählt hat. Vor ungefähr 20 Jahren haben ein paar Automechaniker diese Garagen als Werkstatt benutzt und eine von ihnen hatte eine Grube. Einer der Mechaniker war ein Freund ihrer Mutter. Sie erinnert sich noch gut an die Grube. Als die Werkstätten aufgegeben wurden, haben die Kinder in der Grube gespielt. Die Garage mit der Grube hat Jeans Vater gehört. Aber dann fiel mir ein, dass es diese Grube nicht mehr gab. Warum sollte man sich die Mühe machen, so eine Grube zuzuschütten? Die lässt man doch einfach, wie sie ist, oder nicht? Es sei denn, man will etwas darin verstecken. Etwas wie eine Leiche.«

Damit wandte Cross sich ab und ging davon. Er war ziemlich erschöpft. Nicht nur dass er schon seit 36 Stunden auf den Beinen war, Fälle wie dieser nahmen ihn wirklich mit. Sein Bedürfnis, Verbrechen aufzuklären, beruhte zum Teil darauf, dass er eine angeborene Aversion gegen Dinge hatte, die nicht richtig waren. Es ging weniger um Gerechtigkeit als darum, dass die Dinge richtig sein mussten. So, wie sie sein sollten. Und solange sie das nicht waren, empfand er sie als entsetzlich anstrengend. Und darum fühlte er sich nun gar nicht so sehr erfolgreich, sondern vielmehr enorm erleichtert. So einfach war das.

ENDE

Über den Autor

Tim Sullivan ist ein von der Kritik bejubelter Drehbuchautor, der unter anderem die Drehbücher zu *EINE HANDVOLL STAUB* mit Kristen Scott Thomas, *ENGEL UND NARREN* mit Helen Mirren und Helena Bonham Carter, *JACK UND SARAH – DADDY IM ALLEINGANG* (bei dem er auch Regie geführt hat) mit Richard E. Grant, Judi Dench und Ian McKellen und *BRIEFE AN JULIA* mit Amanda Seyfried verfasst hat. Außerdem führte er unter anderem Regie bei den TV-Produktionen *SHERLOCK HOLMES: DER LETZTE VAMPIR* und *COLD FEET*. Zudem hat er viel für Hollywood geschrieben, sowohl für Realfilme als auch für Animationsfilme, und mit Ron Howard, Scott Rudin und Jeffrey Katzenberg beim vierten *SHREK*-Film zusammengearbeitet. Inzwischen hat er eine Krimireihe um den exzentrischen und sozial unbeholfenen, aber fachlich brillanten und beharrlichen DS George Cross begonnen. *Der Kriminalist – Die Logik des Todes* ist der zweite Roman der Krimiserie um DS Cross. Tim lebt mit seiner Frau Rachel Purnell, der Emmy-Gewinnerin und Produzentin von *BAREFOOT CONTESSA* und *THE PIONEER WOMAN* im Norden Londons.

Danksagung

Wie stets danke ich meinem Lektor James Maw. Außerdem Sandy Crole für seine akribische Arbeit und seine Anmerkungen. Meiner Nichte Phoebe für die Bilder der Clifton Suspension Bridge. Tim Phillips für das Coverfoto [Anm. der Red.: der Originalausgabe], das erste von hoffentlich vielen weiteren. Rachel für einfach alles – ich hoffe, wenn sie das sieht, dann begreift sie, dass ich da oben wirklich arbeite.